POTTERS BAR
TO
CAMBRIDGE

Vic Mitchell and Allan Mott

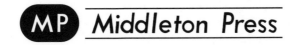

MP Middleton Press

Cover picture: Standing in pristine condition at the GNR platform at Cambridge in 1910 is GNR class D1 4-4-0 of 1909. It became LNER class D2 no. 2201 and was withdrawn in 1947. (Stations UK)

Published March 2006

ISBN 1 904474 70 5

© Middleton Press, 2006

Design Deborah Esher
Typesetting Barbara Mitchell

Published by
    Middleton Press
    Easebourne Lane
    Midhurst, West Sussex
    GU29 9AZ
Tel: 01730 813169
Fax: 01730 812601
Email: info@middletonpress.co.uk
www.middletonpress.co.uk

Printed & bound by Biddles Ltd, Kings Lynn

INDEX

ACKNOWLEDGEMENTS

We are very grateful for the assistance received from many of those mentioned in the credits also to M.Back, A.E.Bennett, W.R.Burton, A.R.Carder, R.S.Carpenter, L.Crosier, G.Croughton, A.G.W.Garraway, G.Howe, N.Langridge, B.W.Leslie Mr D. and Dr S.Salter, A.Sibley (GNS), J.Slack and particularly our ever supportive wives, Barbara Mitchell and Morag Mott.

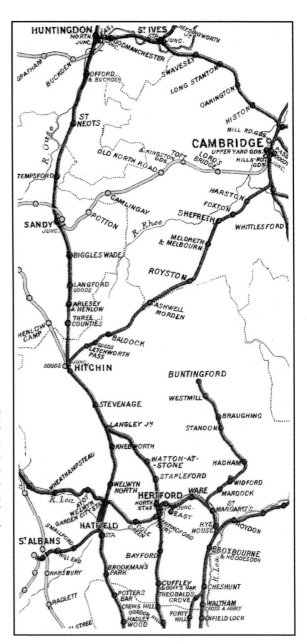

Railway Clearing House map of 1947.

GEOGRAPHICAL SETTING

The route is on London Clay at Potters Bar and it drops only 40 feet to Hatfield, where it runs onto the Chalk of the eastern extension of the Chiltern Hills. It rises on the dip slope, passes through the highest part in the Welwyn Tunnels and descends on the scarp slope to Hitchin.

The Hertford Loop joins the main line south of Stevenage and provides an alternative route from London that bypasses the tunnels and the viaduct over the River Mimram at Welwyn. These create a bottleneck, as they restrict the route to only two tracks for about three miles.

From Hitchin to Royston, the line is at the foot of the chalk scarp slope, but thereafter it moves away north from the high ground. However, it is still on the same chalk deposits and these have been used for cement production.

The line enters the shallow valley of the River Cam, near the area of confluence of three rivers.

The route is mostly in Hertfordshire, but it enters Cambridgeshire east of Royston.

The maps are to the scale of 25ins to 1 mile with north at the top, unless otherwise indicated.

Gradient profiles.

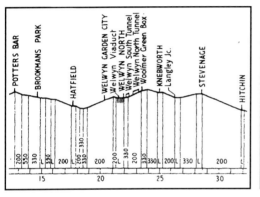
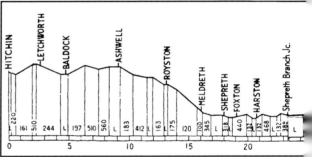

HISTORICAL BACKGROUND

The Potters Bar to Hitchin section formed part of the Great Northern Railway's main line, which opened from London on 7th August 1850. The branch from Hitchin to Royston followed on 21st October of that year, this being owned by the Royston & Hitchin Railway, although worked by the GNR.

The Eastern Counties Railway had reached Cambridge from the south in 1845 and became part of the Great Eastern Railway in 1862.

The GNR extended its operation from Royston to Shepreth on 1st August 1851 and the ECR operated east of the latter from 1st April 1852. It took a 14-year lease of the line from Hitchin, but the entire route came under GNR control subsequently and its trains were able to run to Cambridge. The ownerships were GER east of Shepreth from 1862 and GNR

west thereof from 1897. Quadrupling of much of the main line took place in stages between 1877 and 1894.

The Hertford Loop was completed between Hertford and Stevenage in 1918.

The GNR and the GER became constituents of the London & North Eastern Railway in 1923. This in turn became Eastern Region of British Railways in 1948.

The lives of the associated lines are summarised below and detailed in the relevant captions.

	Opening year	Passenger closure
West to St. Albans	1865	1951
East to Hertford	1858	1951
West to Dunstable	1860	1965

Freight continued on some parts of these routes.

Major alterations began on the main line in 1954 in connection with the quadrupling between a point north of New Barnet and Potters Bar. The work was completed on 3rd May 1959.

Partial electrification of services between Kings Cross and Royston began on 8th November 1976 and full operation was from February 1978. Extension of the 25kV AC wires to Cambridge came on 16th May 1988, the Bishop's Stortford-Cambridge section dating from 19th January 1987.

The area came within Network SouthEast upon the sectorisation of BR on 10th June 1986.

Privatisation resulted in the trains serving the stations on the route being operated by West Anglia Great Northern Railway Ltd from 5th January 1997. It is usually known as WAGN. Operators working express trains on the main line south of Hitchin have been Great North Eastern Railway since 29th April 1996 and Hull Trains from 24th September 2000. This was a pioneering example of "open access", instead of franchising.

A new franchise in April 2006 resulted in WAGN and Thameslink being combined to form First Capital Connect.

PASSENGER SERVICES

The tables below indicate the number of down trains calling at most intermediate stations on at least five days per week.

Potters Bar to Hitchin

	Weekdays	Sundays
1850	4	2
1869	9	4
1890	10	4
1910	12	5
1930	22	8
1950	22	15
1970	25	21

There were many extra trains running fast between Hatfield and Hitchin, or Welwyn Garden City after it opened in 1929. In the peak hours, the stopping patterns became irregular to spread loadings.

The full Kings Cross-Royston electrified service in 1978 provided three trains per hour (two on Sundays), plus a service between Moorgate and Welwyn Garden City at the same frequency. There was an hourly diesel train between Hertford North and Huntingdon, connecting with the electrics at Stevenage and Hitchin.

From May 1988, there were two trains per hour betwen Moorgate and Welwyn Garden City, one between Kings Cross and Stevenage via Hertford North and two between

Kings Cross and Royston, one being extended to Cambridge. Moorgate was not used on Saturdays or Sundays, trains instead using Kings Cross.

Hitchin to Cambridge

The figures in brackets show the number of trains running fast east of Royston.

	Weekdays	Sundays
1852	4	2
1869	7 (3)	2
1890	12 (5)	2
1910	13 (8)	3
1930	9 (3)	3
1950	9 (5)	7 (2)
1970	19 (13)	8 (8)

The 1910 timetable showed five "Motor Car" or railmotor trips between Hitchin and Baldock on weekdays, this figure increasing to eleven by 1930. There were also some extra trains to Royston and three to Baldock on Sundays.

Trains stopping at intermediate stations east of Royston in 1970 were in the peak hours only.

As stated, electrification in 1988 brought one train per hour to Cambridge, alternate ones calling at all stations, but not on Sundays. There were a few more at peak times.

HITCHIN, LETCHWORTH (Garden City), ROYSTON, and CAMBRIDGE.

November 1930

Down. — Week Days.

Miles		mrn	mrn	mrn	mrn	mrn	mrn	mrn	aft	mrn	mrn	aft	aft	aft	aft	aft	aft	aft
			a			v		SE	SE	SA	SB				v		V	
103⅛	London (King's Crs.) dep	5	5	...	...	7 10	7 45	8 45	10 20	10 20	...	11 30	11 30	12 40	...	1 5	1 45	3 0	...	V	4 15
—	Hitchin dep	5 27	6 20	7 18	7 35	...	8 37	8 50	9 44	11 40	11 40	12	6	12 42	12 45	1 33	2 0	2 30	2 54	3 52	4 55	5 5	28
2¼	Letchworth (Garden City)	5 35	6 29	7 24	7 40	...	8 44	8 59	9 50	11 47	11 47	12	13	12 49	12 52	1 40	2 6	2 36	1 3	3 59	3 5	11 5	34
4½	Baldock	5 40	6 34	7 28	7 45	...	8 49	9 3	9 56	11 51	11 54	...	12 57	12 57	1 45	2 11	2 40	3 5	4 4	5	45	9	...	5 38
9	Ashwell and Morden	...	6 42	...	...	...	8 58	...	10 5	...	...	...	1 3	1 6	1 53	2 20	...	...	4 13	5 20	...	...
12¾	Royston	...	6 48	...	...	...	8 29	9 6	...	10 13	...	...	1 12	1 15	2	1 2 27	...	...	4 21	5 28	...	...
16	Meldreth and Melbourn	...	...	...	...	...	8 39	9 12	...	10 19	...	...	1 19	1 22	...	...	...	...	4 27	...	...
18	Shepreth	...	...	...	...	...	8 33	9 17	...	10 24	...	...	1 21	1 27	...	...	...	...	4 32	...	...
19	Foxton	...	...	...	...	...	8 36	9 20	...	10 27	...	...	1 27	1 30	...	...	...	...	4 35	...	...
20¼	Harston [878, 879, 892]	...	...	...	...	...	8 40	9 24	...	10 31	...	...	1 32	1 35	...	...	...	...	4 39	...	...
26	Cambridge 860, 876, arr	...	...	...	...	...	8 50	9 34	...	10 41	...	...	1 42	1 45	2 21	...	...	...	4 49	...	...

Down. — Week Days—Continued.

		aft	aft	aft	aft	aft	aft	aft	aft	aft	aft	aft	aft	aft	aft	aft		Sundays.
				B				E	S		B			W			mrn	mrn	mrn	aft	aft
103⅛	London (King's Crs.) dep	5 0	...	5 10	5 34	6 7	26	15	6 55	7 50	7 50	9 0	9 10	0 11	0	11 45	...	9 56	10 33	11 27	5 48	8 10 35
—	Hitchin dep	5 46	5 52	6 36	34	6 58	7 12	7 35	8 38	8 58	8 9	10 9	10 49	11 30	12 9	1	1 256	...	10 2	10 38	10 336	6 05	11 10 41
2¼	Letchworth (Garden City)	5 52	5 58	6	9 16	40	7 47	19	7 39	8 10	9	44	8 10 31	10 49	11 30	12 9	1	1	...	10 7	...	6 5	8 16	...
4½	Baldock	...	6 3	6 16	44	7 5	7 27	7 33	...	8 2	19	17 9	21	...	...	...	...	10 16	...	6 13	8 24	...
9	Ashwell and Morden	...	6 11	...	7 33	...	8 2	19	17	9	21	...	...	...	...	...	...	10 24	...	6 22	8 33	...
12¾	Royston	5 56	6 18	...	7 40	...	8 32	9	2 39	9 27	...	11	4	...	...	...	...	10 30	...	6 28	8 39	...
16	Meldreth and Melbourn	6 24	...	...	...	...	8 38	...	...	...	...	...	...	...	...	...	...	10 35	...	6 33	8 44	...
18	Shepreth	6 29	...	...	...	...	8 43	...	...	...	...	...	...	...	...	...	...	10 38	...	6 36	8 47	...
19	Foxton	6 33	...	...	...	...	8 46	...	...	...	...	...	...	...	...	...	...	10 42	...	6 40	8 51	...
20¼	Harston [878, 879, 892]	6 37	...	...	...	...	8 50	...	...	...	...	...	...	...	...	...	...	...	...	...	...	...
26	Cambridge 860, 876, arr	6 256	47	...	7 57	...	9 2	...	...	...	...	11 26	...	...	...	...	...	10 52	...	6 50	9 1	...

Legend (first table):

- **a** From Hatfield.
- **B** Weds. only.
- **b** To Knebworth.
- **d** To Stevenage on Sats.
- **E** Except Sats.
- **G** Letchworth (Garden City).
- **S** Sats. only.
- **T** Departs at 5 49 aft. on Sats.
- **H** Runs to Welwyn Garden City, see page 1039.
- **V** From Hertford North, see below.
- **W** Wednesday and Saturday nights.
- **X** Runs to Hertford North, see below.

LONDON, HATFIELD, WELWYN GARDEN CITY and HITCHIN

June 1950

Week Days

Miles		a.m	a.m	a.m	a.m	a.m	a.m	a.m	a.m	a.m	a.m	a.m	a.m	a.m	a.m	a.m	a.m	a.m	a.m	a.m	a.m
			A		A	Y	E S	E S	B	W E	S		E	H	F	S		S
—	London (King's Cross) dep	4 05	5 56		5 6	5 56	5 37	18	8 10	8 10	8 12	8 20	8 28	8 29	45	10 40		10 40	10 35	10 35	11 10		10 47
	(Broad Street) "							8	8 35												
2¼	Finsbury Park		6	8 6	13 7	4 7	0 7	25		8 17	8 19		8 35	35		10 48	10 42	10 42	11 18		10 54
17½	Hatfield arr		6 48	7 28	7 38	3	4		8 44	8 43		9 14	9 14		11 12	11 21	11 21	11 42		11 19
	dep		6 52	7 32	7 40	8	5		8 45	8 44		9 16	9 16		11 14	11 22	11 22	11 44		11 20
20¼	Welwyn Garden City arr	6 35	6 56	7 37	7 45	8 10		8 49	8 48		9 20	9 20	10 16	11 11		11 27	11 27		11 24
	dep	6 36	6 58	7 37	7 48	8 11		8 53	8 56		9 20	10 17	11 12		11 28	11 37		11 37
22	Welwyn North		7 3		7 53	8 16		8 58	8 55		9 27	9 27			11 33	11 42		11 42
25	Knebworth		7 7		7 59	8 22		9 4	9 1		9 33	9 35			11 39	11 50		11 50
28⅜	Stevenage		7 11		8 7	8 30		9 12	9 9		9 41	9 55			11 47	12 9 11		11 58
32	Hitchin arr	4 45	6 53	7 23	7 55	8 13	8 25		8 59	18	9 15	9	5 47	10 2	10 33 11 29		11 35	11 54	12 10	12 5		12 10

Week Days—continued

		a.m	p.m	p.m	p.m	p.m	p.m	p.m	p.m	p.m	p.m	p.m	p.m	p.m	p.m	p.m	p.m	p.m	p.m
		E S			E	E	S	S	D	S	S	A	E	S		S	E		D	A	A	E	Z
	London (King's Cross) dep	11 10			12 5	12 10	12 15	12 25	1	0	1 21	40	2	0 2	25	2 40		3 15	3 10	4 10	4 23		5	0	5	10 5	E39
	(Broad Street) "		11 5														4	S17	4 43			E S34
	Finsbury Park	11 18	11 17			12 17		12 33	1	8 1	20	1 47	2	8		2 49		3 19	3 19	4 30	4 56		5	47
	Hatfield arr	11 40	11 54			12 45		12 59	1	33	1 59	2	9	40		3 11		3 43	3 43	4 55	5 20		5	46
	dep	11 41	11 56			12 47		1 0	1	35	2	1	2	40		3 13		3 44	3 45	4 56	5 22		5	48
	Welwyn Garden City arr	11 46	12 0			12 36	12 52	12 44	1	6 1	39	2	6	2 46	2 57	3 16		3 46	3 49	4 48	5 29		5	46	6	12
	dep	11 47	12 2			12 37	12 53	12 52	1	6	4 22	15		2 48	2 58	3 18		3 47	3 50	5 5	5 31		5	47	6	13
	Welwyn North		12 7			12 58		1	11	1	47	2	20	2	53		3 23		3 55		5 5	5 36		5	52	6	18
	Knebworth		12 15			1	4		1	19	1	55	2	28		3	1		3 29		4 3	5 13	5 42		6	0	6	24
	Stevenage		12 25			1	12		1	27	2	3	2	40		3	9		3 37		4 11	5 21	5 50		6	8	6	32
	Hitchin arr	12 3	12 32			12 53	1	18	1	8 1	33	2	9 2	25	3	3	43		4	3 4	17	5	6 5	28	5	56	5	42	6	14	6	38

Week Days—continued

		p.m	p.m	p.m	p.m	p.m	p.m	p.m	p.m	p.m	p.m	p.m	p.m		p.m	p.m		
		A	H	J	H	F	A	Z		C	D		K	L	n		X	A	Sunday morning only
	London (King's Cross) dep	5 55	6 15	6 24	6 40	6 49	7 25	7 55		9 0	9 5		10 2		10 2	10 35		11 10	11 46	
	(Broad Street) "																	
	Finsbury Park	6 3	6 23	6 32	6 47	6 57	7 33	8 3		9 12		10 12		10 12	10 42		11 18	11 53	
	Hatfield arr	6 45	6 54	7 11	7 21	7 57	8 29		9 38		10 38		10 38	11 22		12 36		
	dep	6 46	6 55	7 12	7 22	7 58	8 31		9 40		10 39		10 39	11 26		12 37		
	Welwyn Garden City arr	6 22	6 50	6 59	7 17	7 26	8 3	8 35		9 44		10 43		10 43	11 31		11 43	12 42	
	dep	6 30	6 52	7	7 18	7 30	8 5	8 37	9 30	9 46		10 47		10 52	11 32		11 44		12 43	
	Welwyn North	6 57	7	6 7	23 7	35 8	10 8	42		9 51		10 52		10 57	11 38		12 48	
	Knebworth	7	3 7	12 7	29 7	43 8	16 8	50		9 57		11 0		11 5	11 46		12 54	
	Stevenage	7	11 7	20 7	37 7	51 8	24 9	0		10 5		11 2		11 13	11 54		1 2	
	Hitchin arr	6 46	7 17	7 26	7 45	7 57	8 30	9	9 46	10 11		11 19		11 19	12 5		12 0	1	9	

Sundays

		a.m	a.m	a.m	a.m	a.m	a.m	a.m	a.m	a.m	p.m	p.m	p.m	p.m	p.m	p.m	p.m	p.m	p.m	p.m	p.m
			Z		A	A	A		A	A	P		A	A		D	D		D	A	
	London (King's Cross) dep	6 20	7 12	7 45	8 20	8 15	10 10		12 5	1 30	3 25	4 0	4 55	5 20	6 40	7 10	8 10	9 5		9 55	10 50	11 55	12 0
	(Broad Street) "																		
	Finsbury Park	6 27	7 20	7 59	8 28	8 22	10 18		12 12	1 38	3 33	4 7		5 27	6 48	7 19	8 17	9 13		10 3	10 57	12 2	12 7
	Hatfield arr	6 47	7 58		8 53	9 2	10 47		12 51	2 3	3 57	4 46		5 53	7 12	7 43	8 39	9 37		10 27	11 36	12 41	
	dep	7 10	8 0		8 57	9 10	10 49		12 55	2 4	3 59	4 51		5 55	7 15	7 45	8 40	9 40		10 29	11 39	12 42	
	Welwyn Garden City arr	7 15	8 5		9 10	10 54		1 0	2 10	4 4	4 58		6 0	7 20	8 45	9 47		10 35	11 45	12 48	
	dep	7 18	8 6		9 10	10 56		1 2	2 11	4 5	4 58		6 2	7 22	8 49	9 47		10 40	11 50	12 53	
	Welwyn North		9 24	11 1		1 6	2 16	4 10	5		6 27	7 29	8 54	9 58		10 45	11 55	1 0	
	Knebworth	7 29	8 17		9 30	11 9		1 12	2 22	4 16	5		6 37	42	9 0	9 58		10 50	12 0	
	Stevenage	7 37	8 25		9 38	11 20		1 20	2 30	4 24	5 20		6 47	8 1	9 13	10 6		11 1	12 11	1 7	
	Hitchin arr	7 43	8 31	8 40	9 49	11 27		1 26	2 36	4 30	5 26	32	5	41 6	27	7 58	8 10	9 19	10 12		11 8	12 18	1 13	12 49

Legend (second table):

A To Cambridge (Table 12)	**F** Fridays only	**S** or **Ş** Saturdays only
Å Arr. 9 43 a.m.	**H** Except Fridays and Saturdays	**T** Arr. 5 minutes *earlier*
a Third class only except on Saturdays	**J** Fridays and Saturdays	**W** Wednesdays and Saturdays
B Except Wednesdays and Saturdays	**K** Except Mondays, Fridays, and Saturdays	**X** To Baldock (to Cambridge on Thursdays and Saturdays)
Ɓ Arr. 4 minutes *earlier*	**L** Mondays, Fridays, and Saturdays	**V** To Baldock except on Sats. (Table 12)
C Cambridge Buffet Express (Table 12)	**Ṅ** Arr. 3 minutes *earlier*	**Z** To Baldock (Table 12)
Ċ 3 minutes later on Fridays	**P** To Shepreth (Table 12)	**ℬ** Third class only
D To Royston (Table 12)	**R** Restaurant Car	
E or **Ė** Except Saturdays		

POTTERS BAR

I.   The 1898 map includes the suffix, which was in use until March 1971. This rural outpost was the unlikely termination point for North London Railway trains from Broad Street until 1885. The goods yard crane is marked; it was rated at 4½ tons.

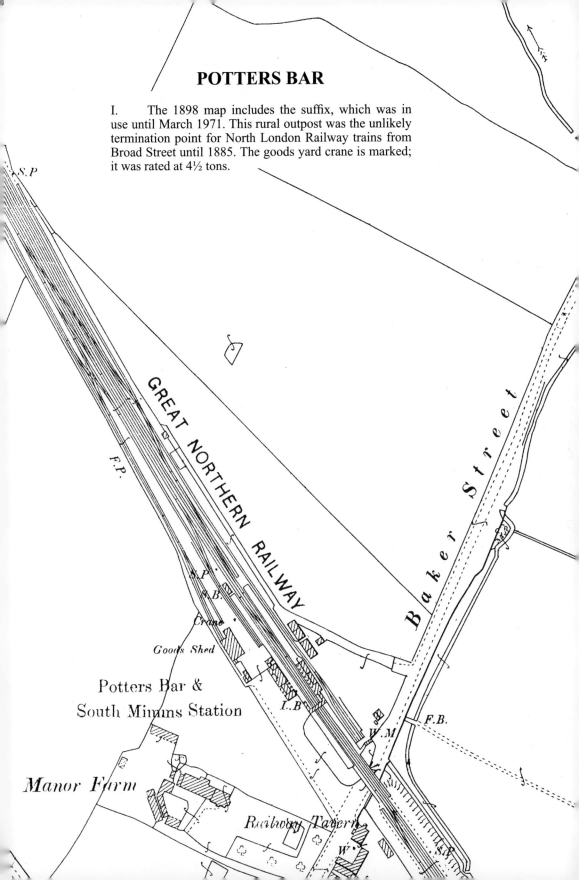

S.P

GREAT NORTHERN RAILWAY

Baker Street

F.P.

S.P.
S.B.

Crane

Goods Shed

Potters Bar &
South Mimms Station

L.B.

F.B.

W.M.

Manor Farm

Railway Tavern

W.

S.P

1.   The goods shed is included in this postcard view of the approach road. The station was the target for enemy bombers during World War II; instead, they hit the cemetery in which lay the remains of a World War I Zeppelin crew. (Lens of Sutton coll.)

2.   The 1.40pm Kings Cross to Hull was headed by two 4-4-2s, nos 3296 and 3291, sometime around 1920. They are approaching the station with the down refuge siding on the right. (GNRS)

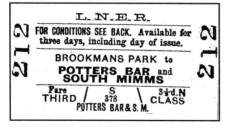

3.   This northward view seems to have the entire station staff posed in it. Milk churns vanished from platforms in the early 1930s with the advent of tankers. (Lens of Sutton)

4.   Work on the quadrupling began in May 1953 and a subway was constructed to replace the footbridge. This photograph from 8th August 1953 shows that the goods yard had to be moved to the east side of the tracks. (A.Ll.Lambert)

5.   A southward view from a point north of the station in 1953 features 0-6-2T no. 69574 working to Hatfield. It is crossing from the down main to the down slow line. The large pipes were for condensing steam whilst working underground between Kings Cross and Moorgate. (GNRS)

L. N. E. R.

3859

Not transferable. This ticket is issued subject to the General Notices, Regulations & Conditions in the Co's current Time Tables. Available on day of issue only

BROOKMANS PARK to

POTTER'S BAR & SOUTH MIMMS

Fare THIRD / S 378 \ 3d. CLASS

POTTER'S BAR & S. M.

3859

6.   The new down slow line is in the centre of this view from 16th May 1954 and the replacement signal box is under construction on the right. On the left is the bed for the down siding and goods refuge. (A.Ll.Lambert)

7. The completed platforms were recorded on 8th May 1955, but the canopies soon sagged and had to be strengthened. They now have props. Three new tunnels had to be provided south of the station. The new signal box in the distance was closed on 25th March 1973 and the top floor was removed, leaving the relay room to function. (A.Ll.Lambert)

8. A northward panorama in 2005 includes a stopping train from Moorgate to Welwyn Garden City. The station has been the scene of two disasters involving facing points - one on 10th February 1946 and the other on 10th May 2002. (A.C.Mott)

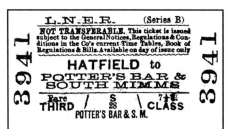

9. This southward view from 2005 includes a fast train bound for Cambridge and the five-storey development that took place on the up side in the early 1990s. (A.C.Mott)

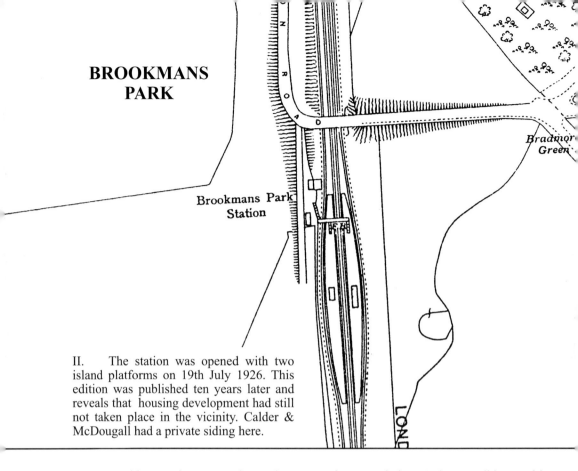

BROOKMANS PARK

Brookmans Park
Station

Bradmor
Green

LOND...

N
R
O
A
D

II.   The station was opened with two island platforms on 19th July 1926. This edition was published ten years later and reveals that housing development had still not taken place in the vicinity. Calder & McDougall had a private siding here.

10.   Looking north, we see the station soon after completion. Only two ribbons of home building took place (eastwards) prior to World War II. (Lens of Sutton coll.)

11.   No. 2510 *Quicksilver* was one of the streamlined A4 class 4-6-2s introduced in 1935 and used with great success between Kings Cross and Edinburgh. (GNRS)

12.   A southbound express was recorded on 30th July 2005 with a class 91 electric locomotive pushing the train. The basic local service was at 20 minute intervals and was initially provided by Moorgate-Welwyn Garden City trains at the outer platforms. The ticket office is lower right. (A.C.Mott)

WELHAM GREEN

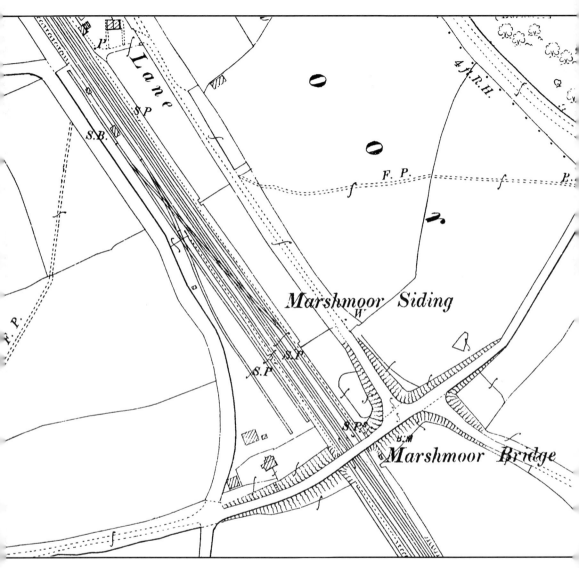

III.   Marshmoor Siding was established to serve the local agricultural community, but the term was still singular when this map was published in 1898.

13.	Welham Green station was built south of the bridge shown on the map and was opened on 29th September 1986. A train from Peterborough speeds towards London on 30th July 2005. (A.C.Mott)

14.	No. 365528 is northbound on the same day. Most of the residential development is west of the main line here, as is a small area of light industry. (A.C.Mott)

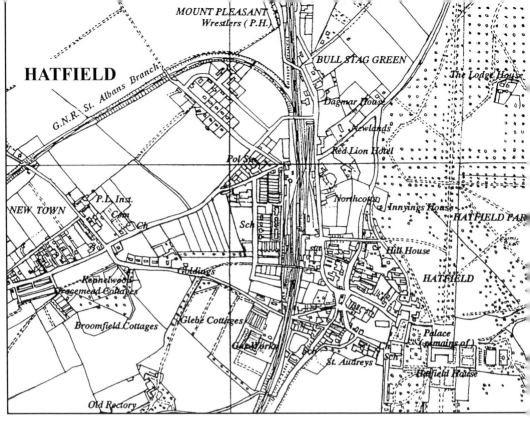

IV.   The 1922 survey at 6ins to 1 mile has Lord Salisbury's Hatfield House lower right and the viaduct carrying his road to the station over Park Street, east of the former. On the left is New Town, which was started around 1840. It formed the nucleus of another new town development in the 1950s.

15.   The station's east elevation is seen in about 1900. The population growth was remarkable: from 3862 in 1851, 4754 in 1901, 12,500 in 1951 to 25,500 in 1991. (Lens of Sutton)

16. A northward postcard view includes the down island platform and a goods train on the up through line. The coaches on the left are for working one of the three branch services operating from here. (Lens of Sutton coll.)

17. A view southward between the wars shows the modernised canopy over the up platform. The de Havilland Aircraft Company moved to the town in 1933 and generated much employment and railway traffic. (Stations UK)

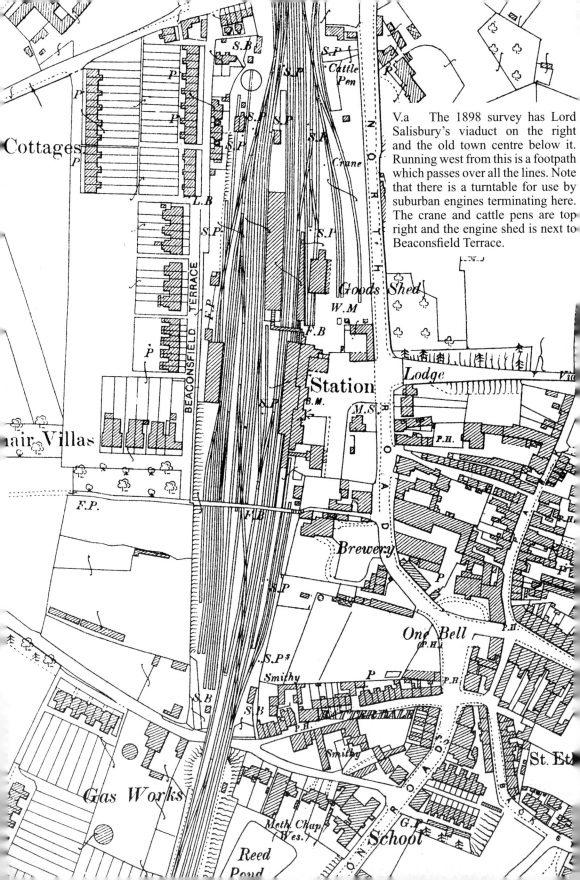

V.a The 1898 survey has Lord Salisbury's viaduct on the right and the old town centre below it. Running west from this is a footpath which passes over all the lines. Note that there is a turntable for use by suburban engines terminating here. The crane and cattle pens are top right and the engine shed is next to Beaconsfield Terrace.

Cottages

S.B

Cattle Pen

S.P

Crane

Goods Shed

W.M

F.B

Lodge

Station

B.M

M.S

P.H

air Villas

F.P.

F.P.

F.B

Brewery

One Bell
(P.H.)

S.P

Smithy

P

P.H.

S.B

S.B

BATTERDALE

Smithy

Gas Works

St. Et

School

Meth. Chap.
Wes.

Reed
Pond

BEACONSFIELD TERRACE

NORTH

ROAD

CROSS ROADS

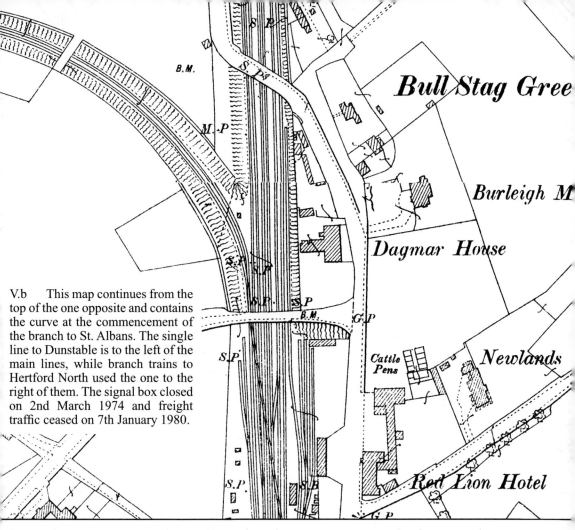

V.b   This map continues from the top of the one opposite and contains the curve at the commencement of the branch to St. Albans. The single line to Dunstable is to the left of the main lines, while branch trains to Hertford North used the one to the right of them. The signal box closed on 2nd March 1974 and freight traffic ceased on 7th January 1980.

Bull Stag Gree

Burleigh M

Dagmar House

Newlands

Cattle
Pens

Red Lion Hotel

18.   The goods crane is evident in this southward panorama. It was rated at five tons and was repositioned during alterations in the 1950s. Local production of aircraft components ceased in 1993, such names as Mosquito, Comet and Trident having become part of the town's history. (Stations UK)

19.   This is the east elevation of Lord Salisbury's private waiting room shortly before its demolition in about 1971. It was situated south of the up buildings and was used as a signal school in its later years. (T.Rook coll.)

20.   A northward view from the road bridge includes a DMU in the up bay, close to his lordship's waiting room and the gents. The train had worked a stopping service from London. The station was completely rebuilt in 1972. (Stations UK)

21.   North of the station was Wrestler's Bridge. This suffered a catastrophic collapse in February 1966 during track laying involving deep ballasting. The structure had carried the A1, the Great North Road and it was replaced by a footbridge. (T.Rook coll.)

22.   A southward photograph from the island platform in May 2005 reveals the limited extent of the replacement up buildings, as a class 170 DMU of Hull Trains speeds south. A fleet of new class 222 units followed, all running non-stop between London and Grantham. We will not dwell on the 115mph derailment nearby on 17th October 2000, which was caused by a rail defect. (A.C.Mott)

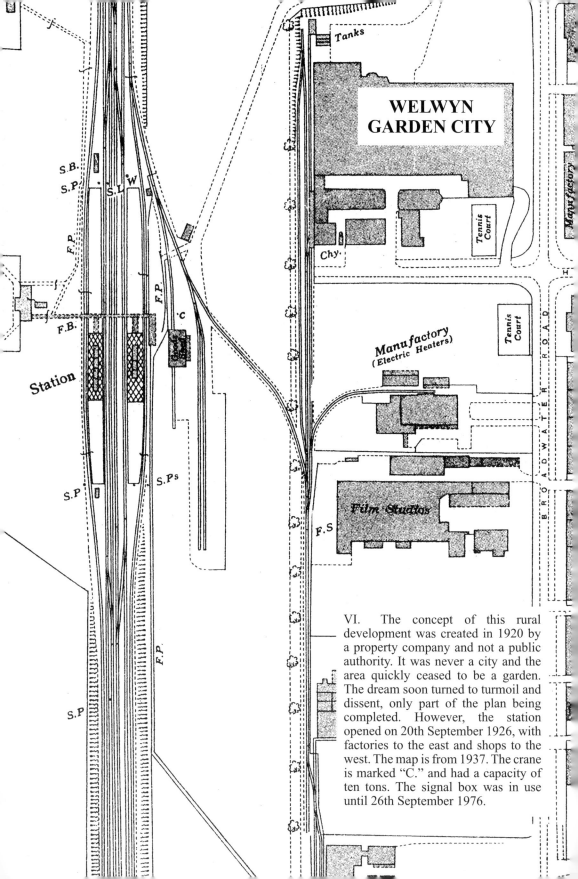

Tanks

S.B.

S.P.

S.L.W

F.P.

F.P.

F.B.

'C

Station

S.P.

S.Ps

S.P

F.P.

S.P

**WELWYN
GARDEN CITY**

Tennis Court

Chy.

Tennis Court

Manufactory
(Electric Heaters)

Manufactory

B R O A D W A T E R   R O A D

H

Film Studios

F.S

VI.   The concept of this rural development was created in 1920 by a property company and not a public authority. It was never a city and the area quickly ceased to be a garden. The dream soon turned to turmoil and dissent, only part of the plan being completed. However, the station opened on 20th September 1926, with factories to the east and shops to the west. The map is from 1937. The crane is marked "C." and had a capacity of ten tons. The signal box was in use until 26th September 1976.

23. The station was two miles south of the town of Welwyn. Southbound with Pullman cars is class A1 4-6-2 no. 4481 *St. Simon* on an unknown date. Private sidings listed in 1938 included those for Attimore Hall, Dawnays, Herts Gravel & Brick, Horn, Mouldrite, New Town Trust, Norton Grinding Wheel Co., Shredded Wheat Co., Twentieth Mile (WGC), United Heating and Welwyn Foundry. (T.Hancock)

24. A network of temporary two-foot gauge lines were laid around the area during the construction phase. Gravel, sand and bricks were the main items conveyed, an ex-WWI Simplex locomotive being the motive power. (T.Rook)

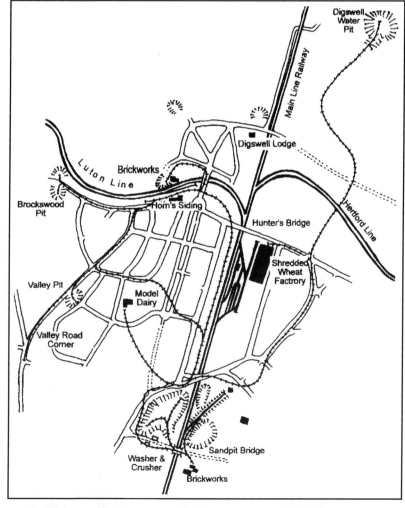

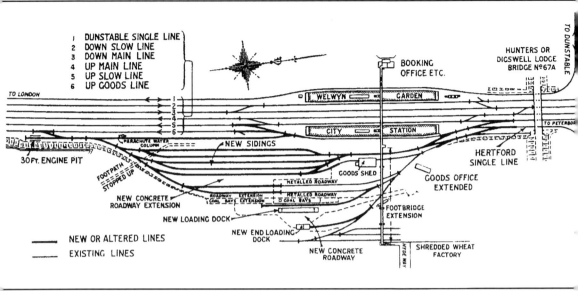

VII. Owing to serious wagon congestion at Hatfield, a new marshalling yard was created here in 1947. The wagon capacity was increased from 51 to 162. Note that the footbridge was lengthened over the new lines. (Railway Magazine)

25. A substantial goods shed was built in the shadow of the Shredded Wheat factory, which still dominates the scene. There are six through lines in the station area. (Lens of Sutton coll.)

26.   The west elevation of the down side building was recorded in 1984. It was demolished and a new ticket office was incorporated in the Howard Shopping Centre in 1990. (D.Thompson)

27.   No. 47549 races towards Kings Cross on 4th September 1978. The up side yard became an international road/rail freight terminal on 28th January 1986. (T.Heavyside)

28. The "Highland Chieftain" from Inverness was one of the few non-electric services on the East Coast Line by the time that this photograph of this HST was taken on 19th May 2005. (A.C.Mott)

29. Leaving platform 2 on 7th January 2006 is the 13.54 from Cambridge. Since electrification, the station has had eight berthing sidings on the up side and nine on the down. Trains departing for London from platform 4 have the benefit of a flyover. The six sidings seen were allocated to EWS but, like platform 1 (right) were little used. (V.Mitchell)

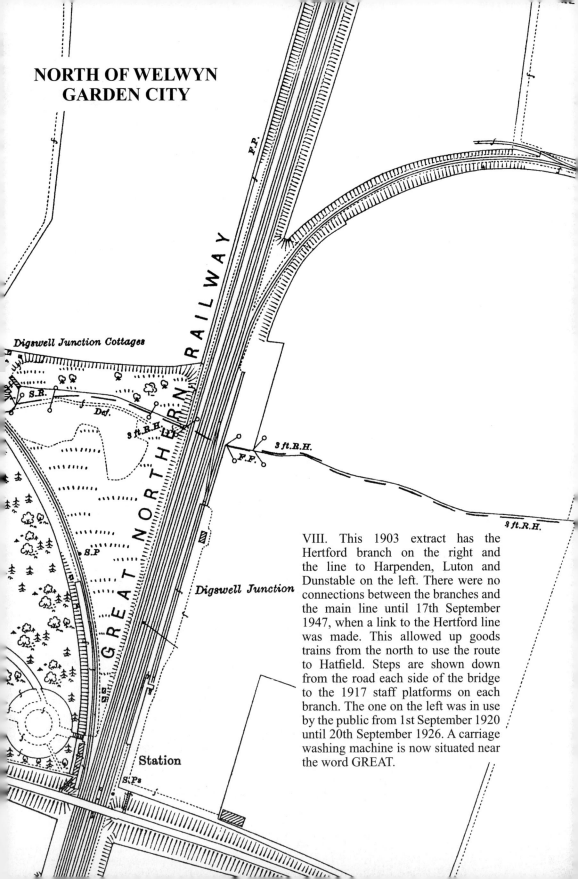

NORTH OF WELWYN GARDEN CITY

Digswell Junction Cottages

S.B.

Def.

3 ft. R.H.

F.P.

F.F.

3 ft. R.H.

3 ft. R.H.

G R E A T   N O R T H E R N   R A I L W A Y

S.P.

Digswell Junction

Station

S.Ps

VIII. This 1903 extract has the Hertford branch on the right and the line to Harpenden, Luton and Dunstable on the left. There were no connections between the branches and the main line until 17th September 1947, when a link to the Hertford line was made. This allowed up goods trains from the north to use the route to Hatfield. Steps are shown down from the road each side of the bridge to the 1917 staff platforms on each branch. The one on the left was in use by the public from 1st September 1920 until 20th September 1926. A carriage washing machine is now situated near the word GREAT.

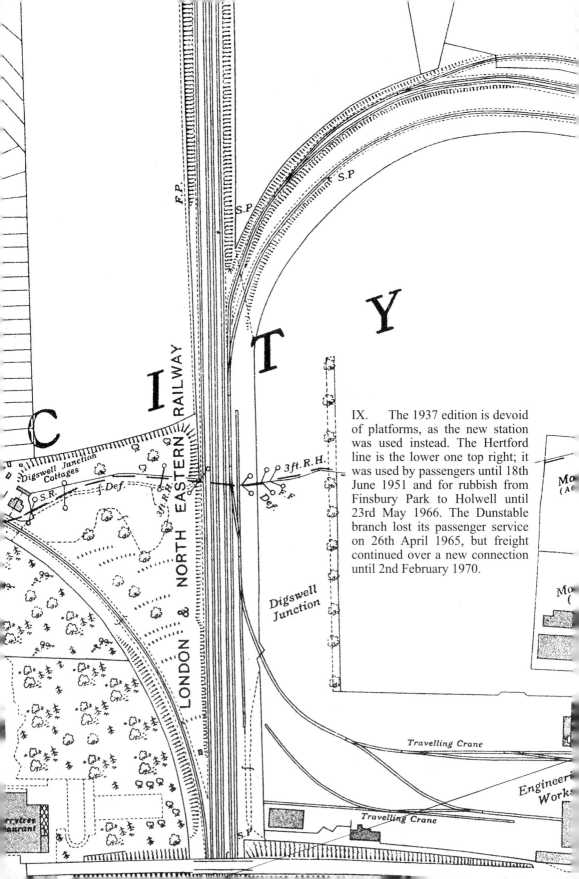

F.P.

S.P

S.P

C I T Y

LONDON & NORTH EASTERN RAILWAY

Digswell Junction
Cottages

S.R. Def.

3ft R.H.

3ft. R.H.

Def.

F

3ft. R.H.

Digswell
Junction

IX.   The 1937 edition is devoid of platforms, as the new station was used instead. The Hertford line is the lower one top right; it was used by passengers until 18th June 1951 and for rubbish from Finsbury Park to Holwell until 23rd May 1966. The Dunstable branch lost its passenger service on 26th April 1965, but freight continued over a new connection until 2nd February 1970.

Mo
(At

Mo
(

Travelling Crane

Engineeri
Works

Travelling Crane

S.P.

rrytree
aurant

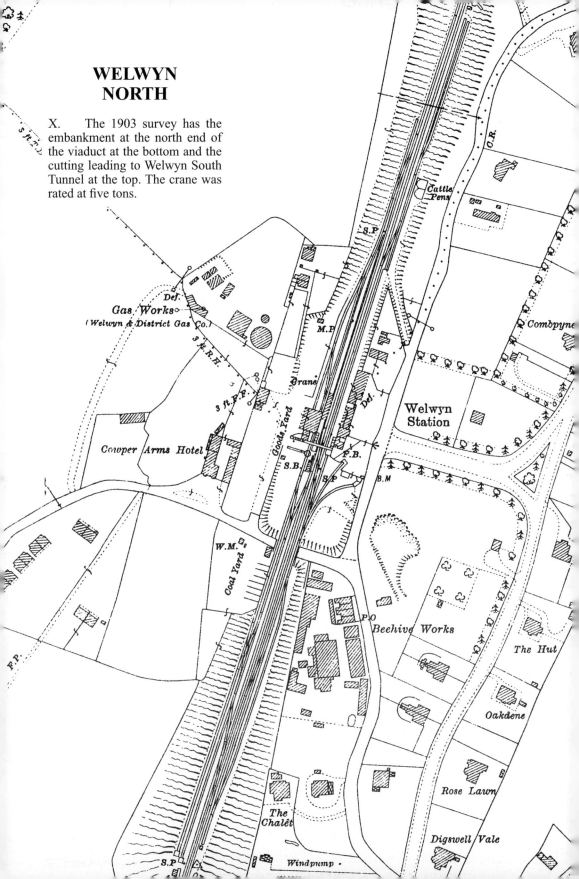

WELWYN
NORTH

X.   The 1903 survey has the embankment at the north end of the viaduct at the bottom and the cutting leading to Welwyn South Tunnel at the top. The crane was rated at five tons.

Cattle Pens

S.P.

O.R.

Combpyne

Gas Works
(Welwyn & District Gas Co.)

Def.

M.P.

Crane

Def.

Welwyn Station

Cowper Arms Hotel

Goods Yard

S.B.

F.B.

S.P.

B.M

W.M.

Coal Yard

P.O

Beehive Works

The Hut

Oakdene

F.P.

Rose Lawn

The Chalêt

Digswell Vale

S.P.

Windpump

30.   Welwyn Viaduct is also known as Digswell, as this village is nearby. Seen soon after completion, it comprises 40 arches of 30ft span, their maximum height being 90ft. The total length is 1563 ft. (Illustrated London News)

31.   Nearest is no. 55007 with the 19.35 Kings Cross to York on 8th May 1981. The River Maran rises near Whitwell, six miles northwest of here; it flows between the fence posts. (T.Heavyside)

32. Racing towards the 446yd-long Welwyn South Tunnel is class A4 4-6-2 no. 60013 *Dominion of New Zealand*. (T.Hancock)

33. No. 55021 is emerging from the south end of Welwyn North Tunnel, which is much longer at 1046yds. The date is 4th September 1978. (T.Heavyside)

34.   Having examined the environs, we now look closely at the station. It received the suffix "North" on 20th September 1926, when its southerly neighbour opened. Tunnel maintenance equipment is on the left as an up train pulls in behind no. 258, a class D42 4-4-0 of 1888. (Lens of Sutton)

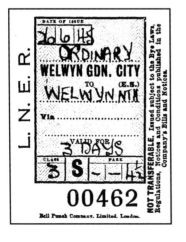

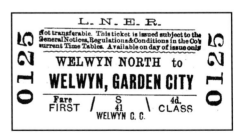

35.   A southward view across the viaduct between the wars, reveals the lack of canopy on the up side. The population of Welwyn was 1660 in 1901. Digswell signal box was at the south end of the viaduct, at the northern limit of the quadruple track. (Stations UK)

36.   Looking north from the footbridge in 1928 in poor light, the tunnel mouth is obscured by steam but two of the station cottages are included. The station was lit by gas from the nearby works; see map X. (Stations UK)

37.   A 1964 northward view also features a late arrival - the up platform canopy. Both tunnels are visible in this 1964 photograph. (Stations UK)

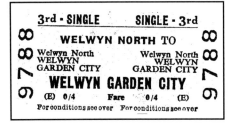

38.   The goods yard closed on 26th November 1967; access to it was to the left of the main building, seen here in November 1984. (D.Thompson)

39.   A southbound HST in GNER livery races through in April 2004. A former railway cottage is painted white and is a private residence. (A.C.Mott)

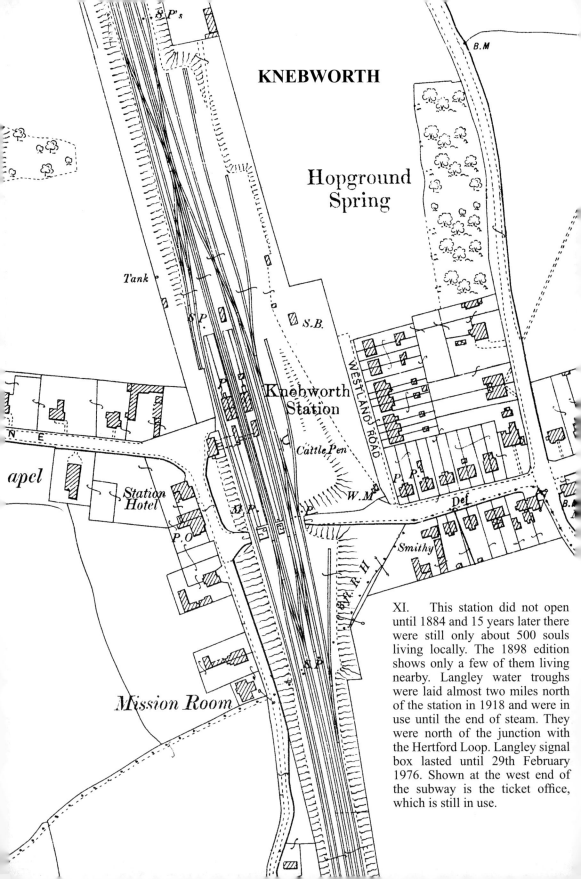

KNEBWORTH

Hopground
Spring

B.M

Tank

S.P's

S.B.

Knebworth
Station

Cattle Pen

WESTLAND ROAD

apel

Station
Hotel

P.O.

D.P.

W.M

Def

P P

Smithy

B.

Mission Room

S.P.

XI.   This station did not open until 1884 and 15 years later there were still only about 500 souls living locally. The 1898 edition shows only a few of them living nearby. Langley water troughs were laid almost two miles north of the station in 1918 and were in use until the end of steam. They were north of the junction with the Hertford Loop. Langley signal box lasted until 29th February 1976. Shown at the west end of the subway is the ticket office, which is still in use.

40.	The station name is always associated with the nearby stately home, Knebworth House. It had its own miniature railway in its grounds for many years, but Knebworth station had few features of note. No. 5011 is a class J1 0-6-0, a type introduced in 1908 and photographed in 1928. (Stations UK)

41.	A northward panorama includes one of the characteristic GNR somersault signals, plus numerous coal wagons for domestic coal traffic. The local population rose from 522 in 1901 to 3024 in 1961. The slender brick arch was of similar design to one south of Hitchin. (Lens of Sutton coll.)

42.   Turning round, we see signals of various configuration. Two arms on one post (right distance) were called co-acting and were used where there were visibility limitations or where fog was common. (Lens of Sutton coll.)

G. N. R.

Series B   Series B

KNEBWORTH to
KNEBWORTH   KNEBWORTH

KING'S CROSS, LONDON
KING'S CROSS   KING'S CROSS

3544   3544

Fare 3s.8d. First Class Fare 3s.8d.
SEE CONDITIONS ON BACK

L·N·E·R·   (Series C)

NOT TRANSFERABLE. This ticket is issued
subject to the GeneralNotices,Regulations & Conditions in the Co's current Time Tables, Book of
Regulations and Bills.
Available for 3 days, including day of issue.

KNEBWORTH to
HATFIELD

8235   8235

Fare   S   11½d.
THIRD   /   361   \   CLASS
HATFIELD

43.   The final picture in our pre-electrification survey of the station includes examples of Suggs' gas lights of both Windsor and Rochester patterns. Also evident is part of the goods yard, which closed on 1st January 1968. (Stations UK)

44.   No. 40029 is running towards London on the fast line on 4th September 1978. There is evidence that the coaches were steam heated; the early diesel locomotives were fitted with water boilers for this purpose. The two island platforms now have simple curved plastic waiting shelters. (T.Heavyside)

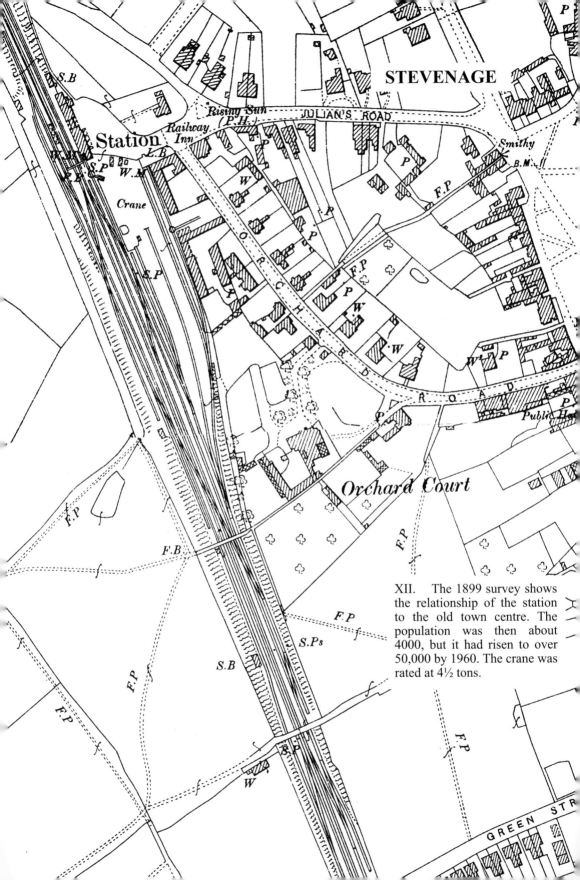

STEVENAGE

XII. The 1899 survey shows the relationship of the station to the old town centre. The population was then about 4000, but it had risen to over 50,000 by 1960. The crane was rated at 4½ tons.

45.   The prospective passenger's perspective was recorded on a postcard in about 1900. Polychromatic brickwork adds style. (Lens of Sutton coll.)

46.   The footbridge is further north than the one shown on the map. A horse box body stands near a weighing machine, which is not visible in this view. (Lens of Sutton coll.)

47.   Standing at the up platform in 1928 is one of the large fleet of Sentinel steam railcars operated by the LNER. At its far end was a vertical water-tube boiler. (Stations UK)

8212

L. N. E. R.
NOT TRANSFERABLE. This ticket is issued subject to the General Notices, Regulations and Conditions in the Company's current Time Tables, Book of Regulations and Bills. Available for three days, including day of issue
STEVENAGE to
KING'S CROSS LONDON
Fare / S / 3s.6d
THIRD / 42 / CLASS
KING'S CROSS

8212

9807

1st - SINGLE   SINGLE - 1st
HITCHIN to
Hitchin   Hitchin
STEVENAGE   STEVENAGE
STEVENAGE
(E) 11d. H   Fare   11d. H (E)
For Conditions see over   For Conditions see over

9807

48.   A southward panorama in 1965 has the footbridge entering the booking hall, which was at road level on the other side. (Stations UK)

49.   This northward view is from 1969. There had been a passenger service between here and Hertford North between June 1924 and September 1939. It was restored on 5th March 1962, with a peak-hour service only. (Stations UK)

50.   A new station was opened one mile to the south of the original on 23rd July 1973; it is seen from the north two years later. The three lift shafts are prominent. Trailing from the up slow line south of the station in 2006 was a siding for Redland Aggtegates. (D.Thompson)

51.   Looking south in May 2005, it is evident that four platforms were provided. By that time, the trains from Hertford were hourly, terminating and restarting at platform 4 (right) on Saturdays and Sundays, plus a few at other times. The nearest buildings each side contain buffets. (A.C.Mott)

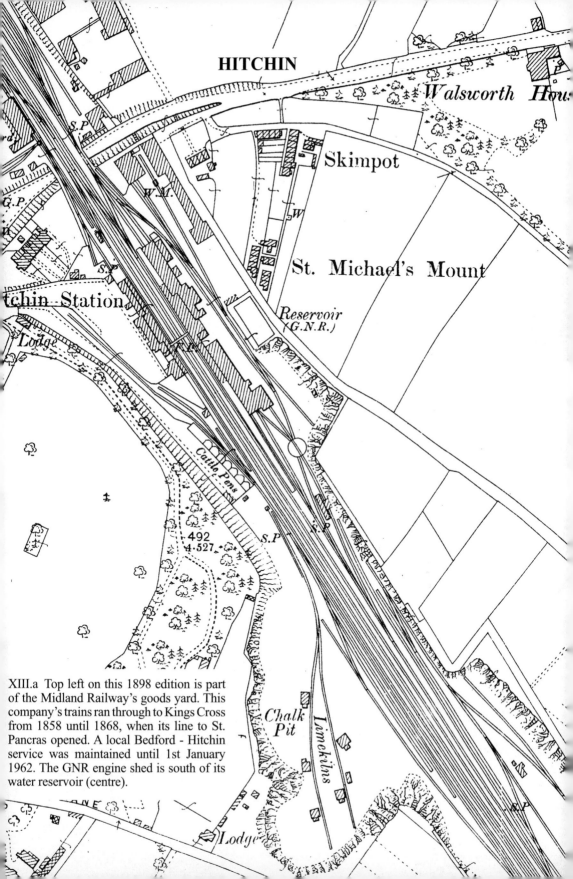

HITCHIN

Walsworth Hou...

Skimpot

St. Michael's Mount

Reservoir
(G.N.R.)

chin Station

Lodge

Cattle Pens

492
4.527

S.P

S.P

Chalk
Pit

Lanekilns

Lodge

XIII.a Top left on this 1898 edition is part of the Midland Railway's goods yard. This company's trains ran through to Kings Cross from 1858 until 1868, when its line to St. Pancras opened. A local Bedford - Hitchin service was maintained until 1st January 1962. The GNR engine shed is south of its water reservoir (centre).

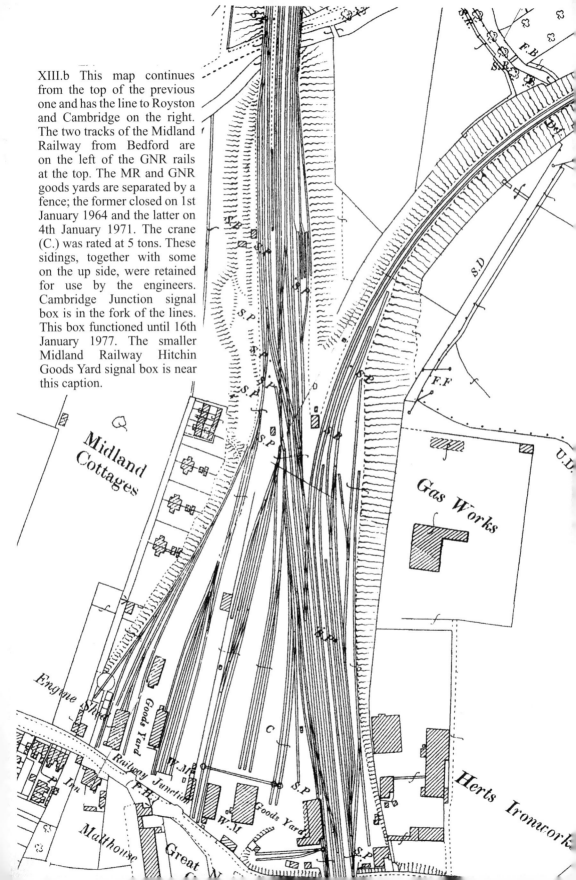

XIII.b This map continues from the top of the previous one and has the line to Royston and Cambridge on the right. The two tracks of the Midland Railway from Bedford are on the left of the GNR rails at the top. The MR and GNR goods yards are separated by a fence; the former closed on 1st January 1964 and the latter on 4th January 1971. The crane (C.) was rated at 5 tons. These sidings, together with some on the up side, were retained for use by the engineers. Cambridge Junction signal box is in the fork of the lines. This box functioned until 16th January 1977. The smaller Midland Railway Hitchin Goods Yard signal box is near this caption.

Midland Cottages

Gas Works

Engine Shed

Goods Yard

Railway Junction

Malthouse

Great N

Herts Ironworks

52.   The entrance is on the west side of the line, nearest to the town. It has been linked to the up platform by a subway since about 1910, prior to which there was a footbridge. The cabs were called "Growlers". (British Railways)

Other views of this station can be seen in
Bedford to Wellingborough pictures 1 to 6 and
Hitchin to Peterborough pictures 1 to 11.

53.   Standing near the shed in 1866 is Sharpe 2-2-2 no.18 of 1848 following an accident near Litlington Crossing, east of Royston. (British Railways)

54.   Approaching the station from the north is class A2 4-6-2 no. 60506 *Wolf of Badenoch*. Cambridge Junction is near the rear of the train. The date is 29th April 1956. Goods traffic at Hitchin ceased on 4th January 1971. (A.E.Bennett)

55.   The station is in the background as no. 55022 hurries south on 5th September 1978. The siding behind was used to hold the connecting local DMU to Huntingdon and Peterborough. It was electrified in 1986 and EMUs were used on the shuttle service until the new timetables were introduced with direct services to London. It was then taken out of use and de-electrified. One of the shortest duration electrifications on any stretch of line; the siding no longer exists. The site is now a car park. (T.Heavyside)

56.   A stopping train from Huntingdon arrives in 1985; this service was electrified on 3rd November 1986. A class 31 diesel awaits its next duty on the right. The diesel loco depot was north of the station, on the west side. It is now an engineers yard, as is the area on the right. (A.C.Mott)

57.   The overhead lines were all brought down accidentally on 22nd November 1990. The problem was south of the station. The ballast cleaning train made a rare daylight appearance, no. 31544 providing the power. (A.C.Mott)

58.   Northbound in May 2002 is one of three Eurostar trains hired by GNER for use to York, and later Leeds. They ran from Kings Cross between May 2001 and December 2005. Two were in GNER livery, but this one remained in Eurostar colours. (A.C.Mott)

LETCHWORTH

XIV.a The 1926 survey shows half of the extensive sidings provided, the remainder being on the next two pages. The publication *Tomorrow a Peaceful Path to Real Reform* by Ebenezer Howard (1850-1928) and his ideas therein founded the Garden City in 1903. It was built and managed by First Garden City Ltd. until 1963. Some famous companies moved here with their workforces,

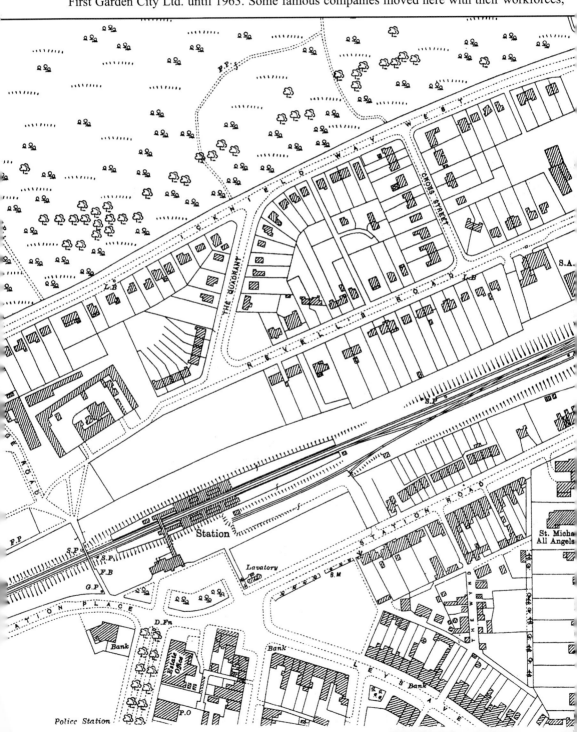

including W.H.Smith Bookbinding works, The Spirella Company, the Country Gentleman's Association and the Model Abbatoir. The Phoenix Motor Company moved from Finchley in 1910 and produced about seven cars per week until 1915. A smaller number was built in 1925-28. Spirella were producing 200,000 corsets daily in the 1950s, but their slogan "Pull yourself together girls" was abandoned in the 1960s and "brassière" production was moved to another new town, Harlow.

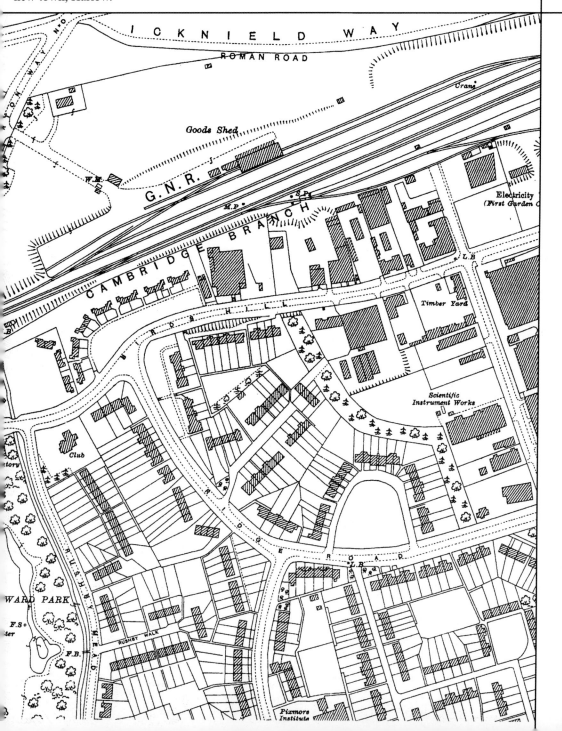

Metal Works
(Geysers)

Metal Works

Motor Works

Crane

Tank

Tank

Tank

Tank

Electricity Works
(First Garden City Ltd.)

Embroidery
Works

Printing & Bookbinding
Works

L.B

Timber Yard

Metal Works

Engineering
Works

Cabinet Works

Printing
Works

Scientific
Instrument Works

Timber Yard

F.P

Photographic Material
Works

Joinery
Works

Chy.

Motor Works

LETCHWORT

Laundry

Shelto

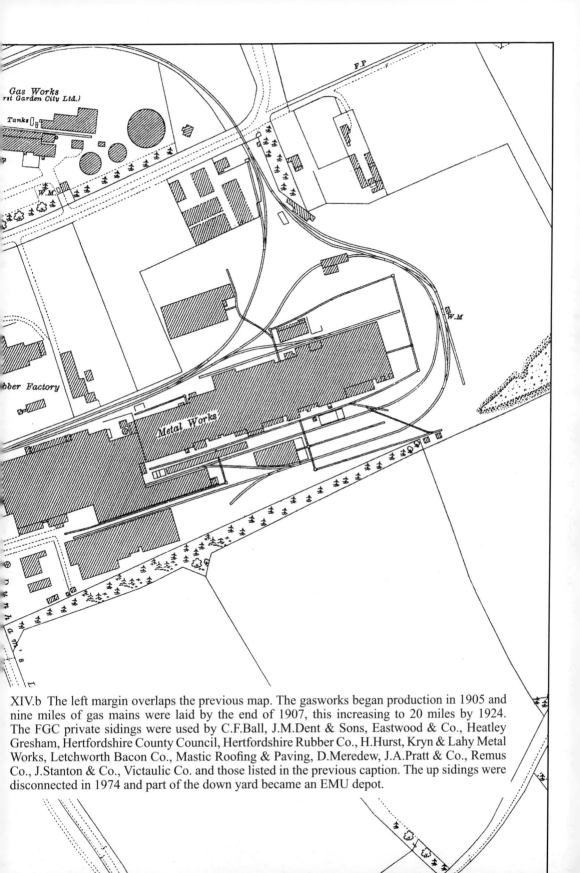

Gas Works
rst Garden City Ltd.)

Tanks

W.M

W.M

F.P

bber Factory

Metal Works

XIV.b The left margin overlaps the previous map. The gasworks began production in 1905 and nine miles of gas mains were laid by the end of 1907, this increasing to 20 miles by 1924. The FGC private sidings were used by C.F.Ball, J.M.Dent & Sons, Eastwood & Co., Heatley Gresham, Hertfordshire County Council, Hertfordshire Rubber Co., H.Hurst, Kryn & Lahy Metal Works, Letchworth Bacon Co., Mastic Roofing & Paving, D.Meredew, J.A.Pratt & Co., Remus Co., J.Stanton & Co., Victaulic Co. and those listed in the previous caption. The up sidings were disconnected in 1974 and part of the down yard became an EMU depot.

59.   This is the first station and it was used by construction workers from 1903. It opened to the public on 15th April 1905. Initially, many residents practised the "Simple Life", being vegetarians, wearing smocks and sandals. (Lens of Sutton coll.)

60.   A new station (right of centre) was opened on 18th May 1913. The girders in the foreground carry the line over Norton Way - centre on map XIV.a. (Lens of Sutton coll.)

61.   This is a 1967 view towards Cambridge. There had been a population increase from 96 in 1901 to 4300 in 1907 and to 26,480 in 1961. There were many unorthodox religious groups and no licensed premises for several decades. (Stations UK)

62.   Looking towards Hitchin in 1957, we see the two towers of the luggage lifts. Designed as island platforms, they were never used as such. On the far left was a dock siding.(Stations UK)

63. The same view after electrification shows both platforms fully fenced and gas lighting replaced by electric. The date is 10th October 1981. Only a few peak-hour trains have started and terminated here, there being direct access to and from the Letchworth depot. (N.D.Mundy)

64. No. 312013 was working a Royston to Kings Cross service on 3rd September 1978. The carriage sidings for these units were laid on the down side at Letchworth, on the right page of map no. XIV.a. There are nine such sidings, plus servicing facililties. (T.Heavyside)

65. The suffix "Garden City" has been used intermittently by the railway, but was officially reinstated on 11th June 1999 after a refurbishment scheme. The dummy dormer window adds charm to the May 2005 view of the Arts and Crafts style building. A basic hourly weekday service to Moorgate started here. (A.C.Mott)

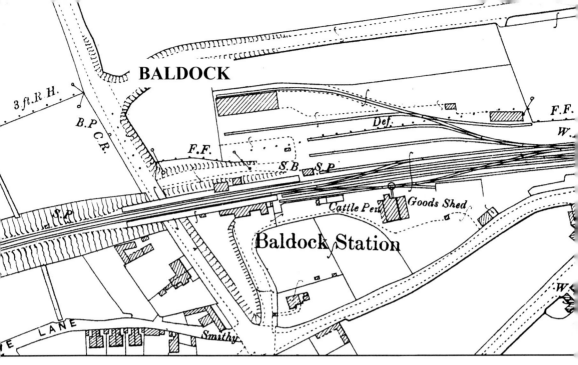

XV.   The 1898 edition shows a layout which changed little until goods facilities were withdrawn on 7th December 1970.

66.   We look east from the down platform in this indifferent postcard view from around 1910. The camera is on the bridge over the Great North Road, numbered A1 from 1919 and A507 since the A1(M) opened. (Lens of Sutton coll.)

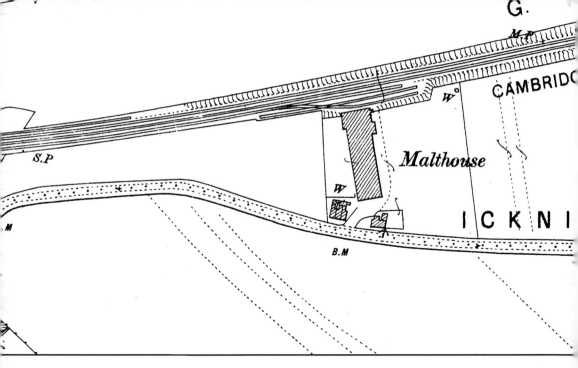

67.   The maltings are in the background in this view in the same direction in 1964. A subway is provided; the stairs are within the buildings. (Stations UK)

68.   The entrance is on the south side, where the structure appears as two storeys, the reverse of Stevenage. Seen in July 1982, the right part was residential. (D.Thompson)

69.   A 1991 view from the east includes evidence of modernisation, with the inevitable removal of traditional and characterful chimney stacks. (Robert Humm & Co.)

70.   The painting of the brickwork of the south elevation helped to emphasise some of the architectural details of merit. They are seen on 30th July 2005. (A.C.Mott)

71.   Pictured on the same day, the round-headed windows and doorways seem in good order, unlike the mud spattered up track. (A.C.Mott)

ASHWELL & MORDEN

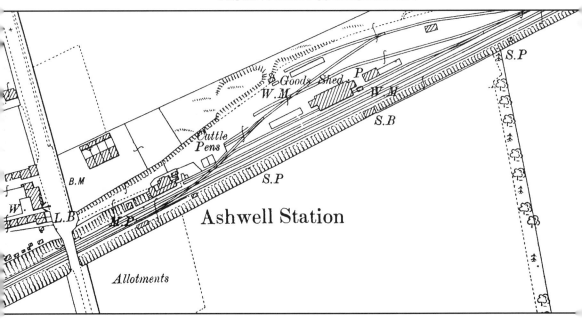

XVI. The 1903 survey includes four cottages for staff and two weighing machines. The population of Ashwell was about 1300 at this time. However, it was about 1½ miles distant.

72. The main buildings were erected on the down side and were particularly ornate. This brings into question whether they are original. (Lens of Sutton)

73. The west elevation of the down side was photographed in July 1982. (D.Thompson)

74. The goods shed and adjacent yard were pictured from the road bridge in June 1991. They had last been used for their intended purpose on 1st January 1965. (Robert Humm & Co.)

75. The architectural details could still be enjoyed on 30th July 2005, as a stopping train departed for Royston. The lofty footbridge was provided just prior to electrification. (A.C.Mott)

ROYSTON

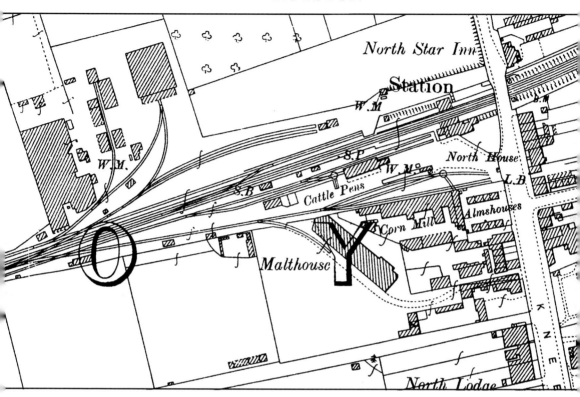

XVII. The 1901 revision mentions two rural industries with sidings at a time when there were 3517 residents. The population had almost doubled 60 years later. The 1938 records list a 4¼ ton crane and show the private sidings to be used by the Anglo-American Oil Co., Farmer's Manure Co., Fordham's, HCC, Nash & Co., Phillips, T.H.Smith & Sons and Wilkerson & Son.

76.   A typical Edwardian postcard includes most of the staff posing, although there would be others on a different shift. This train is bound for Cambridge, hauled by 4-2-2 no. 1544. (Lens of Sutton coll.)

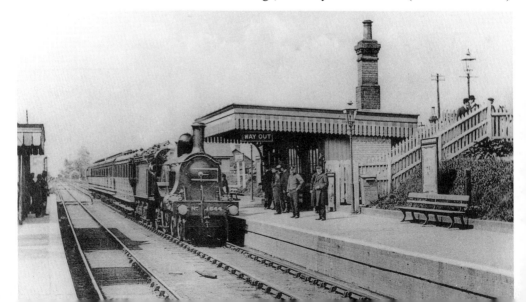

77.   Another postcard, although less formal, gives some examples of local traffic. The white patches on the cattle wagon are due to the limewash used to reduce infection. (Lens of Sutton coll.)

78.   A 1963 panorama shows the great length of the up platform and reveals that electric lighting had arrived. Some of the London expresses carried buffet cars in steam days. (Stations UK)

79.	As at many other locations, bridges were too low to give adequate clearance for 25kV wires. This one had to be rebuilt, but the air raid siren remained unmoved. The DMU is working the Cambridge shuttle service on 11th October 1977. (T.Heavyside)

80.	The original exterior had gone by the time that this photo was taken on 7th July 1982. The area of the goods yard has been subsequently redeveloped, largely for housing. (D.Thompson)

81.　　Almost all was new when this eastward view was recorded in 2005. The bridge carries Kneesworth Street, once the main road to Huntingdon. The signal box had closed on 5th February 1977. (A.C.Mott)

82.　　Looking west on the same day, we see the lay-by siding for terminating trains. Crossovers were both sides of the station, a down loop remained but there were only fragments of the sidings remaining in 2005, the up goods yard having been disconnected in February 1970. (A.C.Mott)

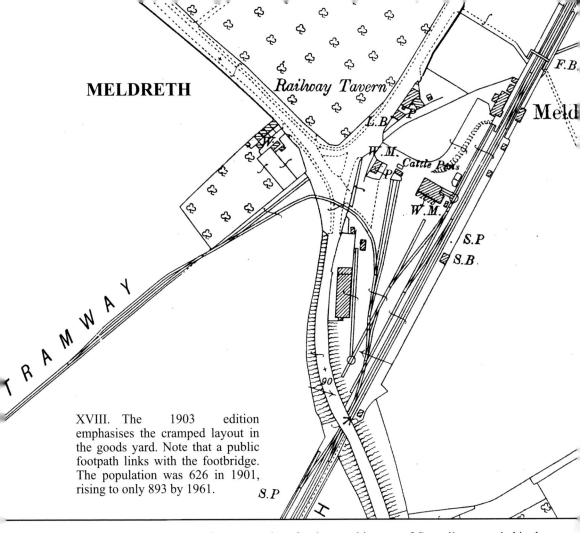

MELDRETH

Railway Tavern

Meld

TRAMWAY

F.B.

L.B.

W.M.

Cattle Pens

W.M.

S.P

S.B

90

XVIII. The 1903 edition emphasises the cramped layout in the goods yard. Note that a public footpath links with the footbridge. The population was 626 in 1901, rising to only 893 by 1961.

S.P

83.   The station was an important place for the transhipment of Coprolites quarried in the area around the station. Many of these sites were linked by industrial railways. Whaddon pit provided much material which was taken by rail to the station. The firm of Fisons was established by the exploitation of Coprolites, deposits of fossilised dung. (Lens of Sutton coll.)

84.   Unusually, the footbridge could not be used by passengers initially. Also included in this postcard view is the signal box. Much locally grown fruit was despatched from here. (Lens of Sutton)

85.   The platform walls were eventually removed and easy access made for passengers to use the footbridge. The suffix on the sign was in use from 1879 to 1971; the photo is from 1958. (Stations UK)

86.   A 1969 panorama features an unusual destination indicator, plus fencing along the site of the goods yard. It had closed on 19th April 1964. (Stations UK)

87.   The west elevation was recorded in April 1983. As elsewhere, a new and higher footbridge was provided with the advent of electrification. (D.Thompson)

88.   A 1991 westward panorama shows the historic structures to be well preserved and includes evidence of modern signalling. This was further improved between Royston and Foxton in 1999, reducing journey times. The goods shed was transformed to a plastics factory. A 2005 visit to the station revealed the unexpected provider of removable meals of an oriental nature present in the historic building. Spice Hut was the trade name. (Robert Humm & Co.)

NORTH OF MELDRETH

89.   As stated in caption 83, Coprolites were dug in vast quantities locally. This loaded train is proceeding towards Meldreth in 1880. The material would be transferred there and taken to factories; there were six in the Royston-Cambridge area and four in Ipswich. (Cambridge coll.)

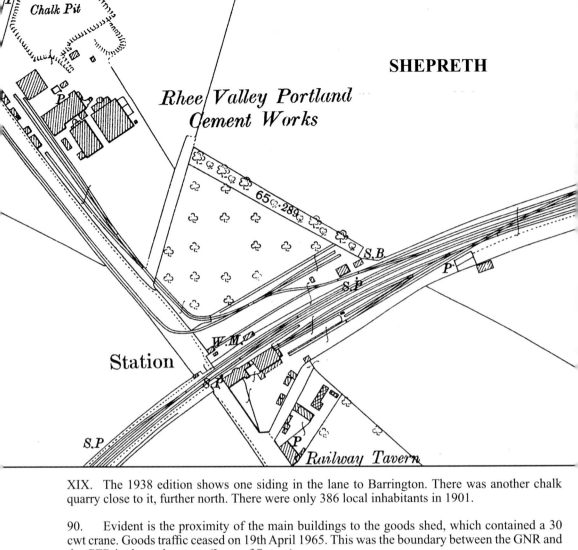

SHEPRETH

Chalk Pit

Rhee Valley Portland Cement Works

Station

S.B.

S.P.

W.M.

S.P.

S.P.

Railway Tavern

XIX. The 1938 edition shows one siding in the lane to Barrington. There was another chalk quarry close to it, further north. There were only 386 local inhabitants in 1901.

90. Evident is the proximity of the main buildings to the goods shed, which contained a 30 cwt crane. Goods traffic ceased on 19th April 1965. This was the boundary between the GNR and the GER in the early years. (Lens of Sutton)

91. A view in the other direction includes the crossing keepers hut and the down refuge siding. The lack of weather protection is notable. (Lens of Sutton)

92. A closer look at the level crossing shows the foot crossing inside the gates. One of the lamps contains its paraffin burner; these were removed for filling and wick trimming. (Lens of Sutton)

93.   A 1930 photograph features class C1 4-4-2 no. 4441 shunting over the level crossing to or from the down refuge siding on which it could berth the rear part of its train. (Stations UK)

XX.   This works was about ¼ mile east of the station. The upper track on the left is a continuation of the headshunt of the other cement works.

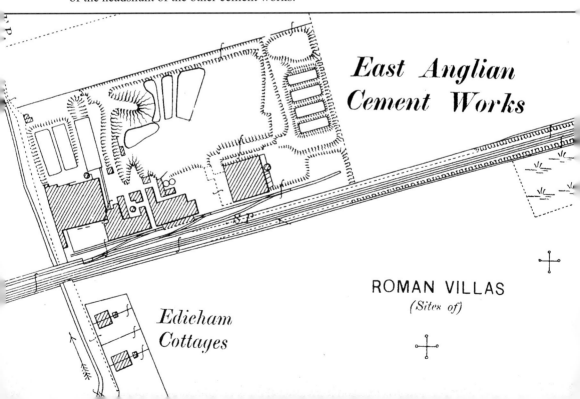

East Anglian
Cement Works

ROMAN VILLAS
(Sites of)

Edieham
Cottages

94.   The crossover between the platforms would have been used mainly by freight locomotives and is in the view of the signal box. The picture is from 1958. (Stations UK)

95.   This is from the same view point as picture 92 and shows the buildings extended and in use as offices in 2005. The far one was concerned with classic cars. The access to the down platform was moved beyond the border of the picture, when the lifting barriers were installed. A wildlife park is now adjacent to the station. (A.C.Mott)

FOXTON

XXI. The 1938 edition includes the Barrington Light Railway, passing through a gate at the start of the curve. There are two separate level crossings.

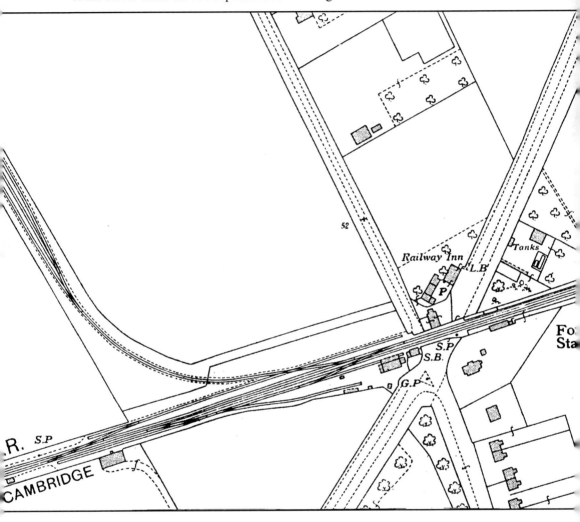

96. A 1958 eastward view indicates the basic nature of the facilities. The only evidence of modernisation are the rails on the up side and the signs. (Stations UK)

97. Presumably the poster boards were down during painting when this photograph was taken in 1969 as an up train approached. The goods yard had closed on 19th April 1965. (Stations UK)

98.   An up train leaves on 25th June 1991 as we note evidence of modernisation at last. The connection to the Barrington line is to the right of the train. Foxton housed only 426 souls in 1901. (Robert Humm & Co.)

99.   The signal box was retained to control the lifting barriers over the crossroads on the A10. The signal at the end of the down platform in this 2005 photograph gave access to the Barrington siding. The platforms would take only four coaches. (A.C.Mott)

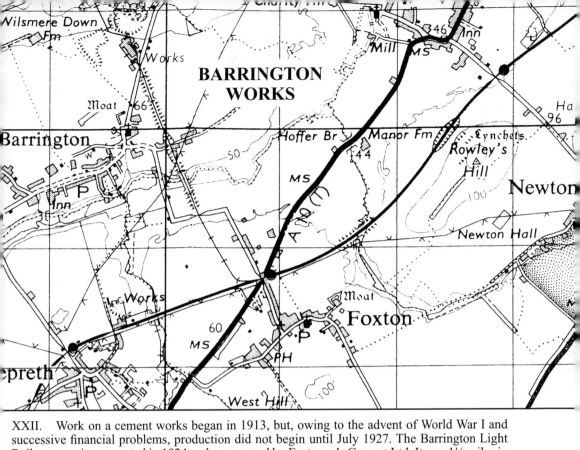

XXII.   Work on a cement works began in 1913, but, owing to the advent of World War I and successive financial problems, production did not begin until July 1927. The Barrington Light Railway was incorporated in 1924 and was owned by Eastwoods Cement Ltd. It was 1½ miles in length, with three level crossings, and is shown at the scale of 2 ins to 1 mile on the 1954 edition. The Rugby Portland Cement Company took over in 1962 and further improved facilities.

100.   There was a two-foot gauge railway between the quarry and the works, the first locomotive being Kerr Stuart 0-4-2ST no. 1291 of 1915. However, most of the work was undertaken by small Motor Rail diesels until standard gauge lines were laid in the quarry in 1963 to serve the new works. There was limited use of the narrow gauge to the old works until mid-1970. The photograph is from 1963. (J.C.Baker)

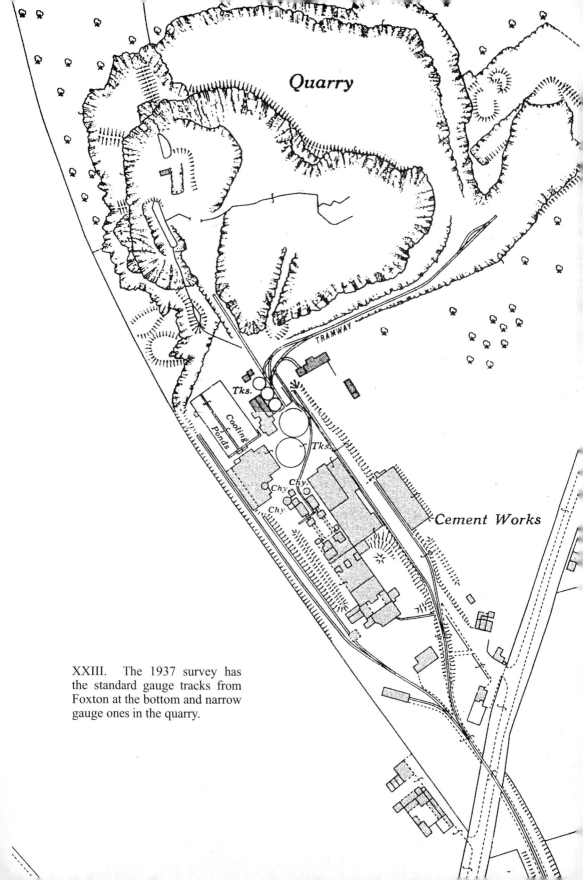

Quarry

TRAMWAY

Tks.

Cooling Ponds

Tks.

Chy. Chy.

Chy.

Cement Works

XXIII. The 1937 survey has the standard gauge tracks from Foxton at the bottom and narrow gauge ones in the quarry.

101.　A panorama from the 3rd September 1980 includes Procor tank wagons from Scunthorpe being shunted by diesel no. 9, which was built by F.C.Hibberd in 1955. (R.R.Darsley)

102.　Pictured at the Foxton exchange sidings is one of the two Sentinel diesels built in 1960 and received here in April 1983. Large amounts of coal, petroleum coke and gypsum arrived here, the first from Thoresbury Colliery. (H.P.White)

103.   Locomotives nos 7 and 8, 0-4-0DE Ruston Hornsby 499435 and 499436 respectively, both built in 1963, propel their loaded trains from the quarry face to the tippler on the internal railway system on 3rd September 1980. This system closed on 23rd February 2005. (R.R.Darsley)

104.   On 26th June and 3rd July 1996, steam returned in the form of a vertical boilered Sentinel and Avonside 0-4-0ST *Dora*. The latter attended open days every two years from 1992. They are in the company of a high-cab electric dragline RB110, its bucket taking almost 6 tons. Both locos reside at the Rutland Railway Museum. (J.Drayton)

105.   The dragline was built on site in 1963 and is seen in 2004 loading a standard eight-wagon train, hauled by a Ruston Hornsby 0-4-0 diesel electric locomotive. (J.Drayton)

106.   The cable bridge carried the power supplies to the dragline and a face shovel. The locomotive is *Singapore,* a Hawthorn Leslie product of 1936 and resident of Rutland Railway Museum. (J.Drayton)

HARSTON

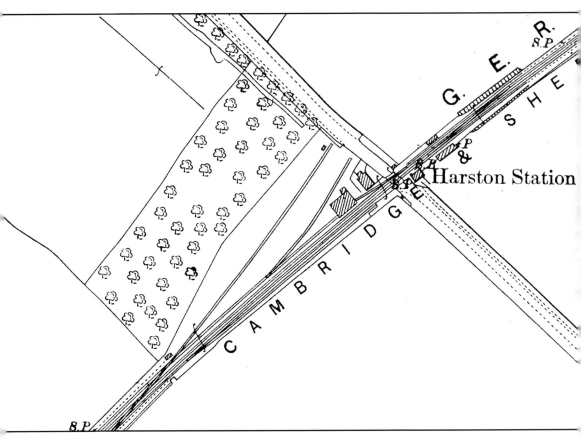

XXIV. The station was about ¾ mile southwest of the village, on the lane to Newton, and is seen on the 1903 edition. Only the station house remains standing; it is west of the crossing.

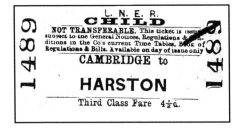

107.   This 1958 view is towards Cambridge and reveals similar facilities to those at Foxton, but much lower platforms. The number of residents rose from 667 in 1901 to 1186 in 1961, but closure to passengers took place on 17th June 1963. The box lower left contains an emergency detonator placer. (Stations UK)

108.   On the left is a large water tank over the gents, while on the right is a view through the goods shed. Goods traffic here ceased on 13th July 1964. (Stations UK)

SHEPRETH BRANCH JUNCTION

109.　No. 31215 heads the 16.15 Kings Cross to Cambridge on 11th October 1977. The name on the signal box is a legacy of the days when the GER ended at Shepreth. (T.Heavyside)

110.　The signal is off for the branch as no. 31190 takes the curve with the 17.36 Cambridge to Kings Cross on the same day. East of the junction is a moat around part of some ancient buildings, which are on the northern flank of Great Shelford. This has its own station on the Liverpool Street line. (T.Heavyside)

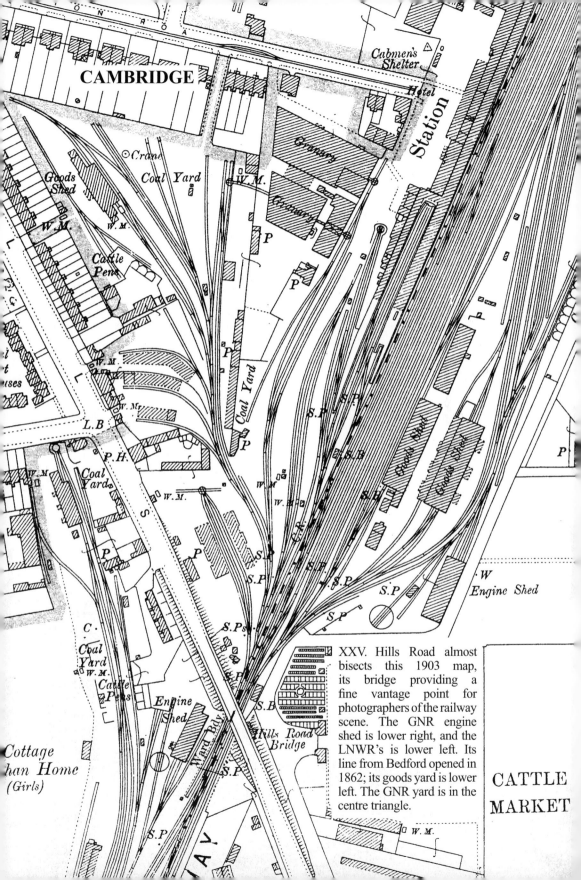

CAMBRIDGE

Cabmen's Shelter

Hotel

Station

Granary

Granary

Crane

Coal Yard

W.M.

Goods Shed

W.M.

W.M.

Cattle Pens

P

P

W.M.

Coal Yard

P

P

Coal Yard

W.M.

L.B

P.H.

Coal Yard

W.M.

P

S.P.

S.P.

S.B.

S.B.

Goods Shed

Goods Shed

P

W.M.

W.M.

C.R.

S.P.

P

S.P.

S.P.

S.P.

S.P.

S.P.

S.P.

S.P.

W
Engine Shed

C.
Coal Yard
W.M.
Cattle Pens

Engine Shed

S.P.s

S.B.

Ward Box

Cottage han Home (Girls)

Engine Shed

Hills Road Bridge

XXV. Hills Road almost bisects this 1903 map, its bridge providing a fine vantage point for photographers of the railway scene. The GNR engine shed is lower right, and the LNWR's is lower left. Its line from Bedford opened in 1862; its goods yard is lower left. The GNR yard is in the centre triangle.

S.P.

CATTLE MARKET

W.M.

111.   A northward panorama from Hills Road in 1930 has the tall flour mills left of centre and the station to the right of them. The GER goods shed is on the right. (Stations UK)

→

112.   Cambridge is famous for having only one through platform. Trains for the Hitchin route generally use one of the two south bays, seen here on 23rd September 1956. No. 62530 was one of a batch of class D16/3s introduced in 1933 after rebuilding from the D15 type. (A.E.Bennett)

→

113.   Recorded that day at the same location is no. 62789, an E4 class 2-4-0 of a type first seen in 1891. The tapered signal arms were installed in 1926 and were of an Australian style. (A.E.Bennett)

Other Middleton Press albums to include this station are
Branch Lines around Huntingdon and *Cambridge to Ely.*

114.   Leaving the through platform and passing South box is no. 61360, a class B1 4-6-0. In the shadow of the mill are the carriage sidings, known as Coalfields. There is now no trace of them. (A.Ingram coll.)

115.   Leaving bay platform no. 2 in the early diesel era is no. D5319, while platform 1 also receives this form of traction. The north end of platform 1 is numbered 4, while the other south bay is 3. (A.Ingram coll.)

116.   The cattle market is in the foreground as no. 31015 departs south with mixed freight on 11th October 1977. Much of the area on the right is now occupied by a leisure centre. (T.Heavyside)

117.   No. 47426 leaves platform 1 on 11th October 1977 with the 11.30 to Kings Cross. The pitched roofed building left of centre was the GNR's terminus. North box is also visible; both boxes dated from 1926. (T.Heavyside)

118. Liverpool Street electric services were provided by class 317 units initially. Examples are seen at platforms 2 and 3 soon after introduction of this service in January 1987. The DMU on the left was on a shuttle service to Royston until the wires from there were energised in May 1988. (A.C.Mott)

→

119. An open day was held on 14th September 1991 and 4-6-2 no. 34027 *Taw Valley* is centre stage and carried the "Golden Arrow" headboard. *Britannia* was also present. This view is south from platform 3 and includes the upper part of Cambridge Signalling Centre, which opened on 30th April 1981 and which controls the route to a point east of Royston. (A.C.Mott)

→

120. Seen on 7th January 2006 is the building erected by the GER, with GNR's creation in the distance. The college arms were refurbished in colour in 1987 and fresh ones were added for the new colleges. They serve as a reminder of this source of traffic which, directly or indirectly, justifies the high quality and frequent service the station now receives. (V.Mitchell)

Cancún
et la **Riviera Maya**

9e édition

D'un instant à l'autre, nous allons passer la ligne invisible du tropique du Cancer. Nous entrerons alors dans les Tierras templadas, les terres tempérées, et alors commencera le vrai Mexique, le Mexique au climat merveilleux, le Mexique historique et archéologique, le Mexique du voyageur.

Sybille Bedford
Visite à Don Otavio

ULYSSE

Bienvenue à Cancún
et sur la Riviera Maya!

1. Les *palapas*, ces pittoresques huttes à aire ouverte et au toit de palmes tressées qui protègent les baigneurs du soleil, font partie du décor quotidien des plages de la région. (p. 57)
© Dreamstime.com/Byron Moore

2. Bordée de sable blanc et d'une mer turquoise, l'Isla Mujeres évoque un paradis ensoleillé. (p. 104) © Dreamstime.com/Tose

3. Le parc écotouristique de Xcaret se déploie dans un site enchanteur. (p. 133) © iStockphoto.com/Roberto A Sanchez

4. Derrière le faste de la zone hôtelière de Cancún se cachent plusieurs vestiges mayas, des terrains de golf, de bons restaurants, des bars et de grands centres commerciaux. (p. 80) © Dreamstime.com/Atanasbozhikov

Culture maya

1. Les traits et le regard de cet enfant témoignent de l'héritage encore bien présent du peuple maya. (p. 34)
© Cozumel and Riviera Maya Tourism Board

2. Un sculpteur maya à l'œuvre.
© Dreamstime.com/Lunamarina

3. L'ancienne ville maya de Cobá se dresse solennellement au sein d'une végétation luxuriante. (p. 143)
© Dreamstime.com/Nataliya Hora

4. Des reproductions de masques mayas en vente dans un kiosque de souvenirs de la Riviera Maya.
© Dreamstime.com/Konstik

5. L'impressionnant Castillo du site archéologique de Muyil, l'une des plus hautes structures de la côte est de la péninsule du Yucatán. (p. 142)
© Julie Brodeur

6. L'ancienne cité de Tulum, l'un des seuls centres cérémoniels mayas encore en activité quand les Espagnols arrivèrent au Mexique au XVIᵉ siècle. (p. 138) © Julie Brodeur

Nature et plein air

1. L'iguane est l'une des espèces de reptiles les plus répandues dans la région. (p. 25) © Julie Brodeur

2. Un singe-araignée comme on peut notamment en voir au Jungle Place – Spider Monkey Conservancy. (p. 136) © Alltournative

3. Excursion en kayak sur la Ruta de los Cenotes. (p. 128) © Xenotes Oasis Maya

4. Une tortue de mer explore les fonds marins. © iStockphoto.com/Daniel Ho

5. Menant souvent à des grottes sous-marines, les puits naturels que constituent les *cenotes* sont nombreux dans la péninsule du Yucatán. (p. 25 et 129) © Dreamstime.com/Alex Bramwell

6. Paradis des plongeurs, l'Isla Cozumel est entourée d'une mer turquoise et d'un spectaculaire chapelet de récifs coralliens. (p. 174) © iStockphoto.com/canbalci

Art de vivre

1. Le bar de l'hôtel Mezzanine à Tulum Playa s'anime la nuit venue. (p. 171)
   © Cozumel and Riviera Maya Tourism Board

2. L'hôtel El Pez at Turtle Cove profite d'un emplacement isolé et paisible. (p. 160)
   © Julie Brodeur

3. Le Restaurant Al Cielo, installé devant la plage magnifique de Xpu-Ha. (p. 167)
   © Cozumel and Riviera Maya Tourism Board

4. Un moment de détente au spa de Xcaret. (p. 133)
   © Cozumel and Riviera Maya Tourism Board

Localisation des circuits

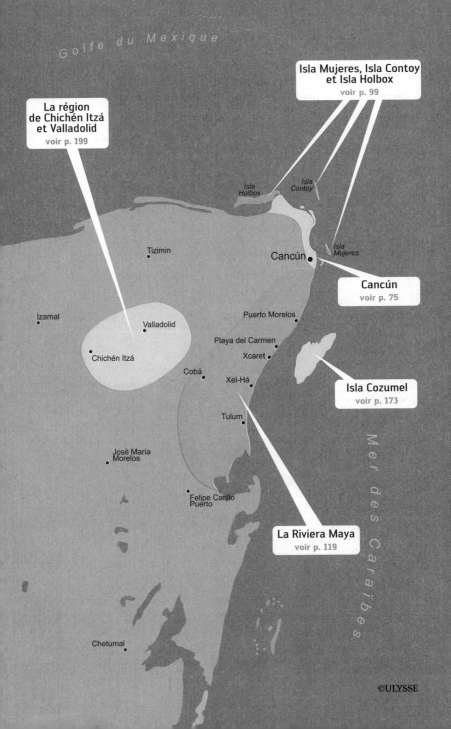

Golfe du Mexique

Isla Mujeres, Isla Contoy
et Isla Holbox
voir p. 99

La région
de Chichén Itzá
et Valladolid
voir p. 199

Isla
Holbox

Isla
Contoy

Isla
Mujeres

Cancún

Cancún
voir p. 75

Tizimín

Izamal

Valladolid

Puerto Morelos

Chichén Itzá

Playa del Carmen

Cobá

Xcaret

Xel-Há

Isla Cozumel
voir p. 173

Tulum

José María
Morelos

Mer des Caraïbes

Felipe Carillo
Puerto

La Riviera Maya
voir p. 119

Chetumal

©ULYSSE

Crédits

Mise à jour de la 9ᵉ édition : Julie Brodeur
Éditeur : Pierre Ledoux
Correcteur : Pierre Daveluy
Infographistes : Annie Gilbert, Judy Tan, Philippe Thomas
Collaboration aux éditions antérieures : Anne Bécel, Marc Berger, Pierre Daigle, Denis Faubert, Olivier Gougeon, Alain Legault, Laila Maalouf, Alain Théroux, Caroline Vien
Photographies : Page couverture, La pyramide de Kulkulkán à Chichén Itzá : © Dreamstime.com/Konstik ; Page de titre, Le club de plage de l'hôtel Playa Azul à Cozumel : © Julie Brodeur ; Calendrier maya : © Dreamstime.com/Yusaku Takeda

Cet ouvrage a été réalisé sous la direction de Claude Morneau.

Remerciements

Julie Brodeur : un grand merci à Marc, Dalian et Romane Berger, témoins et complices de cette aventure. Toute ma reconnaissance à l'équipe du Cozumel and Riviera Maya Tourism Board, notamment Lizbeth Perea Barrientos et Jessica Cervantes, pour leur soutien sans faille. Merci également à Erika Mitzunaga du Cancún Convention & Visitors Bureau, Isela Valenzuela et Karina Figueroa Rejón pour leur chaleureuse collaboration.

Guides de voyage Ulysse reconnaît l'aide financière du gouvernement du Canada par l'entremise du Fonds du livre du Canada (FLC) pour ses activités d'édition.

Guides de voyage Ulysse tient également à remercier le gouvernement du Québec – Programme de crédit d'impôt pour l'édition de livres – Gestion SODEC.

Guides de voyage Ulysse est membre de l'Association nationale des éditeurs de livres.

Note aux lecteurs

Tous les moyens possibles ont été pris pour que les renseignements contenus dans ce guide soient exacts au moment de mettre sous presse. Toutefois, des erreurs peuvent toujours se glisser, des omissions sont toujours possibles, des adresses peuvent disparaître, etc. ; la responsabilité de l'éditeur ou des auteurs ne pourrait s'engager en cas de perte ou de dommage qui serait causé par une erreur ou une omission.

Écrivez-nous

Nous apprécions au plus haut point vos commentaires, précisions et suggestions, qui permettent l'amélioration constante de nos publications. Il nous fera plaisir d'offrir un de nos guides aux auteurs des meilleures contributions. Écrivez-nous à l'une des adresses suivantes, et indiquez le titre qu'il vous plairait de recevoir.

Guides de voyage Ulysse
4176, rue Saint-Denis, Montréal (Québec), Canada H2W 2M5, www.guidesulysse.com, texte@ulysse.ca

Les Guides de voyage Ulysse, sarl
127, rue Amelot, 75011 Paris, France, www.guidesulysse.com, voyage@ulysse.ca

Catalogage avant publication de Bibliothèque et Archives nationales du Québec et Bibliothèque et Archives Canada

Vedette principale au titre :

Cancún et la Riviera Maya
(Guides de voyage Ulysse)
Comprend un index.
ISSN 1495-2637
ISBN 978-2-89464-353-2

1. Riviera Maya, Région de (Mexique) - Guides. 2. Cancún (Mexique) - Guides. I. Collection : Guide de voyage Ulysse.

F1333.C35   917.2'6704841   C00-301662-5

À moi...
Cancún
et la Riviera Maya!

Cancún et la Riviera Maya raviront autant les amateurs de plages au sable blanc, bordées d'une mer turquoise et limpide, que les aventuriers et les esprits curieux ayant un penchant pour la plongée, les parcs écotouristiques et les multiples facettes de la culture maya, toujours bien vivante dans ce magnifique coin de pays. Entre les récifs de corail, les mangroves, la jungle et l'impressionnant réseau de *cenotes* qui relie tous les sites archéologiques mayas, Cancún et la Riviera Maya proposent des attraits pour tous les goûts et toute la famille. Leur rythme caribéen et leur population chaleureuse sauront vous conquérir!

Quelles que soient vos préférences ou la durée de votre séjour, cette sélection d'attraits et d'activités saura personnaliser votre découverte de Cancún et la Riviera Maya, pour que votre voyage ne ressemble à aucun autre!

Le meilleur
de Cancún et de la
Riviera Maya

Pour profiter de la plage

Les plus belles plages de la région
- Playa Delfines p. 82
- Tulum Playa p. 141
- Xpu-Ha p. 134
- Reserva de la Biosfera Sian Ka'an p. 141
- Playa Norte p. 106
- Playa San Francisco p. 182

Les meilleurs clubs de plage
- Mamita's p. 131
- Kool Beach p. 131
- Mr. Sancho's p. 182
- Zama Yacht & Beach Club p. 107
- La Zebra Beach Cantina y Cabañas p. 171
- Canibal Royal p. 131

Pour faire plaisir aux enfants

Les parcs favoris des petits
- Xcaret p. 133
- Xel-Há p. 136
- Aktun Chen p. 135

Les rencontres inoubliables
- Interactive Aquarium Cancún p. 82
- Croco Cun Zoo p. 128
- Jungle Place – Spider Monkey Conservancy p. 136
- Dolphin Discovery p. 134, 182
- Nager avec les requins-baleines à l'Isla Holbox p. 110

Les *cenotes* où batifoler
- Cristalino p. 145
- Kantun Chi p. 134
- Gran Cenote p. 145

Pour s'amuser dans des parcs écotouristiques
- Selvatica p. 129
- Xplor p. 132
- Xcaret p. 133
- Río Secreto p. 133
- Xel-Há p. 136

Pour admirer les plus beaux vestiges mayas

- Chichén Itzá p. 203
- Tulum p. 138
- Cobá p. 143
- Ek Balam p. 208
- Muyil p. 142

Pour découvrir les meilleurs spots de plongée

Pour la plongée-tuba
- Xcacel/Xcalito p. 135
- Laguna Yal-Ku p. 135
- Xel-Há p. 136
- Paamul p. 134
- Playa Garrafón de Castilla p. 107
- Playa San Francisco p. 182

Pour la plongée sous-marine
- Récif Palancar p. 185
- Récif Santa Rosa p. 185
- Cuevas de los Tiburones Dormidos p. 110
- Puerto Morelos p. 146
- Museo Subacuático de Arte (MUSA) p. 83, 108

Pour plonger dans des *cenotes*
- Siete Bocas p. 129
- Sac Actún p. 137
- Gran Cenote p. 145
- Cenote Carwash p. 145

Pour séjourner dans des lieux d'hébergement qui se démarquent

Le comble du luxe tout-inclus
- Le Blanc Spa Resort p. 92
- Rosewood Mayakoba p. 149
- Grand Velas Riviera Maya p. 149

Les petites perles d'hôtels
- The BRIC Hotel p. 152
- Hotel Al Cielo p. 156
- Amaranto Bungalows & Suites p. 188
- El Pez at Turtle Cove p. 160
- Hotel la Semilla p. 153

Les *cabañas* incontournables de Tulum Playa

- Las Palmas Maya p. 158
- Zamas p. 158
- Cabañas La Luna p. 160
- La Zebra Beach Cantina y Cabañas p. 160

Les bons plans en famille

- Beach Palace p. 90
- El Rey del Caribe p. 88
- Condo Hotel Marviya p. 147
- Nautibeach Condos p. 114
- La Selva Mariposa p. 162
- Grand Palladium Riviera Resort & Spa p. 156

Les hôtels festifs

- Krystal Cancún p. 89
- Hotel Deseo p. 153
- Hotel Fusion p. 152
- Mezzanine p. 160
- Papaya Playa Project p. 158

Le summum du romantisme

- Belmond Maroma Resort and Spa p. 148
- Occidental Grand Cozumel p. 193
- Viceroy p. 150

Pour s'offrir une bouchée ou un repas mémorable

Gastronomique

- Du Mexique p. 94
- La Habichuela p. 94
- Restaurant Al Cielo p. 167
- Maíz de Mar p. 167
- El Pez p. 168
- Kondesa p. 195
- Lolo Lorena p. 117

Sympathique et authentique

- La Malquerida p. 169
- Río Nizuc p. 95
- La Playita p. 164
- La Cueva del Chango p. 165
- La Casa del Tikinxic p. 117
- La Choza p. 194
- Barquito Mawimbi p. 118
- Taberna de los Frailes p. 211

Pour faire la fête

- Mandala p. 97, 171
- Coco Bongo Cancún et Playa del Carmen p. 97, 170
- La Azotea p. 170
- Mezzanine p. 171
- Papaya Playa Project p. 158
- Tiki Tok p. 197
- Pangea p. 170
- La Zebra Beach Cantina y Cabañas p. 171

Pour s'amuser à petit prix

- Choisissez des sites de plongée-tuba accessibles depuis la plage, comme **Xcacel/Xcacelito** (p. 135), **Laguna Yal-Ku** (p. 135), **Paamul** (p. 134) ou **Playa Garrafón de Castilla** (p. 107). Vous n'aurez pas besoin de payer une sortie en bateau pour les atteindre.

- Faites trempette et étendez-vous sur votre serviette! Les plages sont publiques. Si vous n'utilisez pas les lits de plage ou les *palapas* des restaurants et hôtels, vous n'aurez aucuns frais à débourser pour vous y prélasser.

- Visitez les sites archéologiques mayas comme **Muyil** (p. 142) et **Cobá** (p. 143) et profitez des sentiers balisés pour pénétrer dans la jungle. Le prix d'entrée représente une fraction du prix des parcs écotouristiques.

- Profitez d'un meilleur rapport qualité/prix en prenant vos repas dans les cantines mexicaines comme le **Pescaditos** (p. 93) à Cancún, **La Playita** (p. 164) à Puerto Morelos et la **Coctelería Minino** (p. 116) à Isla Mujeres.

- Osez vous déplacer en *colectivo* (voir p. 50), c'est facile, amusant et économique.

- Rendez-vous par vos propres moyens à l'un des multiples *cenotes* de la région, comme le **Gran Cenote** (p. 145), **Sac Actún** (p. 137) ou **Manatí** (p. 145). Vous paierez ainsi beaucoup moins cher et vous vous retrouverez dans un lieu plus authentique.

- Louez un appartement ou un condo à la semaine (p. 56), les tarifs sont plus bas qu'en hôtel et vous épargnerez en cuisinant vos repas.

- Voyagez en mai : le climat est encore favorable, les prix sont généralement à la baisse et vous éviterez les bains de foule.

- Baladez-vous en ville : il y a toujours des activités ou de l'animation pour vous divertir dans le **Parque Las Palapas** (p. 79) et le **Parque Urbano Kabah** (p. 80) de Cancún, le **Parque Central** (voir p. 127) de Puerto Morelos, ou encore sur la *Quinta Avenida* (p. 131), dans le **Parque Fundadores** (p. 131) et dans le **Parque La Ceiba** (p. 131) de Playa del Carmen.

- Partez à l'aurore ou à la brunante pour une longue randonnée sur la plage.

Pour les jours de pluie

- Arpentez le flambant neuf **Museo Maya** de Cancún (p. 82)

- Visitez les galeries d'art comme la **Riviera Art Gallery** (p. 172)

- Allez voir un film dans l'un des **cinémas** de Cancún (p. 96)

- Bouquinez à la **Hekab Be Biblioteca Akumal** (p. 135)

- Faites une séance de lèche-vitrine à **Cancún** (p. 97) ou à **Playa del Carmen** (p. 172)

- Faites-vous dorloter dans un spa ou un *temascal*, notamment dans le **Parque Chankanaab** à Cozumel (p. 182)

- Lisez un bon livre, couché dans un hamac, puis sortez manger et danser au rythme de la salsa à **La Zebra Beach Cantina y Cabañas** à Tulum (p. 171) ou chez **Tiki Tok** à Cozumel (p. 197)

- Explorez l'**Interactive Aquarium Cancún** (voir p. 82)

- Découvrez la cuisine locale en prenant part à un atelier culinaire à la **Little Mexican Cooking School** (p. 128), chez **Can Cook Cancún** (p. 80) ou au **Kondesa Culinary Workshop** (p. 180)

- Explorez les *cenotes* souterrains de **Río Secreto** (p. 133)

Cancún et la Riviera Maya en temps et lieux

Une semaine

La zone hôtelière de **Cancún** est le point de départ de la plupart des séjours dans la région. Si certains choisiront d'y passer la semaine, il peut être intéressant de s'en éloigner un peu, question de vivre une expérience mexicaine plus authentique. Outre la visite de la **Ciudad Cancún** toute proche, une excursion d'au moins une journée sur l'**Isla Mujeres** est incontournable.

Où que vous soyez sur la **Riviera Maya**, de nombreuses excursions peuvent facilement s'organiser dans les environs, à moins d'une heure de transport; il vous faudra seulement faire un choix! Parmi les complexes de loisirs des environs, les amateurs de divertissements éducatifs apprécieront **Xcaret**, les amateurs de sensations fortes opteront pour **Xplor** ou **Selvatica**, tandis que les amants d'une nature plus vierge préféreront **Río Secreto** ou **Xel-Há**. Ces parcs sont aménagés de telle sorte que les visiteurs y passent facilement toute une journée.

Il serait aussi dommage de ne pas aller admirer les impressionnants vestiges des cités mayas : on accède facilement aux sites archéologiques de **Tulum** et de **Cobá** en voiture, en transport collectif ou en prenant part à une excursion organisée. Finalement, les amateurs de plongée opteront pour l'**Isla Cozumel** et ses nombreux récifs.

Deux semaines et plus

Un séjour d'au moins deux semaines dans la région permet d'allier repos et farniente à la découverte des richesses naturelles et des sites archéologiques. Le meilleur moyen de se déplacer librement demeure la location d'une voiture, mais des taxis, des bus et des taxis collectifs (*colectivos*) circulent aussi très fréquemment entre les différentes localités de la région.

Nul besoin de consacrer beaucoup de temps à la ville de Cancún. Dès votre arrivée, choisissez plutôt de prendre le bateau pour **Isla Mujeres** et passez-y au moins une nuit. De retour à Cancún, il est facile de vous rendre à **Chichén Itzá** en une journée en passant par **Valladolid** (et **Ek Balam** pour les plus férus amateurs de vestiges mayas). Vous pourrez passer la nuit à côté des ruines ou dans le petit village de **Pisté**, voisin de quelques kilomètres. Rejoignez ensuite la côte vers **Tulum** en marquant un arrêt au site archéologique de **Cobá**. Si vous aimez les ambiances détendues et les cabanes en bord de plage, vous pourrez passer au moins trois jours à vous détendre à Tulum pour vraiment lâcher prise. Vous pouvez prévoir, durant ce temps, une journée pour découvrir la **Reserva de la Biosfera Sian Ka'an**. Remontez ensuite par la route 307 en direction de Cancún. En chemin, vous pourrez découvrir de nombreux *cenotes* et complexes de loisirs. Ceux qui aiment les sensations fortes choisiront **Xplor** ou **Selvatica**, alors que **Xcaret** séduira les familles. Pour nager au milieu des plus beaux poissons, **Xel-Há** est recommandé. Toujours en chemin vers le nord, arrêtez-vous au moins une demi-journée dans une des petites localités encore peu touristiques comme **Tan-Kah**, **Akumal**, **Xpu-Ha**, **Paamul** ou encore **Punta Bete**. C'est l'occasion de découvrir d'autres *cenotes* ou de partir explorer les récifs de bord de mer en plongée-tuba. En longeant la Riviera Maya, une halte à **Playa del Carmen** s'impose aussi, qu'elle dure une soirée, pour prendre un bon repas au restaurant et déambuler sur la *Quinta Avenida*, ou plusieurs jours, pour faire la fête lors des nuits endiablées de la ville. Au large de Playa del Carmen, l'**Isla Cozumel** mérite amplement un détour. Si vous souhaitez vous adonner à la plongée sous-marine, comptez au moins trois jours sur place tant les sites à découvrir sont nombreux. Sur la route du retour vers **Cancún**, vous pourrez finalement passer une nuit dans la petite ville de **Puerto Morelos** pour prendre le pouls de la culture locale. Finalement, ceux qui préfèrent les itinéraires hors des sentiers battus pourront aussi visiter la petite ville de **Punta Allen**, dans la partie sud de la Riviera Maya, ou encore l'île préservée d'**Holbox**, à la pointe du Yucatán.

Sommaire

Liste des cartes

Liste des encadrés

Derrière les mots

Julie Brodeur

La plus récente mise à jour du guide Ulysse *Cancún et la Riviera Maya* a été confiée à Julie Brodeur.

Géographe et globe-trotteuse, ses voyages à travers une vingtaine de pays l'ont amenée à travailler dans un orphelinat au Zimbabwe, à gérer une ferme bio en Espagne et à mener un terrain de recherche sur le développement ethnotouristique et rural en Chine. Elle découvre aujourd'hui la joie de voyager en famille et initie ses deux enfants aux plaisirs de l'aventure.

Julie œuvre depuis 15 ans au sein de l'équipe des Guides de voyage Ulysse. Entre la coordination des voyages des auteurs et le travail d'édition, elle participe activement à la conception et à la rédaction de nouveaux projets. Elle a notamment collaboré à la conception des guides *Voyager avec des enfants*, *Journal de mes vacances en camping* et *Les joies de l'hiver au Québec*, en plus d'avoir participé à la rédaction de nombreux guides dont *Le Québec* et *Honduras*.

En couverture

La grande ville archéologique de Chichén Itzá est dominée par la somptueuse pyramide de Kukulcán, également connue sous le nom d'El Castillo. Ce temple pyramidal, qui conjugue les cultures maya et toltèque, présente plusieurs symboles cosmologiques. En effet, les Mayas liaient intimement l'étude des étoiles et des mathématiques avec la religion. Ainsi, El Castillo compte 365 marches sur ses quatre faces (ce qui correspond au nombre de jours de l'année solaire), 52 dalles (le nombre d'années d'un siècle maya) et 18 terrasses (les mois de l'année religieuse).

Situation géographique dans le monde

Cancún et la Riviera Maya

Population : 630 000 hab. (Cancún), 173 000 hab. (Playa del Carmen)
État : Quintana Roo (1 530 000 hab.)
Climat : tropical humide
Fuseau horaire : UTC −6
Langue : espagnol
Température moyenne :
Janvier : 25°C
Juillet : 28°C

Monnaie : peso mexicain (MXN)
Tourisme : première destination touristique du Mexique, avec plus de 6 millions de visiteurs annuellement à Cancún et sur la Riviera Maya

Portrait

Cancún et la Riviera Maya sont reconnues avant tout pour la splendeur de leurs plages de sable blanc et la modernité des infrastructures qu'on y a construites. C'est aussi une région où triomphe la diversité: des îles inhabitées du nord aux mangroves de la réserve de la biosphère Sian Ka'an, et des puits naturels appelés *cenotes* aux immenses récifs qui bordent la côte Caraïbe.

La variété et la beauté des mondes sous-marin et terrestre constituent la grande richesse de la Riviera Maya. Parcourir la région donne un aperçu de la péninsule du Yucatán, de ses richesses et de son peuple, et ce, aussi bien par ce qui prévaut aujourd'hui que par les sites archéologiques tels que Chichén Itzá, témoin grandiose de l'histoire du peuple maya.

Plages exceptionnelles, poissons tropicaux, lagunes et littoral de récifs de corail, savanes arborées et truffées de sites archéologiques millénaires, voilà quelques caractéristiques particulières à cette contrée bénie des dieux, fussent-ils mayas ou chrétien, et qui en font sans contredit l'une des destinations touristiques les plus courues de l'hémisphère Nord. Il est facile de se lancer à l'aventure dans la région. La péninsule du Yucatán est couverte de routes planes et bien aménagées, bordées de villages intéressants. Les sites archéologiques à découvert ou enfouis sous la jungle, les baignades avec les dauphins, la plongée sous-marine... tout cela fait partie des nombreux attraits de la région, situés suffisamment près les uns des autres pour permettre à ceux qui y font un court séjour de pouvoir tous les visiter, par eux-mêmes ou avec un guide.

En logeant à Cancún, on accède facilement à la zone archéologique de Chichén Itzá et à l'Isla Mujeres (île des Femmes). On peut aussi emprunter le «corridor Cancún-Tulum» et descendre le long de la Riviera Maya jusqu'à la Reserva de la Biosfera Sian Ka'an. Il est également facile d'aller de Cancún à Cozumel et vice-versa par bateau ou par avion.

Cancún est une station balnéaire très développée pour les oiseaux de nuit et ceux qui apprécient l'animation. Mais les amateurs de plein air, d'activités nautiques particulièrement, seront comblés sur la Riviera Maya, dont les longues plages de sable doré, fouettées par une mer d'un turquoise éblouissant, ne manqueront pas d'en ensorceler plus d'un.

S'il est un attrait, cependant, qui ne doit pas être négligé, c'est la population. Principal berceau des descendants des Mayas, la péninsule du Yucatán vit au rythme lent et savant de ses habitants, à la fois travailleurs, patients et simples. Leur politesse et leur timidité cachent une tranquille empathie et une sincère gentillesse, un sourire qui n'appartient qu'à eux.

Géographie

Péninsule du sud-est du Mexique entre le golfe du Mexique et la mer des Antilles, la péninsule du Yucatán, pays du maïs et du sisal, est divisé en tiers: l'État de Campeche, à l'ouest, échappe toujours au tourisme de masse; l'État de Quintana Roo est un long couloir qui suit le littoral à l'est, où se trouvent notamment Cancún, Tulum, Cozumel et l'Isla Mujeres; au nord, l'État de Yucatán avance dans le golfe du Mexique. Ce dernier État abrite le plus important site archéologique de la région, Chichén Itzá, et les villes coloniales de Mérida et de Valladolid.

Une grande partie de la péninsule du Yucatán repose sur un sol calcaire ponctué de puits naturels appelés *cenotes*, dont certains furent jadis le théâtre de sacrifices mayas. Certains *cenotes* sont aujourd'hui très recherchés par les plongeurs. Attraits des plus intéressants, les *cenotes* de cette région sont les seuls plans d'eau visibles sur la péninsule, où rivières et lacs sont le plus souvent souterrains.

> Les *cenotes*

Si les *cenotes* sont nombreux dans la péninsule du Yucatán, c'est que le sol calcaire en est la cause. La péninsule tout entière est parsemée de grottes et de cavités, tantôt vides, tantôt remplies d'eau fraîche et limpide, un phénomène qui ne se retrouve nulle part ailleurs au Mexique et qui émerveilla jadis les Mayas, lesquels s'établirent dans la région et firent de ces puits naturels des lieux sacrés. Ils installèrent leurs villages à proximité des *cenotes*, leur principale source d'eau potable sur le territoire. Leurs croyances faisaient également de ces puits naturels baptisés *dzonot* (mot qui devint *cenote* en espagnol) le refuge des dieux de la pluie.

Les *cenotes* ont leur source dans un sous-sol calcaire ponctué de cavernes et de grottes baignées par des rivières souterraines qui, successivement gonflées par l'eau de pluie et réduites par les sécheresses, ont érodé le sol jusqu'à l'affaissement de la croûte terrestre. Ces étonnantes crevasses, aux dimensions variables du nord au sud de la péninsule, dévoilent leur pourtour presque parfaitement rond et leurs parois marquées par l'érosion.

Aujourd'hui, petits baigneurs ou plongeurs expérimentés partent régulièrement à la recherche des *cenotes* de la péninsule du Yucatán. Certains *cenotes* sont devenus d'importants centres d'attraction, tandis que d'autres sont restés à l'écart de la frénésie touristique.

Si la nage et la baignade se pratiquent aisément dans la plupart des *cenotes*, la plongée doit, quant à elle, s'effectuer avec prudence. Il est en effet possible de se perdre dans les dédales des cavernes sous-marines ou encore d'y ressentir une claustrophobie soudaine. L'exploration en profondeur d'un *cenote* est une expérience palpitante réservée aux plongeurs expérimentés.

Pour plus de renseignements sur les *cenotes*, voir aussi p. 129 ou se référer à l'index pour consulter la liste complète des *cenotes* décrits dans ce guide.

Faune

La péninsule du Yucatán, par sa situation géographique particulière, son état péninsulaire, ses lagunes, ses *cenotes* et ses criques saumâtres, est l'habitat idéal d'une grande diversité d'animaux.

Préoccupées par la destruction effrénée de la végétation et de la forêt qu'entraîne le développement touristique, les autorités mexicaines entendent préserver et mettre en valeur certaines zones qui se prêtent à merveille à l'écotourisme. Les deux projets les plus importants concernent l'île corallienne de Contoy, située au nord de l'Isla Mujeres, où cohabitent près de 80 espèces d'oiseaux, et la Reserva de la Biosfera Sian Ka'an, inscrite sur la Liste du patrimoine mondial de l'UNESCO en 1986 et située à quelques kilomètres au sud de Tulum. Le site abrite une variété d'animaux sauvages tels que pumas, jaguars, lamantins et crocodiles.

Le moins téméraire des touristes ne saura dénombrer à la fin de son voyage le nombre de lézards qu'il aura croisés, espions tranquilles qui se fondent dans le paysage, n'attirant l'attention que lorsqu'ils prennent la fuite.

Si l'iguane, facilement identifiable par sa peau foncée, est l'une des espèces de reptiles les plus répandues, vous croiserez aussi le gecko, minuscule comme un insecte, et l'iguane noir, qui parcourent la péninsule et se retrouvent ici, perchés au sommet d'un temple maya et observant le guide se perdre en explications, ou là, sur la table d'un restaurant, au bord de la mer.

Bien présent sur la Riviera Maya, le coati, un animal sociable rappelant à la fois le raton laveur et le singe, cherche maintenant la compagnie des touristes… et surtout leurs restes de table! Tout comme l'agouti, qui fréquente les espaces boisés des complexes hôteliers, il est bien mignon, mais les voyageurs doivent s'abstenir de le nourrir.

Le pélican, qui se déplace souvent en couple, survole la plage d'un coup d'aile et surveille les touristes qui prennent un bain de soleil. Volant elle aussi près des baigneurs, la frégate marine, noire et lustrée, déploie ses longues et étroites ailes, et pratique le surplace en ouvrant parfois sa queue fourchue pour maintenir son fragile équilibre.

Quant à la sterne, elle fait souvent du tapage près des restaurants, intimidant sans relâche, l'œil menaçant, les clients qui tardent à lui lancer un morceau de pain. Les touristes qui pousseront leur visite jusqu'à l'intérieur des terres verront peut-être le célèbre toucan, emblème de bien des pays du Sud. Tout au nord de la péninsule, près de Río Lagartos, les flamants roses vivent en colonie. On estime leur population à près de 40 000 individus.

D'autres animaux peuvent être observés lors de petites excursions pendant lesquelles on s'éloigne des zones habitées. Il s'agit des jaguars, des serpents et des fourmiliers.

> Vie sous-marine

Le monde sous-marin aux abords de l'État de Quintana Roo est un paradis de coraux multicolores et de poissons aux formes et aux variétés qui semblent sans fin.

Très populaires à Cozumel, la plongée sous-marine et la plongée-tuba (le moyen idéal pour observer la vie subaquatique) constituent une part importante de l'activité touristique de cette île réputée pour ses nombreux récifs de corail qui attirent des plongeurs venus de partout à travers le monde.

Les adeptes de la pêche sportive s'en donnent à cœur joie, car l'Isla Mujeres et Cozumel organisent chaque année des tournois où de nombreuses prises records sont effectuées.

La quantité d'animaux peuplant les eaux du secteur est trop imposante pour en dresser ici une liste exhaustive, mais voici quelques espèces que la moindre exploration vous permettra de découvrir à Cancún et autour des îles:

Cancún

Parmi les espèces observées, notamment lors des excursions proposées dans la zone hôtelière, notons le mérou, la dorade, le barracuda et le thon rouge.

Le chiclé

Le chiclé, soit le latex extrait du sapotier, un arbre de grande taille très répandu en Amérique centrale et dans la péninsule du Yucatán, fut importé et commercialisé aux États-Unis par l'inventeur Thomas Adams, qui a ouvert la première manufacture de gommes à mâcher au monde. En 1871, les pharmacies américaines virent ainsi apparaître sur leurs tablettes un nouveau produit appelé «Adams New York Gum», une boîte contenant de petites boules qu'il fallait mâcher sans avaler.

Le chiclé, bien que nouveau alors pour les Américains, existait déjà sous forme de «gomme à mâcher». En effet, les Mayas en connaissaient depuis longtemps les vertus hygiéniques et digestives, et savaient comment le récolter. Le chiclé était obtenu en lacérant l'écorce du sapotier de plusieurs grands X profonds, d'où il s'écoulait pour être ensuite recueilli par les *Chicleros*. Le produit était alors bouilli, coupé en cubes et exporté.

Pour en apprendre davantage, participez à la visite *The Chewing Gum – A Mayan Legacy*, organisée par **Community Tours Sian Ka'an** (voir p. 126).

Isla Mujeres

Sur la côte est de l'île, le Parque Nacional El Garrafón abrite une faune diverse. C'est le refuge de nombreuses espèces de poissons tels que l'ange, caractérisé par ses vives rayures blanc et jaune, et le «sar», qui privilégie un environnement de corail «corne de cerf» et d'éponges noires où il aime se cacher. La «damoiselle» défend avec ardeur son territoire et n'hésite pas à attaquer les nageurs téméraires qui entrent dans sa zone, attirés par la beauté des anémones de mer qui jalonnent les fonds marins. D'autres espèces, plus imposantes et souvent prisées des pêcheurs, pataugent dans les mêmes eaux : le «ludjan», le mérou, la dorade, le barracuda et le thon, entre autres. Notez que les sculptures immergées du MUSA (voir p. 108) attirent leur lot de poissons tropicaux!

Isla Cozumel

Poisson féroce à la dentition cauchemardesque, le barracuda, de grande taille, sillonne les eaux aux alentours d'un récif qui porte d'ailleurs le nom de «Barracuda» et celles qui environnent le récif San Juan. Il n'est pas toujours nécessaire de ratisser le fond des mers en scaphandre pour voir des merveilles : vous pourrez peut-être observer, à bord du bateau faisant la navette entre Playa del Carmen et Cozumel, de magnifiques dauphins sautant joyeusement hors de l'eau ou des poissons volants...

Parmi les espèces répertoriées dans la région de Cozumel, notons le «thézard bâtard», le «paupile bleu», le «coryphène», le marlin bleu et blanc, le thon, le voilier et le «macaire», ainsi que l'espadon, qu'on retrouve en grand nombre.

Près de la «petite mer» (Chankanaab, en maya), poissons tropicaux (poisson-ange, poisson-papillon, poisson-trompette), et coraux sont légion. Ici, à travers les branches de corail «corne d'élan», un poisson-perroquet. Là, à peine perceptible, tout près d'une roche de corail «diploria», un ange mesurant à peine 2 cm et, au loin, toujours très visible dans cette eau très claire, un marlin de 2 kg. De mai à septembre, les visiteurs auront aussi la chance de voir des tortues géantes déposer leurs œufs dans le secteur.

Isla Holbox

Chaque année, de juin à septembre, les requins-baleines, les plus gros poissons du monde, passent au large de l'île d'Holbox. Les vacanciers ne manquent pas l'occasion de nager avec ces impressionnants animaux. Certains de ces poissons inoffensifs mesurent jusqu'à 15 m et pèsent plus de 10 tonnes.

Flore

La jungle de la péninsule du Yucatán n'a rien de celle de l'Amazonie. Le paysage se caractérise par une forêt dense, trapue et peuplée de petits cocotiers, de bananiers et de sapotiers dont le latex appelé «chiclé» était utilisé dans la fabrication de la gomme à mâcher.

Les fruits de la région sont l'avocat, l'orange, la lime, le pamplemousse et la papaye. La culture du maïs et des haricots est très répandue dans ce coin de pays. La culture du sisal, sorte d'agave dont on se sert pour la composition de matières textiles, surtout pratiquée dans le nord-ouest de la péninsule, est en perte de vitesse.

Partout sur le bord des routes, aux alentours des sites archéologiques et dans les parcs, de beaux arbres, les fromagers (arbres sacrés des Mayas), offrent au regard des passants leurs jolies fleurs rouge orangé.

Notez l'apport des artistes paysagistes qui redonnent à Cancún quelques couleurs naturelles, surtout dans la zone hôtelière, où le béton est souvent maître. Ainsi le long des routes, sur les terre-pleins et dans les parcs, autant de gros oiseaux et d'animaux verts et immobiles forment des kilomètres de haies taillées avec originalité.

La disparition des cocotiers

Une inquiétante épidémie frappe toujours la population des cocotiers (*Cocos nucifera*) de la péninsule du Yucatán, où des milliers d'arbres sont morts depuis une trentaine d'années. La maladie, appelée «phytoplasme du jaunissement mortel» (*Lethal yellowing disease*), avait déjà été observée en 1977 dans la région de Cancún et de Cozumel. Elle s'est aujourd'hui déplacée, entre autres lieux, le long du littoral au sud de Tulum.

La maladie est issue d'une petite bactérie sans paroi, un phytoplasme, et est transmise par un insecte. Elle provoque alors la chute des noix de coco, le jaunissement puis la chute de toutes les feuilles. Les cocotiers meurent ainsi en quelques mois, faisant place à des troncs dénudés. Une intense opération de reboisement avec une espèce plus résistante est toutefois en cours partout où se trouvent les zones affectées ou à risque.

Climat

La saison des pluies s'étend de mai à septembre. Les températures sont élevées et l'air est humide, surtout en juin. Les autres mois de l'année offrent un climat agréable et de l'air sec.

La zone touristique de Cancún et de la Riviera Maya, tout comme les îles mexicaines de la mer des Caraïbes, doivent faire face aux plus redoutables des ennemis : les ouragans, qui font annuellement leur apparition (de septembre à novembre), laissant parfois derrière eux un paysage désolé.

Les ouragans *Gilbert* (1988) et *Roxane* (1995) ont durement frappé l'État de Quintana Roo, rappelant brutalement à l'ordre les entrepreneurs touristiques inexpérimentés, séduits par l'idée de construire hôtels et restaurants près des limites du rivage.

En 2005 et 2007, *Wilma* et *Dean* frappaient la région, faisant des dégâts considérables sur toute la côte. Mis à part certaines mangroves endommagées sur la Riviera Maya, des plages qui ont sensiblement changé d'aspect et une différence de niveau pouvant parfois atteindre 1 m entre le sable et la mer à Cancún, il ne subsiste aujourd'hui aucune trace visible de ces violents ouragans.

Histoire

> ### Préhistoire

La disparition des dinosaures, selon une théorie à laquelle adhèrent nombre de scientifiques aujourd'hui (théorie appuyée par une expédition de recherche en janvier 1997), aurait été causée par la chute, il y a 65 millions d'années, d'un gigantesque astéroïde sur la Terre. Ce choc a provoqué, pendant des mois, une chaleur extrême, des inondations et un épais nuage de poussière en suspension dans le ciel, anéantissant 70% de toutes les espèces. En 1989, on a découvert au Yucatán ce qui serait le point d'impact : un immense cratère circulaire, appelé «cratère de Chicxulub» (du nom d'un petit village situé à quelques kilomètres au nord de Mérida). L'astéroïde, dont on estime le diamètre entre 10 km et 20 km, aurait creusé ce cratère mesurant entre 180 km et 300 km.

Au cours de la période glaciaire, à l'ère quaternaire, une baisse momentanée du niveau de la mer a permis aux habitants du continent asiatique de franchir le détroit de Béring et d'atteindre l'Alaska. Pendant des milliers d'années, les populations nomades investirent le continent du nord au sud, jusqu'à la Terre de Feu. La plus ancienne découverte anthropologique au Mexique serait l'homme de Tepexpan, vieux de 12 000 ans. Délaissant graduellement la cueillette et la chasse, les populations sont devenues sédentaires, pour se tourner vers l'agriculture et la pêche à partir de l'an 7000 av. J.-C. Les premiers villages auraient donc été érigés le long des côtes.

> ## Période archaïque

La culture du maïs fit son apparition vers l'an 5000 av. J.-C. Des figurines d'argile, âgées de 5 000 ans, laissent deviner que la religion connaît alors une nette progression.

C'est vers 1200 av. J.-C. que la civilisation olmèque de San Lorenzo connaît son apogée. Dotée de sa propre écriture hiéroglyphique, d'un calendrier complexe et d'un système de numération, cette civilisation aurait grandement influencé, par son art et son organisation sociale, les civilisations mésoaméricaines qui ont suivi. On leur doit entre autres de colossales têtes de basalte qui mesurent jusqu'à 3 m de hauteur et plusieurs grands centres cérémoniels.

Une autre étape importante de l'histoire du Mexique est l'ère de la resplendissante Teotihuacán, ville peuplée et centre religieux. Cette grande métropole, située près de l'actuelle ville de México, connaît ses débuts vers l'an 200 av. J.-C. Cette ville précolombienne est plus grande que toutes celles qui furent découvertes en Amérique à ce jour. À son apogée, elle était plus grande que la Rome antique. On ignore par qui elle fut fondée, mais ce qui est certain, c'est que son pouvoir politique, culturel et religieux s'étendait sur des dizaines de kilomètres. Son apogée se situerait entre l'an 300 et 650 apr. J.-C.

Vers l'an 200 apr. J.-C., les civilisations du Mexique sont déjà très développées au point de vue de l'architecture, de l'art et de la science. L'astronomie et les mathématiques, surtout, paraissent avoir été au centre de leurs préoccupations.

> ## La civilisation maya

Bien que l'origine des Mayas ne soit pas très bien connue, on croit qu'en l'an 2000 av. J.-C. plusieurs villages mayas existaient. Les premiers Mayas à peupler la péninsule du Yucatán se seraient d'abord installés entre autres à Dzibilchaltún (nord du Yucatán), où des temples de pierre furent érigés.

Selon plusieurs historiens, les Mayas connurent leur apogée entre les années 250 et 950 apr. J.-C. environ. Plusieurs villes de cette époque se trouvent dans la péninsule du Yucatán, entre autres Uxmal, Cobá et Ek Balam.

Dès l'an 900, l'influence commerciale de la civilisation des hauts plateaux influencera celle des Mayas de la période classique. Les civilisations toltèque et maya ont toutefois cohabité et se sont entremêlées. Le site archéologique de Chichén Itzá, entre autres, présente des ornements typiques des deux civilisations.

> ## La conquête espagnole

L'histoire de la rencontre des Espagnols et du Nouveau Monde a donné lieu à toutes sortes de spéculations, mais une chose est sûre : il s'agit d'un des moments les plus importants et les plus troublants de l'histoire du monde. Le premier contact se produisit en 1512, lorsque deux naufragés, le prêtre Jerónimo de Aguilar et le navigateur Gonzalo Guerrero, furent faits prisonniers par les Mayas. Guerrero gagna l'estime de ses ravisseurs, apprit la langue maya et épousa la princesse maya Zazil Há. Ils eurent trois fils : les premiers Métis. Guerrero, Basque d'origine, fit même sienne la cause maya et prit la direction, pendant près de 20 ans, des opérations militaires contre ses anciens compagnons d'armes.

En 1519, Hernán Cortés, parti de Cuba avec une flotte d'une dizaine de bateaux et 500 hommes, accueille Aguilar et en fait son interprète. Les conquistadors aidés de plusieurs milliers d'Autochtones combattront pendant plus de deux années pour détruire l'Empire aztèque. En effet, le 13 août 1521, avec leurs alliés, ils réussissent à s'emparer de Tenochtitlán.

En 1522, Cortés la fait reconstruire. Elle s'appelle désormais «México» et devient la capitale de la Nouvelle-Espagne. La conquête du Yucatán durera plus de deux décennies.

> L'évangélisation

Les premiers missionnaires franciscains arrivent à México en 1523 et se hâtent d'édifier des monastères. Par la suite, les Augustins et les Jésuites s'attelleront eux aussi à la tâche. En 10 ans, alors que des millions d'Autochtones sont christianisés, quantité de monuments précolombiens sont démolis, de nombreux indigènes sont réduits à l'état d'esclavage et le pillage des ressources et des richesses se généralise.

L'évêque Diego de Landa nota et compila de nombreuses observations sur la société maya du Yucatán dans un ouvrage intitulé *Relaciones de las Cosas de Yucatán*. Les historiens considèrent d'ailleurs que c'est en grande partie grâce à lui qu'on peut aujourd'hui comprendre la société maya de l'époque précolombienne.

Bien que les Autochtones aient accepté sans enthousiasme le catholicisme qu'on leur imposait, ils l'adaptèrent à leurs propres croyances. Jusqu'au début du XXᵉ siècle, on dépouillait les indigènes de leurs terres, on les obligeait à travailler pour le compte d'une hacienda, et le maigre salaire qui leur était versé servait uniquement dans les *tiendas de raya* (boutiques de l'hacienda). Les Autochtones n'avaient d'autre choix que de s'endetter, et ce cercle vicieux les maintenait prisonniers du système, de même que leurs enfants après eux, puisque les dettes se transmettaient à la descendance du père. L'indépendance du Mexique, obtenue après une guerre qui dura 11 ans (1810-1821), ne mit pas fin à cette injustice, puisque les terres ne firent alors que changer de main. Chez les Mayas, le feu trop longtemps attisé de la révolte grondait.

> La guerre des Castes

Après de trop durs traitements, à bout de forces et d'espoir, les Mayas se livrèrent avec furie, en 1847, à ce qu'on a appelé plus tard la «guerre des Castes». À Tepich, à 76 km au sud de Valladolid, à la suite de l'exécution du leader maya Manuel Antonio Ay, ils massacrèrent tous les Blancs qui n'avaient pas fui la ville. Ce nettoyage se poursuivit dans la plupart des villes du nord du Yucatán. Mérida était, malgré des appels à l'aide répétés, sur le point de tomber lorsque les Mayas décidèrent de retourner à leur culture du maïs (Maya signifie «maïs»), qui ne pouvait attendre davantage car la saison des pluies était arrivée. Avec l'aide de mercenaires américains et de soldats venus de Cuba, la revanche des colons espagnols fut impitoyable. Hommes, femmes et enfants furent sans distinction tués, emprisonnés ou vendus comme esclaves. La population maya, déjà fort disséminée par les épidémies et les mauvaises conditions de vie, chuta de 500 000 à 300 000 individus entre 1846 et 1870. S'étant réfugiés dans le sud du Quintana Roo, ils offrirent cependant une résistance acharnée à leurs ennemis. Les Cruzobs, installés à Chan Santa Cruz (qui deviendra Felipe Carillo Puerto), contrôlèrent pendant plus de 40 ans la moitié sud-est de la péninsule du Yucatán.

> La résistance

La péninsule du Yucatán, isolée du reste du pays, était difficilement contrôlable par le gouvernement. Vers la fin du XIXᵉ siècle, le gouvernement mexicain, sous la présidence de Porfirio Díaz, commença à s'intéresser sérieusement au Yucatán. Ce n'est qu'en 1901 toutefois, lors d'une campagne menée par le général Ignacio Bravo, que l'armée fédérale réussit à prendre la capitale, Chan Santa Cruz, que les Cruzobs avaient abandonnée. La guérilla menée par les Mayas se poursuivit jusqu'en 1935, alors que les Cruzobs consentirent à signer un traité de paix avec l'armée fédérale.

> La Révolution

La Révolution, qui dura 10 ans et causa la mort d'un million de Mexicains, fut provoquée en 1910 par la réélection frauduleuse de Porfirio Díaz. Elle fut amorcée par Francisco de

Madero et menée par différents chefs révolutionnaires. Madero, allié de Pancho Villa, succède à Díaz en 1911, mais est renversé au cours d'un soulèvement conduit par le général Huerta et est assassiné en 1913. Cet événement déclencha la révolte populaire, dirigée pendant 10 ans par les quatre chefs révolutionnaires qu'étaient Villa, Obregón, Carranza et Zapata. La Révolution voulut mettre fin à l'injustice criante des propriétaires et apporta une redistribution de la richesse.

Carranza est reconnu comme président par les États-Unis en 1915. Pourtant la Révolution continue. En 1917, une nouvelle Constitution limite le mandat des présidents à quatre ans. On construit des écoles (l'instruction devient obligatoire) et on confisque des propriétés rurales pour les attribuer aux paysans. Les affrontements avec l'Église, dont on redistribue les possessions, s'intensifient. Zapata se battra sans relâche jusqu'à son assassinat, en 1919. Pancho Villa est, quant à lui, abattu en 1923.

Il faudra cependant attendre le règne (1934-1940) du président Lázaro Cárdenas pour que les paysans de la péninsule yucatèque puissent profiter des réformes.

➤ Le Mexique moderne
Au début du XXe siècle, on construit dans la péninsule du Yucatán un réseau de chemins de fer qui relie enfin l'État au reste du Mexique. Malgré de lourdes difficultés économiques, le Mexique se modernisa entre 1940 et 1970. Grâce au système d'irrigation, l'agriculture se développa. Les routes se multiplièrent. L'État devient le moteur principal du développement économique, mais la perte de compétitivité du Mexique sur les marchés mondiaux amena une situation économique difficile.

La découverte d'importants gisements de pétrole à la fin des années 1970 place alors le Mexique au quatrième rang des pays producteurs. Toutefois, les taux d'inflation élevés et la mauvaise gestion plongent en même temps le pays dans un déficit budgétaire qui provoque une fuite importante de capitaux. En 1982, le président López Portillo préside, à Cancún, la conférence Nord-Sud pour sortir les pays de l'Amérique latine du cercle vicieux de l'endettement.

La station balnéaire de Cancún, un projet amorcé dans les années 1960, verra le jour en 1974, après la construction d'une infrastructure importante. Le développement de cette région s'est accéléré depuis 1982 et fait en sorte qu'aujourd'hui le tourisme a pris, dans la péninsule du Yucatán, la deuxième place dans l'économie.

Politique

L'État de Yucatán et l'État de Quintana Roo forment 2 des 31 États de la République fédérale du Mexique, qui compte en outre un district fédéral, soit la ville de México et ses environs.

Bien que la Constitution autorise le multipartisme, le Mexique était jusqu'en l'an 2000 une démocratie dirigée par le Parti révolutionnaire institutionnel (PRI). Le pluralisme politique a réellement pris naissance dans les années 1980, avec l'émergence du Parti d'action nationale (PAN) et du Parti de la révolution démocratique (PRD), les deux principales formations de l'opposition. Ces partis rivalisent pour occuper des sièges au Parlement, aux côtés du PRI, dont le pouvoir est demeuré longtemps incontesté.

Les élections de juillet 2000 ont fait souffler un vent de changement sur le pays. Le Parti révolutionnaire institutionnel (PRI), qui était au pouvoir depuis 71 ans, a été évincé par le PAN et son charismatique président, Vicente Fox. Le Mexique pouvait-il donc commencer à espérer une véritable démocratisation de ses institutions?

Les événements qui ont entouré la campagne présidentielle de 2006 permettaient d'en douter. En effet, Felipe Calderón, également du PAN, a été élu avec une infime majorité,

Inégalités et satires

Saviez-vous que l'homme d'affaires et magnat des télécommunications Carlos Slim Helú était en 2013 l'homme le plus riche du monde, devant Bill Gates et Warren Buffett? Ce Mexicain d'origine libanaise doit sa fortune colossale à son quasi-monopole des services de télécommunications au Mexique et ailleurs en Amérique latine.

À l'ombre de cette fortune évolue le phénomène d'ampleur internationale qu'est l'inégalité des revenus. À cet égard, le Mexique n'est pas en reste et, lorsqu'on constate les écarts entre les niveaux de vie au sein même de la population locale, la richesse démesurée de Carlos Slim Helú, comme la nôtre, toute relative soit-elle, porte à réflexion...

Au pays, on a su tourner le phénomène inégalitaire en dérision avec la comédie satirique *Nosotros Los Nobles* (*Nous, les nobles*), réalisée par Gary Alazraki en 2013. L'un des films mexicains les plus importants pour les entrées en salle, cette comédie met en scène une riche famille mexicaine dont le père nouvellement veuf exige de ses trois enfants qu'ils subviennent à leurs besoins sans la fortune familiale et se trouvent du travail.

ce qui a poussé son principal rival de gauche, Andrés Manuel López Obrador, à contester vivement ces résultats. À la demande de ce dernier, de nombreux syndicats et sympathisants ont occupé pendant plus de deux mois l'avenue et la place principale de México. Deux mois et plus de 300 recours de non-conformité plus tard, le Tribunal électoral du pouvoir judiciaire de la Fédération rendait son verdict: Felipe Calderón est officiellement élu président, devançant son adversaire par 0,56% des voix.

Les dernières élections, en 2012, ont porté au pouvoir Enrique Peña Nieto et ont marqué le grand retour du PRI au pouvoir. Il est à noter que, pour la première fois, une femme faisait campagne pour la présidence du Mexique. Josefina Vázquez Mota, militante au sein du PAN, a obtenu le quart des suffrages. Andrés Manuel López Obrador, qui participait à cette course à la présidence au nom du PRD, a terminé deuxième, cette fois par un écart de 7%.

Économie

Le Mexique connut de 1976 à 1982 une inflation énorme qui paralysa son développement. Malgré cela, le développement touristique dans l'État de Quintana Roo alla bon train, car les investisseurs ont cru au tourisme pour sortir la région de l'impasse.

En octobre 1982, le président José López Portillo convoqua une assemblée à Cancún pour trouver des solutions à la fuite des capitaux. Il laissa cependant à son successeur, Miguel de la Madrid Hurtado (élu le 1er décembre 1982), un pays en proie à une inflation monstre. L'accession du pays au General Agreement on Tariffs and Trade (GATT) en 1986, un nouvel accord de conversion de la dette signé en 1987 et une plus grande ouverture économique ont toutefois contraint les Mexicains à un régime maigre et à un taux de chômage élevé.

En 1994, une nouvelle crise conduisit à une baisse de 60% de la valeur du peso, et l'économie du pays ne s'est toujours pas relevée, malgré un plan d'austérité draconien et l'aide du Fonds monétaire international (FMI) obtenue par le président Ernesto Zedillo. Le taux d'inflation, qui avait atteint le niveau record de 160% en 1987, s'est depuis stabilisé et se situait à 4,5% en janvier 2014.

Le Mexique n'a pas été épargné par la crise économique et financière globale de 2008-2009, et la croissance de son PIB s'est aussi stabilisée à environ 4% en 2012.

Bien que le Mexique ait signé des accords de libre-échange avec une cinquantaine de pays (en Amérique latine, en Asie et en Europe), les États-Unis demeurent aujourd'hui leur principal partenaire commercial, avec plus de 78% des exportations et près de 50% des importations. Depuis 1994, le Mexique est partenaire de l'ALENA, un accord de libre-échange signé avec le Canada et les États-Unis.

Globalement, l'économie du Mexique est assez diversifiée et, à l'instar des pays développés, l'agriculture y occupe une place limitée (un peu plus de 3% du PIB). Le secteur industriel et manufacturier, notamment la production de denrées alimentaires, de tabac et de textiles et l'exploitation minière et pétrolière, englobe 36% du PIB. Enfin, le secteur tertiaire des services est en forte croissance et représente plus de 60% du PIB.

Le Mexique, au neuvième rang des pays producteurs de pétrole (2012) et l'un des exportateurs de brut les plus importants pour les États-Unis, doit cependant importer une grande partie de son essence, en raison du manque de raffineries au pays. Le gouvernement d'Enrique Peña Nieto a instauré une réforme en 2013 qui mettra fin au monopole de la compagnie étatique Pemex et permettra les investissements étrangers dans ce secteur.

Avec 24 millions de visiteurs en 2012, le tourisme représente 12% du PIB du Mexique et est en hausse constante. Une part importante de ces revenus provient de la région de Cancún et de la Riviera Maya.

Depuis une quinzaine d'années, l'ouverture du marché agricole, la privatisation des grands secteurs de services et le blanchissement de l'argent du narcotrafic accroissent le fossé entre riches et pauvres au pays.

Société

> **Mexique, terre du métissage**

Les Mexicains dans leur ensemble, qui forment une société métissée, se targuent d'intégrer dans leur vie courante les héritages du passé. Pour le touriste, l'évidence de ce fait viendra lors d'une visite organisée de sites mayas, où le guide (arborant souvent toutes les caractéristiques physiques de sa descendance ibérique) s'identifiera de façon automatique et difficilement compréhensible à ses supposés ancêtres mayas, qualifiant aisément de barbarie la conquête espagnole.

De son côté, la société maya qui subsiste a quand même fort à faire pour faire valoir ses droits et amener ses revendications sur la place publique, notamment sur le plan de

Nouveau cycle du calendrier maya et nouvelle ère touristique

La date du 21 décembre 2012, qui correspond à la fin du cycle long (5 125 ans) du calendrier maya, a fortement marqué l'imaginaire collectif. Plusieurs ont interprété cet événement comme la fin des temps et l'ont associé à l'apocalypse. De cette frénésie autour de leurs aptitudes en astronomie, a résulté non pas la fin du monde, mais une importante promotion de la culture maya : musées, expositions, livres, films, blogues, articles, voire même une campagne touristique organisée par le gouvernement mexicain, *Mundo Maya 2012*.

On assiste aujourd'hui à l'avènement d'un tourisme ethnique qui présente des infrastructures bien solides, implique la population maya locale et propose aux visiteurs des découvertes culturelles, gastronomiques, architecturales, sociales et naturelles.

l'exploitation touristique progressive du fait maya, qui prend souvent la forme de détours sur la route des autocars vers de petits villages pittoresques où une population accueille ces rencontres dans un mélange d'intérêt et de curiosité.

> La société maya

Le regroupement d'établissements épars a précédé le développement de grandes cités mayas où ont été réalisées des découvertes scientifiques et des inventions remarquables. Les villes et les centres cérémoniels ont atteint des proportions considérables au cours de la période classique, soit de l'an 250 à l'an 950 de notre ère. Les centres urbains y abondaient, avec leurs aménagements, leurs grandes allées, leurs réseaux d'aqueducs et d'égouts, leurs gigantesques pyramides et palais, ainsi que leurs jeux de pelote de la taille d'un champ de foot.

Les réalisations scientifiques et sociales des Mayas n'avaient d'égales que leurs réalisations artistiques. Les stèles gigantesques, les sculptures, les peintures et les décorations abstraites des temples mayas font encore que cette civilisation se démarque des autres cultures du monde. Toutes ces réalisations sont d'autant plus étonnantes que les Mayas n'ont jamais utilisé la roue (sauf pour les jouets d'enfants), car ils n'avaient pas de bêtes de trait.

Plusieurs croient que les cités mayas furent aménagées selon des schémas de division du temps extrêmement précis. Chaque ornement, chaque marche d'un temple exprime une division du temps. Le calendrier maya est, à cet égard, le résultat de la combinaison de deux calendriers, permettant d'identifier une journée précise à des millions d'années dans le passé ou le futur. Chaque journée, chargée de présages heureux ou funestes, était analysée par les chefs, qui prenaient leurs décisions en conséquence.

Le Quintana Roo à l'heure du tourisme

Depuis les années 1970, l'industrie touristique de Cancún bouleverse les structures économiques de l'État de Quintana Roo qui reposaient depuis la période coloniale sur l'exploitation des ressources agroforestières à l'aide de la main-d'œuvre maya. Dorénavant, on observe que les priorités économiques sont définies en fonction de la demande en infrastructures touristiques, ce qui provoque des mouvements de population dans toute la région.

Les gouvernements et les entreprises privées redécouvrent soudainement l'identité maya pour mieux attirer les touristes nord-américains et européens. Ainsi, on investit des sommes énormes dans la mise en valeur, la recherche et la conservation des monuments archéologiques et dans la mise sur pied d'initiatives en tourisme culturel.

Dans la même lancée, on rebaptise la côte des Caraïbes «Riviera Maya» et on trace des circuits touristiques qui mettent en vedette les grandes villes préhispaniques, circuits qu'on appelle maintenant «Ruta Maya» ou «Mundo Maya».

Face à ces bouleversements, certains membres de la population maya délaissent leurs familles, leurs pratiques agricoles et leurs terres ancestrales pour s'intégrer au capital touristique plutôt folklorique de la région, alors que d'autres façonnent eux-mêmes un produit touristique authentique, durable et complémentaire à leur mode de vie.

On oublie trop souvent qu'au-delà des plages de la Riviera Maya, le peuple maya vit dans une discrétion qui a toujours été la sienne. Les visiteurs qui prendront le temps de mieux connaître la culture maya à travers les musées, les excursions organisées par les communautés et les sites archéologiques, seront ravis de leurs découvertes et de leurs rencontres.

L'essor de Chichén Itzá prit fin vers l'an 1200, lorsque Mayapán atteint son apogée. Le déclin du pouvoir central s'amorça vers l'an 1450, lorsque cette dernière grande métropole maya fut abandonnée.

Aujourd'hui, de nombreux descendants des Mayas vivent à l'intérieur des terres de la péninsule du Yucatán. Ils sont très facilement reconnaissables à leur petite taille, à leur teint foncé et à leur profil plat. Les femmes portent parfois le *huipil*, cette tunique d'étoffe carrée en coton, brodée sur le col et les manches.

Arts et culture

> ## Musique

La musique occupe une grande place dans la vie quotidienne mexicaine. À Cancún, à Playa del Carmen et à Puerto Morelos, les musiciens sont nombreux devant les terrasses des restaurants pour offrir aux convives une petite ballade évoquant un amour perdu ou inassouvi, une peine quelconque, une dispute. Ces ballades sont inspirées de chansons espagnoles qui furent «mexicanisées».

La musique des mariachis est certainement la plus connue à l'étranger. Groupes de musiciens en costumes de *ranchero*, ils se tiennent fiers et droits avec guitare, violon, trompette et voix, et leurs ballades sont enrichies par les cultures d'Europe.

Les instruments traditionnels sont la trompette, la guitare, le marimba et la harpe.

À Isla Mujeres, la musique populaire locale est omniprésente lors des fêtes et événements sociaux. Considéré comme le père de la musique de l'Isla Mujeres, le troubadour Virgilio Fernández, décédé à l'âge de 60 ans en 1962, aura chanté son île avec des ballades aux noms évocateurs : *Mujer Isleña, Mi son pa Contoy, Bahía Isleña*... Aujourd'hui, les groupes de musiciens sont nombreux dans l'île.

Playa del Carmen présente un festival de jazz annuel en novembre, le Riviera Maya Jazz Festival, avec les plus grands noms du genre. Etta James, Ray Charles, Carlos Santana et Tito Puente se sont déjà produits à ce festival lorsqu'il se tenait à Cancún. Les concerts ont lieu sur la plage au bout de la Calle 28 Norte en soirée et sont tous gratuits. Quant à la musique classique, quelques compositeurs mexicains ont fait leur marque : Manuel Ponce (1886-1948), Julian Carillo (1875-1965), Carlos Chávez (1899-1978), Silvestre Revueltas (1899-1940) et Javier Torres Maldonado (né en 1968).

> ## Danse

Plusieurs danses traditionnelles pratiquées au Mexique remontent aux civilisations précolombiennes. Les danses païennes, interdites par les conquistadors, étaient encouragées par les missionnaires, qui voyaient sans doute en elles un moyen d'intégrer les Autochtones à la religion catholique.

Les danses occupent une place prépondérante dans les fêtes mexicaines. Il y a la danse du Cerf, la danse des Plumes, la danse Quetzal, la danse des Petits Vieux, la danse Sonajero, la danse Conchero et la danse Jarana. L'une des principales danses mexicaines, qu'on peut voir en de multiples occasions, est la danse Venado (danse du Cerf) des Yaquis, des Mayas et des Tarahumaras du nord du Mexique.

Les danses latines populaires comme la salsa font littéralement partie du quotidien des hommes, des femmes et des enfants! Bien avant le carnaval (en février ou mars), les écoles, familles et amis mettent sur pied des chorégraphies élaborées et se fabriquent de somptueux costumes pour participer aux célébrations, aux concours de danse et aux défilés.

La danse contemporaine n'est pas en reste, et Delfos Danza Contemporanea, dont les prestations sont reconnues à travers les monde, est l'une des compagnies (et écoles) les plus prestigieuses d'Amérique latine.

> Cinéma

Les débuts

Comme la majorité des pays d'Amérique latine, le Mexique a découvert le cinéma au XXe siècle, en pleine période de la dictature de Porfirio Díaz. Les cinéastes, occupés à suivre les activités officielles du dictateur, n'ont pas vu venir la Révolution. Toute la production mexicaine est alors orientée vers la représentation d'un pays cultivé, civilisé et progressiste, tel que le souhaitait la bourgeoisie de l'époque.

Cependant, l'éclatement de la Révolution amena le documentaire à caractère politique, le premier au monde selon certains critiques, à s'attaquer aux problèmes présents. Le film

Films mexicains

> Quelques réalisateurs

Alejandro González Iñárritu: *Amores perros*, 2000; *21 Grams*, 2003; *Babel*, 2006; *Biutiful*, 2010.

Alfonso Cuarón: *Y tu mamá también*, 2001; *Gravity*, 2013.

Roberto Sneider: *Dos crimenes*, 1995.

Guillermo del Toro: *Cronos*, 1993; *El laberinto del fauno*, 2006.

Alfonso Arau: *Como Agua para chocolate*, 1992 (tiré du roman de Laura Esquivel); *Dare to Love Me*, 2008.

Jaime Humberto Hermosillo: *L'Anniversaire du chien*, 1974; *La Passion selon Bérénice*, 1976; *Naufrage*, 1977; *Maria de mon cœur*, 1979; *Doña Herlinda et son fils*, 1984; *Intimités dans une salle de bains*, 1989; *Le Devoir*, 1990.

Felipe Cazals: *Le Jardin de tante Isabelle*, 1971; *Canoa*, 1975; *Le Mitard*, 1975; *Las Poquianchis*, 1976.

Arturo Ripstein: *Temps de mourir*, 1965; *Le Château de la pureté*, 1972; *L'Inquisition*, 1973; *Ce lieu sans limites*, 1977; *La Veuve noire*, 1977; *Rastro de Muerte*, 1981.

Paul Leduc: *Reed, le Mexique en ébullition*, 1971; *Frida, nature vivante*, 1984.

Emilio Fernández: *Janitzio*, 1938.

Luis Buñuel: né en Espagne en 1900 et décédé au Mexique en 1983, Buñuel aimait à dire qu'il avait appris son métier au Mexique. Il tourne 21 films au Mexique de 1946 à 1965, entre autres *Los Olvidados*, 1951; *Nazarín*, 1959; *La Jeune fille*, 1960; *Viridiana* (coproduit avec l'Espagne), 1961; *L'Ange exterminateur*, 1962; *Simon du désert*, 1964.

Amat Escalante: *Heli*, 2013.

Carlos Reygadas: *Stellet Licht*, 2007; *Post Tenebras Lux*, 2012.

Gary Alazraki: *Nosotros Los Nobles*, 2013.

> Quelques comédiens

Gael García Bernal

Salma Hayek

Cantinflas et Tin Tan
(deux grands comiques populaires)

Dolores del Río

María Félix

Pedro Infante

Adriana Barraza

Demián Bichir

Quelques films dont l'action se déroule dans la péninsule du Yucatán

Apocalypto (États-Unis, 2007), de Mel Gibson, avec Raoul Trujillo, Gerardo Taracena, Mayra Serbulo, Rudy Youngblood et Dalia Hernández.

Contre toute attente (*Against all odds*) (États-Unis, 1984), de Taylor Hackford, avec Rachel Ward et Jeff Bridges.

Rastro de Muerte (Mexique, 1981), thriller politique d'Arturo Ripstein, avec Pedro Armen Dariz Jr.

Zorro Rides Again (États-Unis, 1937), de John English, avec John Carroll.

La Momia Azteca (Mexique, 1957), suivi de *Attack of the Mayan Mummy* et *Face of the Screaming Werewolf* (États-Unis, 1964), de Rafael López Portillo.

Marie Galante (États-Unis, 1934), de Henry King, avec Spencer Tracy.

Alamar (Mexique, 2009), de Pedro González-Rubio, avec Jorge Machado et Roberta Palombini.

Memorias de un Mexicano (1959) de Carmen Toscano présente une compilation des films de Salvador Toscano, pionnier du cinéma mexicain, tournés durant les dernières années de la dictature de Díaz.

Parallèlement, le cinéma de fiction étranger exerce une grande influence sur les goûts du public. De 1916 à 1930, les films de fiction mexicains reproduisent les modèles de l'extérieur, aux intrigues mélodramatiques. La seule exception est peut-être *La Banda del automóvil gris* (film muet de 1919 sur un gang de malfaiteurs de México). Le mélodrame prend dès lors une place prédominante dans le cinéma mexicain.

L'année 1930 marque le début du cinéma sonore. Santa, d'Antonio Moreno, représente le prototype du mélodrame de prostituées, dans un traitement naïf, genre qui sera par la suite très prisé. L'année 1938 inaugure la comédie *ranchera*, sorte de petits films aux scénarios simplistes qui servaient surtout à mettre en valeur un certain héros, le *charro*, cowboy mexicain monté sur son cheval, à la recherche d'aventures.

L'âge d'or

Pendant les années 1940, alors que les États-Unis suspendent leur production hispanique pour se consacrer à la propagande antinazie, le Mexique devient le premier producteur mondial de films en espagnol. C'est l'«âge d'or» du cinéma mexicain, marqué par un nombre impressionnant de productions et l'apogée du mélodrame, du nationalisme et de l'esprit religieux.

Le cinéma mexicain se fait l'écho du discours officiel de l'unité nationale en récupérant le passé préhispanique et en redéfinissant le rôle de l'Autochtone dans la société. Les films de *cabareteras* (entraîneuses), dérivés des films où les prostituées sont des héroïnes, apportent au mélodrame moral un certain renouveau et dominent les écrans. Ce courant se perpétue jusqu'au début des années 1960.

Le savoir-faire hollywoodien a cependant raison de ce cinéma sans prétention, et l'industrie cinématographique mexicaine s'affaisse au début des années 1960. Seuls quelques réalisateurs, influencés sans doute par le néoréalisme italien, ont tourné des films sur le «vrai» Mexique.

Le cinéma mexicain moderne

En 1964, on créa le Centre universitaire d'études cinématographiques de México, puis, en 1970, la Banque nationale du film afin d'apporter une aide aux studios de cinéma. S'ensuivit la réalisation de nombreux films de qualité au début des années 1970.

Cependant, la privatisation des sociétés de production a entraîné la fermeture de centaines de salles de cinéma. Autre malheur, la Cinémathèque nationale fut victime en 1982 d'un incendie qui détruisit des milliers de films. De plus, les Mexicains ont, depuis le début des années 1980, beaucoup délaissé le cinéma, préférant regarder le petit écran avec ses *telenovelas*, téléromans réalisés à un rythme effréné, très populaires dans toute l'Amérique latine. Plus récemment, une nouvelle vague semble animer le cinéma mexicain et déborder ses frontières pour connaître un certain succès international, comme en témoigne notamment le succès des films du réalisateur Alejandro González Iñárritu (voir l'encadré p. 36), ou national avec la comédie cinglante du réalisateur Gary Alazraki (*Nosotros Los Nobles*, 2013).

> ### Littérature

L'évêque Diego de Landa détruisit plusieurs dizaines de livres mayas lors de l'autodafé de Mani. Après cette œuvre de destruction, il s'est un peu amendé en mettant par écrit ses observations sur le peuple maya, dans ses *Relaciones de las Cosas de Yucatán*. Par contre, certains documents aztèques ont pu traverser le temps jusqu'à nous grâce à quelques ecclésiastiques, entre autres le moine espagnol Bernardino de Sahagún (1500-1590). Ces œuvres, pour la plupart des poèmes héroïques, sont empreintes d'une poésie lyrique. D'autres récits sauvegardés en langue nahuatl, traduits en espagnol, sont celles du roi-poète Netzahualcóyotl (1402-1472), du roi Huejotzingo et du prince aztèque Temilotzin. La littérature nahuatl fut traduite entre autres par Eduard Georg Seler (1849-1922).

Quant à la littérature maya, il nous reste le *Rabinal Achí*, une œuvre dramatique expliquant le mode de vie et les coutumes mayas. Le *Popol Vuh*, traduit par Fray Francisco Ximénez au début du XVIIIe siècle, est une source de renseignements sur les mythes créateurs, l'histoire ancienne et les coutumes des Mayas Quichés.

John Lloyd Stephens

Procureur de carrière las de son métier, qu'il a quitté pour de fausses raisons de santé, l'Américain John Lloyd Stephens (1805-1852) entreprit en 1834 un voyage de deux ans qui le mena en Europe et dans le Bassin méditerranéen. En 1837 et 1838, il publia les récits de son périple et se vit alors couronner du titre de *The American Traveler*.

Puis, entre 1839 et 1842, il fit deux expéditions en Amérique centrale avec son ami anglais, le dessinateur Frederick Catherwood. Ses recherches le conduisirent au Yucatán, où il visita plusieurs sites archéologiques, entre autres Chichén Itzá et Tulum. Les récits qu'il écrivit sur ses voyages connurent un grand succès. Ses écrits intitulés *Incidents of Travel in Central America, Chiapas and Yucatán* et *Incidents of Travel in Yucatán*, en reconnaissant l'originalité de la civilisation maya, incitèrent d'autres explorateurs à des recherches plus poussées.

Enfin, il joua un rôle crucial dans le projet du chemin de fer du Panamá (premier lien commercial entre l'Atlantique et le Pacifique qui traversait l'isthme de Panamá) et devint même pendant quelque temps vice-président de la Panama Railroad Company. Il est mort à New York, probablement d'une maladie tropicale qu'il a contractée pendant son séjour au Panamá.

L'époque de la conquête espagnole marqua les débuts de la littérature mexicaine en espagnol. Ses principaux chroniqueurs sont Bernal Díaz de Castillo (1492-1580), compagnon de Hernán Cortés, Bartolomé de las Casas (1474-1566), Jerónimo de Mendieta (1525-1604) et Antonio de Solis (1610-1686).

L'époque coloniale est dominée par l'influence espagnole, omniprésente, ce qui empêche une littérature proprement mexicaine. Certains écrivains ont cependant réussi à percer avec originalité : Juan Ruiz de Alarcón y Mendoza (1581-1639) et Iñes de la Cruz (1648-1695), une religieuse considérée comme l'une des grandes poétesses de langue espagnole du XVIIe siècle. Carlos de Sigüenza Y Góngora (1645-1700) est un digne représentant du nouveau baroque espagnol. À l'époque de José Manuel Martínez de Navarrete (1768-1809), qui s'inspira du néoclassicisme français, le Mexique est à la recherche d'une identité nationale. Les soulèvements indépendantistes qui enflammèrent le Mexique dès 1810 amenèrent presque toute la littérature autour de ce sujet dans une grande polémique. Le roman réaliste suivra ensuite, traitant beaucoup de politique.

Vers la fin du XIXe siècle, le romantisme espagnol et français influencera bon nombre d'écrivains mexicains. Une littérature à contre-courant s'affirmera tout de suite après, amorcée par Manuel Gutiérrez Najera (1859-1895), que l'on considère comme le père de la littérature mexicaine moderne.

La Révolution marque l'avènement, au Mexique, de la littérature contemporaine qui s'inspire de sentiments nationalistes. Mariano Azuela (1873-1952) est le principal représentant de ce courant, notamment avec *Ceux d'en bas* (1916), récit vivant et coloré de la Révolution. Ensuite, dans les années 1920, on se penche à nouveau sur l'histoire du Mexique. Artemio de Valle Arizpe (1888-1961) est le principal auteur à avoir analysé l'époque coloniale. Carlos Fuentes (1928), auteur de *Paysage sous la lumière*, *La Mort d'Artemio Cruz* et *Le Vieux Gringo*, a atteint la célébrité.

L'auteur mexicain le plus connu mondialement est Octavio Paz (1914-1998), qui a obtenu en 1990 le prix Nobel de littérature. En plus de ses nombreux essais, poésies et traductions, Paz fut aussi conférencier, diplomate et journaliste. On lui doit entre autres *Le Labyrinthe de la solitude* (1950). Avec Alfonso Reyes (1889-1959), il est considéré comme le grand maître mexicain de l'essai.

Plus récemment, Ignacio Padilla, né en 1968, incarne un certain renouveau de la littérature mexicaine des années 2000. Il est le créateur, avec ses compères Eloy Urroz et Jorge Volpi, du mouvement *Generación del crack* (Mouvement Crack), amateur d'expérimentations linguistiques qui se démarquent des traditions littéraires du pays. Padilla est l'auteur notamment d'*Amphytrion* et de *La Spirale de l'artillerie*.

Parmi les auteurs de la péninsule du Yucatán, citons Wilberto Cantón (1925-1979), poète et essayiste qui reçut de nombreux prix pour l'ensemble de son œuvre, ainsi que Miguel Barbachanco Ponce (1930), dramaturge, professeur et critique cinématographique. Héctor Aguilar Camil (1946), journaliste, historien et narrateur, a reçu en 1986 le Prix national du journalisme. On lui doit beaucoup d'écrits sur la Révolution mexicaine.

> **Peinture**

De magnifiques fresques précolombiennes ornaient de nombreux temples mayas au Mexique. On y distingue encore les rouges et le fameux bleu maya qui se retrouvait partout. Peu après la Conquête, des artistes européens enseignent à México dans une école fondée par des moines franciscains.

L'art colonial s'épanouira au XVIIe siècle, avec plusieurs peintres qui réussiront à intégrer l'art européen à leur propre style. De nombreuses œuvres de cette époque décorent églises, cloîtres et musées de plusieurs villes.

Quelques peintres mexicains

Diego Rivera (1886-1957) a réalisé d'immenses fresques s'inspirant de la Renaissance italienne et de l'art maya et aztèque, afin de développer des œuvres ayant pour sujet la vie sociale et politique du Mexique. Il fut aussi marié à la peintre Frida Kahlo (1907-1954). Cette dernière, éprouvée depuis l'âge de 18 ans par un accident de la route, a peint des tableaux empreints d'angoisse et de lucidité.

Peintre et muraliste connu pour ses grandes fresques qui ornent musées et universités, **José Clemente Orozco** (1883-1949) s'inscrit dans le courant social-réaliste. «L'homme contre la machine» était l'un de ses thèmes de prédilection.

David Alfaro Siqueiros (1896-1974), Rivera et Orozco sont considérés comme les trois maîtres de l'école mexicaine du muralisme. L'activisme politique de Siqueiros le conduisit pendant quelque temps en prison, où il créa la plupart de ses toiles sur chevalet. Intégrant plusieurs nouveaux matériaux et techniques à ses œuvres, il fut aussi l'un des premiers artistes à utiliser l'acrylique comme médium.

Le peintre d'origine zapotèque **Rufino Tamayo** (1899-1991) est considéré comme le maître de l'art moderne, refusant de servir, dans sa peinture, quelque intérêt politique que ce soit. Il s'est inspiré de divers courants de son temps, surtout le cubisme, tout en puisant dans l'art populaire mexicain.

Le baroque mexicain verra le jour à la fin du XVIIIᵉ siècle tout en restant étonnamment insensible à toute influence indigène. Les peintres mexicains resteront influencés par les maîtres européens jusqu'au XXᵉ siècle. Il faudra attendre la Révolution de 1910 pour voir surgir un courant original, propre aux Mexicains. Il s'agit du muralisme (le ministre de l'Éducation de l'époque, José Vasconcelos, permit aux peintres d'utiliser les murs des écoles et d'autres bâtiments publics).

Le muralisme a pour point de départ une exposition de partisans de la Sécession, dirigée par Gerardo Murillo (1875-1964), qui se fait appeler Dr. Atl. Le caricaturiste politique Guadalupe Posada (1851-1913) est considéré comme le précurseur de ce courant. Ces peintres privilégient les couleurs et les motifs précolombiens, reniant les éléments espagnols. Les sujets glorifient l'héritage autochtone et la Révolution. Un manifeste sera publié en 1923, dans lequel on se déclare contre les tableaux des musées. Diego Rivera, David Alfaro Siqueiros et José Clemente Orozco furent les trois maîtres du muralisme.

Religion et fêtes

Le Mexique, majoritairement catholique, est toujours pratiquant. L'Église catholique, implantée très tôt au début de la conquête espagnole, était très puissante, régissant l'éducation et s'ingérant dans la politique et la vie quotidienne.

À l'image de leur sang métissé, les Mexicains, dans leur pratique de la religion, mêlent aux rites catholiques traditionnels les croyances mystiques des Autochtones, vouant entre autres un culte à la mort (Día de los Muertos). Les fêtes, très colorées, sont importantes, et l'on y participe en grand nombre.

Fêtes, festivals et événements

› Janvier

Jour de l'An (Año Nuevo)
1er janvier - jour férié
Grandes réjouissances dans tout le pays et foires agricoles dans les provinces.

Fête de l'Épiphanie (Día de los Reyes)
6 janvier
Ce jour-là, les enfants reçoivent des cadeaux. Dans de nombreuses réceptions, on sert un gâteau en forme d'anneau dans lequel est cachée une poupée miniature; la personne qui reçoit la tranche de gâteau où se trouve la poupée doit offrir une autre réception le 2 février, jour de la Chandeleur.

The BPM Festival
3 au 12 janvier
Rendez-vous des DJ nationaux et internationaux à Playa del Carmen, de jour et de soir.

Fête de San Antonio Abad (Fiesta de San Antonio Abad)
17 janvier
On honore les animaux domestiques dans tout le Mexique. Les animaux apprivoisés et le bétail sont décorés et bénis dans les églises locales.

› Février

Jour de la Chandeleur (Día de la Candelaria)
2 février
Fêtes, défilés et courses de taureaux. Les rues sont décorées de lanternes.

Jour de la Constitution (Día de la Constitución)
5 février - jour férié
Commémoration des constitutions de 1857 et de 1917, qui régissent maintenant le Mexique.

Carnaval précédant le carême
Variable (peut être en mars)
Musique, danse et défilés dans de nombreuses stations balnéaires, entre autres Cancún, Isla Mujeres et Cozumel.

Fête du drapeau (Día de la Bandera)
24 février

› Mars et avril

Riviera Maya Film Festival
mi-mars
Une foule de projections de films indépendants (nationaux et internationaux) dans les salles de Cancún, Puerto Morelos, Playa del Carmen et Tulum.

Wine and Food Festival
mi-mars
Dégustations, concours de cuisine, repas spéciaux et chefs internationaux invités.

Équinoxe de printemps
19, 20, 21 ou 22 mars selon les années
Durant une dizaine de minutes ce jour-là, le soleil illumine un angle de la grande pyramide de Chichén Itzá, donnant l'illusion spectaculaire d'un serpent qui descend l'arête du temple jusqu'au sol. Ce phénomène se reproduit à l'équinoxe d'automne, en septembre.

Semaine sainte (Semana Santa)
Semaine avant Pâques
Elle débute le dimanche des Rameaux, constitue la plus grande fête du Mexique et est célébrée dans toutes les régions.

Pâques
Variable

Anniversaire de naissance de Benito Juárez (Día de Nacimiento de Benito Juárez)
21 mars - jour férié
Jour férié en hommage au bien-aimé président (1806-1872), premier président autochtone du Mexique, né de parents zapotèques et initiateur de nombreuses réformes durant son mandat, comme l'abolition des privilèges de l'Église, l'introduction du mariage civil et de l'école d'État, ainsi que l'industrialisation.

Festival de Música Puerto Morelos
27 février au 1er mars
Trois soirs de concerts en plein air dans le Parque Central, du folk à l'électro en passant par le reggae, avec groupes et musiciens locaux et internationaux.

Regata del Sol al Sol
Avril
Une régate entre St. Petersburg, en Floride, et Isla Mujeres.

Dia del Niños (Jour des enfants)
30 avril

Akumal Comedy Festival
fin avril
En plus des prestations d'une douzaine de comédiens et humoristes américains à Playa del Carmen, Akumal et Tulum, les rues sont animées par des spectacles de danse et de musique.

Feria del Cedral
fin avril à début mai
Festival mettant à l'honneur l'histoire de la fondation de Cozumel, avec des activités culturelles (danses et musiques traditionnelles) et sportives (corrida et course de chevaux).

> **Mai**

Fête du Travail (Día del Tabajo)
1er mai - jour férié

Jour de la Sainte-Croix (Día de la Santa Cruz)
3 mai
Ce jour-là, les travailleurs de la construction placent des croix décorées sur les bâtiments qu'ils sont en train d'édifier. Il y a aussi des pique-niques et des feux d'artifice.

Bataille de Puebla (Cinco de Mayo)
5 mai - jour férié
Commémoration de la victoire de l'armée mexicaine sur les troupes de Napoléon III à Puebla en 1862.

San Isidoro Labrador
15 mai
Festivals tenus à Panaba, près de Valladolid, et à Calkini, au sud-ouest de Mérida.

Traversia Sagrada Maya
fin mai
Reconstitution d'un ancien pèlerinage rituel jusqu'à Cozumel pour aller consulter l'oracle de la déesse Ixchel.

> **Juin**

Whale Shark Festival
fin juin
Sur l'Isla Holbox, on célèbre ce festival par des activités familiales et des tirages de billets pour nager avec les requins-baleines.

Fête de la Saint-Jean-Baptiste (Día de la San Juan Bautista)
24 juin
Foires populaires, festivités religieuses et baignades.

> **Septembre**

Fête de l'indépendance du Mexique (Día de la Independencia)
15 et 16 septembre - jours fériés
On célèbre dans tout le pays la déclaration d'indépendance proclamée en 1810. Sur la place centrale de la plupart des villes, à 23h, le soir du 15 septembre, on joue *El Grito* (le cri), une reconstitution de l'appel au soulèvement lancé par le père Hidalgo à ses compatriotes. Le président ouvre la cérémonie, qui a lieu dans le square de la Constitution à México. Presque tous les établissements du pays sont fermés pendant ces deux jours. Défilés le jour et feux d'artifice le soir.

Discours du président sur l'état de la nation (Informe Presidencial)
1er septembre - jour férié
Le président du Mexique prononce ce discours annuel devant le Congrès.

Équinoxe d'automne (voir «Équinoxe de printemps», en mars)
21, 22, 23 ou 24 septembre selon les années

> **Octobre**

Holbox Gastronomic Festival (Muestra Internacional de Gastronomía)
mi-octobre
Ce festival propose des dégustations de plats mexicains élaborés par des chefs locaux et nationaux, de vins et de mescal, ainsi que de la musique et un défilé.

Jour de la Race (Día de la Raza)
12 octobre - jour férié
Festivités commémorant la fusion des races autochtones et européennes du Mexique.

Festival Tortuga Marina
mi-octobre
Le festival de la tortue de mer a lieu simultanément à Tulum, Xcacel-Xcacelito et Akumal. Kiosques et animations diverses sont au rendez-vous.

Portrait - **Fêtes, festivals et événements**

Festival Tradiciones de Vida y Muerte
30 octobre au 2 novembre
À Xcaret, ce festival fait revivre les coutumes et les expressions artistiques locales, par le biais de théâtre, musique, danse, expositions et activités pour les enfants.

Fête des morts (Hanal Pixán)
31 octobre au 2 novembre
Au Yucatán, on met des chandelles sur les pierres tombales. Début de trois jours d'évocation.

> **Novembre**

Toussaint (Día de Todos los Santos)
1ᵉʳ novembre

Jour des Morts (Día de los Muertos)
2 novembre - jour férié
Au cours de ces fêtes, le pays rend hommage aux défunts par des festivités où se mêlent religion chrétienne et rituels autochtones. Des crânes et des squelettes en sucre, ainsi que des cercueils miniatures, sont vendus partout. Processions vers les cimetières où les pierres tombales et les autels sont décorés de façon élaborée.

Jour de la Révolution (Día de la Revolución)
20 novembre
Commémoration du début de la guerre civile, qui a duré 10 ans (de 1910 à 1920), au cours de laquelle un million de Mexicains ont perdu la vie.

Ironman Cozumel
fin novembre
Avec son circuit bien développé, Cozumel attire une foule d'athlètes venu faire ce triathlon.

Riviera Maya Jazz Festival
fin novembre à Playa del Carmen

> **Décembre**

Fête de la Vierge de Guadalupe (Día de Nuestra Señora de Guadalupe)
12 décembre
Cette fête, la plus religieuse du Mexique, célèbre la sainte patronne du pays. Des pèlerins venus de toutes les régions convergent vers la basilique de México, où l'on peut voir une mystérieuse empreinte à l'image de la sainte sur un linceul.

Las Posadas
16 au 24 décembre
Processions et fêtes commémorant le voyage de Joseph et de Marie à Bethléem. La musique remplit les rues, et l'on casse des *piñatas*.

Noël (Día de Navidad)
25 décembre
Cette fête familiale est célébrée à la maison.

Fête des Rois mages (Fiesta de los Tres Reyes Magos)
30 décembre au 6 janvier
Cette fête est célébrée à Tizimín, une petite municipalité située au nord de Valladolid, deuxième ville en importance de l'État de Yucatán. Cette municipalité célèbre les Rois mages de toutes les façons.

Renseignements généraux

I est relativement facile de voyager partout au Mexique, que ce soit seul ou en groupe organisé. Pour profiter au maximum de son séjour, il est important de bien se préparer. Le présent chapitre a pour but de vous aider à organiser votre voyage. Vous y trouverez des renseignements généraux et des conseils pratiques visant à vous familiariser avec les habitudes locales.

Formalités d'entrée

Avant de partir, veillez à apporter tous les documents nécessaires pour entrer au pays et en ressortir. Quoique ces formalités soient peu exigeantes, sans les documents requis on ne peut voyager au Mexique. Gardez donc avec soin ces documents officiels.

› Passeport

Tous les voyageurs doivent avoir en leur possession un passeport valide pour entrer au Mexique. Si votre passeport expire dans les six mois qui suivent, renseignez-vous auprès de l'ambassade ou du consulat de votre pays afin de savoir quelles sont les règles et restrictions appliquées au Mexique en matière de validité et d'expiration. Si vous n'avez pas de passeport ou devez le renouveler, prévoyez un délai de quatre à six semaines avant le départ.

Votre passeport est un document précieux à conserver dans un endroit sûr. Ne le laissez pas dans vos bagages ni à la vue dans votre chambre d'hôtel, où il pourrait facilement être volé. Un coffret de sûreté à l'hôtel est le meilleur endroit pour conserver vos papiers et objets précieux durant votre séjour.

Prenez soin de conserver une photocopie des pages principales et de noter le numéro et la date d'échéance de votre passeport. Gardez cette copie à part de l'original durant votre voyage et laissez-en une copie également chez un ami ou un parent dans votre pays. Dans l'éventualité où votre passeport serait perdu ou volé, il vous sera alors plus facile de le remplacer (faites de même avec votre certificat de naissance ou votre carte de citoyenneté). Lorsqu'un tel incident survient, vous devez contacter sans délai l'ambassade ou le consulat de votre pays pour vous faire délivrer un document équivalent (pour les adresses, voir p. 51), ainsi que le bureau de police local.

› Carte de tourisme

On vous remettra dans l'avion la carte de tourisme à remplir avant de passer aux douanes à votre arrivée au Mexique. Cette carte sera la «permission écrite» qu'on vous aura accordée pour visiter le Mexique pendant 60 jours. Vous devez la conserver avec votre passeport et la remettre à la douane à la fin de votre séjour. Conseils : notez le numéro de votre carte de tourisme et joignez la carte à vos documents de voyage. Ce numéro sera très utile si jamais vous la perdez. En cas de perte, vous devrez communiquer avec le bureau de l'Immigration au 998-884-1404. Le personnel du bureau vous offrira son aide au moment où vous quitterez le Mexique.

› Visa

Les touristes de nationalité canadienne, française, belge et suisse n'ont pas besoin de visa pour entrer au Mexique.

Accès et déplacements

› En avion

Aéroports

Cancún et la Riviera Maya sont largement desservies par de nombreuses compagnies aériennes qui proposent des vols directs. La péninsule yucatèque compte deux aéroports internationaux, situés à **Cancún** (voir p. 77) et **Cozumel** (voir p. 176). Il existe également de petits aéroports à **Chichén Itzá** (voir p. 202), à **Playa del Carmen** (voir p. 122) et à Mérida. Au moment de mettre sous presse, le projet d'aéroport de Tulum ne s'était pas encore concrétisé.

Taxe de départ

Une taxe de départ d'environ 50$ par passager (très souvent incluse dans le prix des billets émis par les transporteurs aériens) s'applique aux vols internationaux qui

PÉNINSULE DU YUCATÁN

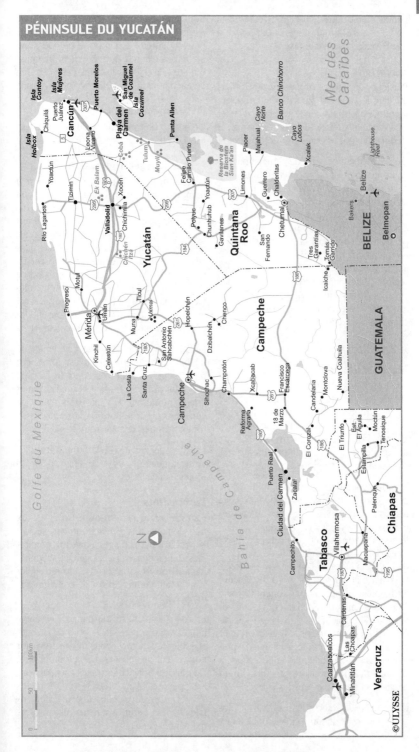

Isla Contoy
Isla Mujeres
Isla Holbox
Chiquilá
Puerto Juárez
Cancún
Puerto Morelos
San Miguel de Cozumel
Isla Cozumel
Playa del Carmen
Leona Vicario
Cobá
Tulum
Punta Allen
Yoactún
Tizimín
Ek Balam
Xocén
Río Lagartos
Valladolid
Chichimilá
Yucatán
Chichén Itzá
Felipe Carrillo Puerto
Muyil
Reserva de la Biosfera Sian Ka'an
Limones
Placer
Majahual
Cayo Norte
Banco Chinchorro
Cayo Lobos
Lighthouse Reef
Mer des Caraïbes
Xcalak
Guerrero
Chaldertas
Polyuc
Chunhuhub
Yoactún
Gavilanes
Quintana Roo
San Fernando
Chetumal
Bakers
Belize
BELIZE
Belmopan
Motul
Progreso
Ticul
Uxmal
Tres Garantías
Tomás Garrido
Icaiche
GUATEMALA
Mérida
Umán
Muna
Hopelchén
Chenco
Dzibalchén
Campeche
Kinchil
Celestún
San Antonio Sahcabchén
La Costa
Santa Cruz
Sihochac
Champotón
Xcabacab
Francisco Escárcega
Candelaria
Montclova
Nueva Coahuila
Est. El Águila
Moctun
Tenosique
Reforma Agraria
18 de Marzo
El Corozal
El Triunfo
Estampilla
Campeche
Puerto Real
Zacatal
Ciudad del Carmen
Palenque
Chiapas
Golfe du Mexique
Bahia de Campeche
Campechito
Villahermosa
Macuspana
Tabasco
Coatzacoalcos
Minatitlán
Las Choapas
Cárdenas
Veracruz

N

100km
50
0

©ULYSSE

partent du Mexique. Renseignez-vous auprès de votre transporteur aérien pour savoir si vous avez à payer cette taxe.

Les forfaits

Plusieurs voyagistes proposent des forfaits incluant le transport par avion et l'hébergement. Ces formules ont l'avantage d'éviter aux voyageurs tout souci une fois arrivés à destination tout en étant plus économiques.

Il est également possible de partir en ne prenant que son billet d'avion et en trouvant à se loger sur place, les types d'hébergement étant nombreux dans cette région. Cela vous permettra de vous promener et de choisir où loger au jour le jour. En dehors des périodes de haute saison (vacances de Noël et Semaine sainte), vous ne devriez avoir aucun problème à vous loger, tant dans les régions plutôt reculées que dans les grands centres touristiques. Réserver demeure toutefois le moyen le plus sûr d'avoir une chambre à votre arrivée.

➤ En voiture

État du réseau routier

Il est toujours préférable de bien planifier son itinéraire et d'avoir en tête les distances qui séparent les différents lieux que vous voulez visiter. Saviez-vous, par exemple, que la zone hôtelière de Cancún fait 22,5 km de long et qu'il peut vous prendre jusqu'à 45 min pour vous rendre au centre-ville?

Le gouvernement injecte des millions de pesos dans l'infrastructure routière de cette région depuis des années. Les autoroutes et les routes principales sont donc généralement en bon état et bien revêtues. L'axe routier principal dans la région de Cancún et de la Riviera Maya est la route 307, qui longe la côte, de Punta Sam (au nord de Cancún) à Chetumal en passant par Tulum. La route 180 va de Cancún à Mérida en passant par Valladolid et Chichén Itzá. Sachez toutefois que deux routes portent le numéro 180. La 180-D est une autoroute à péage: la première sortie est à Valladolid et la seconde à Chichén Itzá. La 180 Libre (gratuite) lui est parallèle et passe par tous les villages.

Certaines routes secondaires sont en plus ou moins bon état. On y circule donc lentement. Par ailleurs, le long de ces routes, se

trouvent de petits villages où vous devrez rouler très lentement, car des piétons peuvent surgir de n'importe où. De nombreux dos-d'âne (*topes*), rarement indiqués, ont été placés dans les rues des villes afin de ralentir les automobilistes. Soyez vigilant!

Permis de conduire

Un permis de conduire valide de votre pays est accepté.

Le Code de la sécurité routière

Les panneaux de signalisation sont peu nombreux (peu d'indications de limitation de vitesse, d'arrêts et d'accès ou non au passage). Ces panneaux sont encore insuffisants en de nombreux endroits. La circulation est en général rarement dense sur les routes dans cette région, sauf au centre-ville de Cancún, dans la zone hôtelière et dans la région de Playa del Carmen. Les règles de conduite élémentaires sont parfois peu respectées, car les Mexicains roulent vite et font souvent des dépassements par les voies d'accotement.

Du fait du manque d'éclairage et du manque de balisage des routes, il est fortement recommandé d'éviter de conduire la nuit. À la nuit tombée, ne faites jamais monter quelqu'un faisant de l'auto-stop, évitez de vous arrêter sur le bord de la route et verrouillez les portières de votre véhicule.

La vitesse maximale est de 110 km/h sur les routes à quatre voies et de 90 km/h sur les routes à deux voies.

Les accidents

Faites attention aux dos-d'âne (*topes*) et aux nids-de-poule, et ce, même sur la route 307. Ralentissez aux passages à niveau. Les autorités ne prennent pas à la légère le stationnement illégal. N'oubliez jamais de verrouiller votre voiture. Enfin, évitez de conduire à la tombée du jour.

En cas d'accident ou de panne d'essence, rangez votre voiture sur le bord de la route et soulevez le capot. Vous devriez recevoir rapidement du secours des automobilistes. De plus, les principales routes sont patrouillées par les «Anges verts» (Los Ángeles Verdes). Ces dépanneuses gouvernementales sont conduites par des mécaniciens qui parlent l'anglais.

La police

Le long des autoroutes, des policiers sont postés pour surveiller les automobilistes. Ils détiennent le pouvoir d'arrêter toute personne qui commet une infraction au Code de la sécurité routière, ou de simplement vérifier les papiers des conducteurs. Les policiers essaient de ne pas ennuyer les touristes, mais il peut arriver que certains tentent de leur soutirer des pesos. Si vous êtes certain de n'avoir commis aucune infraction, il n'y a pas de raison de leur verser quoi que ce soit. Sinon, il est conseillé de ne garder qu'une petite quantité de pesos sous la main pour payer la «contravention». Parfois ils vous arrêteront sur la route, le temps de vérifier vos papiers. En règle générale, ils sont serviables et, si vous avez des problèmes sur la route, ils vous aideront.

L'essence

L'essence se vend au litre, et il en existe deux qualités. Dans les stations Pemex, par exemple, on propose la Premium (pompes rouges) et la Magna (pompes vertes). Si les deux conviennent à tous les types de véhicules, il semblerait que la Premium soit de meilleure qualité. Généralement, on donne au pompiste un pourboire de quelques pesos. Il n'y a pas de libre-service.

Location de voitures

On trouve au Mexique toutes les grandes agences de location, dont plusieurs sont américaines et certaines mexicaines. Vous devez avoir au moins 21 ans et détenir un permis de conduire en règle ainsi qu'une carte de crédit reconnue. On demande aux clients de signer deux bordereaux d'achat à crédit, l'un pour la location et l'autre pour couvrir les dommages éventuels : il s'agit d'une pratique courante au Mexique.

Il faut prévoir débourser en moyenne 50$ par jour (le kilométrage illimité n'est pas toujours inclus) pour une petite voiture, comprenant les assurances et les taxes. Quelques agences locales pratiquent des tarifs moins élevés, mais leurs véhicules sont souvent en mauvais état et elles offrent un service bien relatif en cas de panne.

Au moment de la location, vous devrez souscrire une police d'assurance automobile mexicaine, votre propre police n'étant pas valide au Mexique. De plus, les franchises

Faire le plein sans se faire vider les poches!

Afin d'éviter les fraudes, nous invitons les voyageurs à faire preuve de prudence au moment de faire le plein d'essence et durant le paiement. Voici trois trucs tout simples mais efficaces : gardez les yeux sur la pompe à tout instant lors du remplissage, payez en pesos et nommez la valeur du billet que vous donnez au pompiste pour éviter toute confusion sur la monnaie qu'il vous remettra.

sont très élevées (environ 1 000$). Avant de signer un contrat de location, veillez à ce que les modalités de paiement soient clairement définies. Lors de la signature du contrat, votre carte de crédit devra couvrir les frais de location et le montant de la franchise de l'assurance.

Il est de loin préférable de réserver une voiture de location depuis votre pays ou par Internet : vous la paierez moins cher et les formalités seront plus simples. Afin de faire garantir le tarif proposé, demandez à ce qu'on vous transmette une confirmation par courriel ou télécopieur.

Finalement, sachez que les voitures de location ne sont pas toujours admises à bord des traversiers pour des raisons d'assurance.

➤ En autocar

Le réseau mexicain d'autocars est très développé. La compagnie principale que l'on retrouve partout au Mexique et sur la Riviera Maya est **ADO** *(www.ado.com.mx)* Les tarifs sont bas (le trajet entre Cancún et Tulum, par exemple, coûte environ 10$) et le service est fréquent et rapide. Les véhicules sont généralement assez neufs et climatisés. Comme la seconde classe coûte à peine moins cher que la première classe, n'hésitez pas à choisir cette dernière option. De plus, notez que même les autocars modernes peuvent avoir des toilettes plus ou moins bien équipées : pour les longs trajets, munissez-vous de papier de toilette. N'oubliez pas non plus un bon gros chandail, car les compagnies d'autocars ne lésinent pas sur l'air conditionné.

Renseignements généraux – Accès et déplacements

De Cancún, on assure plusieurs départs par heure pour Puerto Morelos, Playa del Carmen et Tulum.

➤ En *colectivo*

Voyager en taxi collectif, ou *colectivo*, demeure la façon la plus économique de se déplacer entre les villes ou villages de la Riviera Maya. Ces camionnettes s'arrêtent tout au long de la route 307, mais sont souvent bondées. C'est une occasion de rencontrer les gens du pays!

➤ En bateau

Dans la péninsule du Yucatán, des services de navettes maritimes et de traversiers relient plusieurs points, notamment Puerto Juárez à l'Isla Mujeres et Playa del Carmen à l'Isla Cozumel. Consultez les chapitres correspondants pour plus de détails.

➤ En transports en commun

À Cancún, de nombreux autobus sillonnent le centre-ville et la zone hôtelière (voir p. 78).

On ne peut pas dire que les autobus soient vraiment inconfortables. Les chauffeurs ont tendance à avoir le pied lourd et à démarrer en trombe alors que les passagers sont à peine montés. Un conseil: accrochez-vous! Préparez le montant exact du trajet ou bien de petites coupures avant de monter dans l'autobus, car parfois on ne vous rendra pas la monnaie. Le chauffeur doit vous donner un reçu, qui vous servira de preuve de paiement du passage en cas de contrôle.

➤ En taxi

Les taxis sont en service 24 heures sur 24. Dans l'ensemble, leurs tarifs sont raisonnables, mais ils sont beaucoup plus élevés dans les stations balnéaires que dans les villes de l'intérieur.

Mieux vaut demander le prix de la course et voir la carte des tarifs officiels avant de monter dans un taxi, car les voitures ne sont pas munies de compteurs.

La plupart des hôtels peuvent vous dire exactement le tarif habituel d'un point à un autre. Quelques taxis attendent habituellement les clients devant les hôtels. S'il n'y en a pas, demandez à la réception qu'on vous en appelle un.

➤ En motocyclette

Il est possible de louer de petites motocyclettes à l'heure ou à la journée à plusieurs endroits. L'Isla Mujeres et l'Isla Cozumel se prêtent bien à ce moyen de transport. À Cancún, la circulation est beaucoup trop rapide et encombrée. Assurez-vous de toujours bien vérifier l'état général de la motocyclette avant de la louer. Le port du casque est obligatoire.

➤ En stop

Il est possible, quoique très peu répandu et risqué, de se déplacer en faisant de l'auto-stop au Mexique. Si vous choisissez néanmoins ce moyen de transport, soyez très vigilant en bordure des routes, car de nombreux automobilistes dépassent par les voies d'accotement!

Renseignements utiles, de A à Z

➤ Achats

Quoi rapporter?

Comme dans tout voyage, il est bien plus intéressant de rapporter des spécialités locales. La tequila et le Xtabentún, une liqueur d'origine maya à base de miel et d'anis, sont des produits authentiques. La vanille et le chocolat produit au Mexique sont excellents. L'artisanat mexicain est coloré et original. Dans toutes les régions, vous trouverez de la poterie peinte à la main, des étoffes tissées et brodées à la main, des céramiques, des articles de cuir fin et d'autres en argent (bijoux, objets divers). La teneur en argent d'un produit est indiquée par l'estampille «.925», ce qui signifie que le métal est pur à 92,5%. Les *huipiles* (des tuniques), les *guayaberas* (des chemises), les hamacs et les paniers tressés sont aussi de bonnes idées de cadeaux. Vous pourrez aussi facilement trouver de jolies *piñatas* (étoiles ou animaux en papier mâché remplies de bonbons que les enfants percent à Noël). Les figurines de crèche de Noël en terre cuite (*nacimientos*) ont aussi beaucoup de succès.

Il est interdit de faire sortir du pays des objets d'art antiques et d'autres pièces archéologiques. Ces objets sont considérés comme des biens nationaux. Quand vous achetez des reproductions, veillez à ce que ce soit bien indiqué pour ne pas avoir d'ennuis à la douane.

Les boutiques hors taxes

On trouve des boutiques hors taxes dans les aéroports. On y vend essentiellement des produits étrangers, des parfums, des cigarettes et de l'alcool. Tous les achats doivent être payés en dollars américains. Les prix ne sont en général pas avantageux, les commerçants tirant profit de la quasi-totalité de la détaxe.

Au Mexique, il est courant de ne pas payer à la première offre de prix mais de marchander. Il faut cependant faire la distinction entre une prospère boutique et un artisan qui vend sa marchandise sur le trottoir à un prix raisonnable. Dans ce dernier cas, mieux vaut marchander plus tranquillement. Le marchandage n'a cours que dans les boutiques à l'extérieur des centres commerciaux. Les magasins sont ouverts de 9h ou 10h à 13h ou 14h l'après-midi, puis de 16h ou 17h à 21h ou 22h, sept jours par semaine. Dans les grands centres commerciaux où fourmillent les touristes, rares sont les établissements qui seront fermés à l'heure du déjeuner.

L'obstination des vendeurs itinérants mexicains est légendaire. Si vous manifestez le moindre intérêt pour un vendeur, attendez-vous à ce qu'il ne vous lâche plus. La meilleure façon de ne pas se faire importuner est de démontrer une totale indifférence et de répondre fermement et poliment «*No, gracias*».

Vous devez faire attention, en faisant vos achats, à ne pas dépasser le maximum permis à la douane. Pensez aussi au poids de vos valises. Si certains objets sont vraiment trop encombrants, certaines boutiques peuvent se charger de vous les faire parvenir.

➤ Ambassades et consulats étrangers au Mexique

Les ambassades et les consulats peuvent fournir une aide précieuse aux visiteurs qui se trouvent en difficulté (par exemple en cas d'accident ou de décès, pour leur fournir

le nom de médecins ou d'avocats, etc.). Toutefois, seuls les cas urgents sont traités. Il faut noter que les coûts relatifs à ces services ne sont pas défrayés par les missions consulaires.

Belgique

Ambassade : Avenida Alfredo de Musset nº 41, Colonia Polanco, 11550 México, D.F., 55-280-0758, http://diplomatie.belgium.be/mexico/

Consulat : Pabellón Caribe, Local PH 6 et 7, 3e étage, Av. Nichupté, Manzana 2, Lote 22, SM 19, 77505 Benito Juárez, Cancún, 998-884-5675, www.belgicacancun.com

Canada

Ambassade : Schiller nº 529, Colonia Bosque de Chapultepec, Polanco, Delegación Miguel Hidalgo, 11580 México, D.F., 55-5724-7900, www.canadainternational.gc.ca

Agence consulaire : Centro Empresarial Oficina E7, Boulevard Kukulcán, Km 12, Zona Hotelera, 77599 Cancún, 998-883-3360 ou 998-883-3361

Agence consulaire : Av. 10 Sur entre Calle 3 Sur et Calle 5 Sur, Plaza Paraíso Caribe, Modulo C, Planta 2, Oficina C21 - 24, 77710 Playa del Carmen, 984-803-2411

Délégation générale du Québec : Av. Taine nº 411, Colonia Bosque de Chapultepec, Delegación Miguel Hidalgo, 11580 México, D.F., 55-1100-4330, www.quebec.org.mx

France

Ambassade : Campos Elíseos 339, Polanco, Delegación Miguel Hidalgo, 11560 México, D.F., 55-9171-9700, www.ambafrance-mx.org

Consulat : Calle La Fontaine nº 32, Colonia Bosque Chapultepec, Polanco, Delegación Miguel Hidalgo, 11560 México, D.F., 55-9171-9707, www.consulfrance-mexico.org

Agence consulaire : Plaza Paraíso, Local C6, Av. 10 près de Playacar, Playa del Carmen, 984-112-3472, www.consulfrance-mexico.org

Suisse

Ambassade : Torre Optima, Piso 11, Paseo de las Palmas nº 405, Lomas de Chapultepec, Delegación Miguel Hidalgo, 11000 México, D.F., 55-9178-4370, www.eda.admin.ch

› Argent et services financiers

Monnaie

Notez que tous les prix mentionnés dans ce guide sont en dollars américains (US) s'ils ne sont pas indiqués en pesos.

La monnaie du pays est le peso. Le symbole du peso est MXN.

La Banque du Mexique émet des billets de 20, 50, 100, 200 et 500 pesos, de même que des pièces de 1, 2, 5, 10 et 20 pesos ainsi que de 5, 10, 20 et 50 centavos (100 centavos = 1 peso).

Les prix à Cancún et sur la Riviera Maya sont parfois énoncés en dollars américains, ce qui peut porter à confusion, car la monnaie locale est aussi représentée par le symbole *$*. Sur vos reçus de cartes de crédit, assurez-vous que le montant est bien précédé des lettres **MXN**.

Nous vous recommandons de vous procurer quelques pesos et dollars américains avant de quitter votre pays. Ils seront pratiques et vous éviteront de passer par le distributeur de billets ou le bureau de change de l'aéroport, où les taux de change sont défavorables et les frais de service élevés.

Bien que les dollars soient parfois acceptés dans certains grands hôtels, il est impératif d'utiliser des pesos au cours de votre voyage. Vous ne courrez ainsi aucun risque de voir votre argent refusé. Vous économiserez aussi, car les marchands qui acceptent les dollars consentent en général un mauvais taux de change.

Taux de change

1 MXN	=	0,08$CA
1 MXN	=	0,06€
1 MXN	=	0,08$US
1 MXN	=	0,07FS
1$CA	=	11,87 MXN
1€	=	17,80 MXN
1$US	=	12,94 MXN
1FS	=	14,59 MXN

N.B. Les taux de change peuvent fluctuer en tout temps.

Banques et guichets automatiques

Les deux banques mexicaines les plus importantes sont Banamex et Bancomer. Les banques sont ouvertes du lundi au vendredi de 9h à 16h.

Plusieurs banques offrent le service de guichet automatique pour le retrait d'argent, souvent 24 heures sur 24. Les normes qui régissent les numéros d'identification personnels (NIP) varient d'un pays à l'autre et même d'une banque à l'autre (certains numéros comportent quatre chiffres alors que d'autres en ont cinq), et il peut arriver que votre transaction soit refusée dans certains distributeurs automatiques. En cas de refus, vous pourrez tout simplement essayer un autre distributeur ou une autre institution financière, en vous assurant qu'elle adhère au même réseau bancaire international que votre banque (par exemple, les réseaux «Plus» ou «Cirrus»). Nous vous suggérons aussi, autant qu'il est possible, de voyager avec au moins deux cartes d'institutions bancaires différentes pour augmenter vos chances d'effectuer des transactions.

Change

Le meilleur taux de change est obtenu en demandant une avance de fonds à partir d'une carte de crédit. Cette transaction s'avère encore plus rentable lorsqu'on procède avant son départ à un dépôt anticipé dans son compte. Dans ce cas, il n'y aura pas d'intérêt à payer sur l'avance de fonds. La plupart des guichets automatiques acceptent les cartes Visa (réseau Plus) et MasterCard (réseau Cirrus). Détenir une de ces cartes pourra vous éviter d'acheter des chèques de voyage avant le départ et de courir à la banque mexicaine pour les encaisser. Enfin, les guichets automatiques sont accessibles 24 heures sur 24. La diversité des sources d'argent (carte de crédit, chèques de voyage, devises mexicaines) demeure l'option la plus sécuritaire.

En ce qui concerne les bureaux de change (*casas de cambio*), leurs heures d'ouverture sont plus longues et le service y est plus rapide que dans les banques. Vous en trouverez partout dans les villes, ouverts tard dans la soirée. Notez toutefois que le taux de change y est souvent plus avantageux dans les banques. Il n'y a généralement pas de frais de change. Vous pouvez convertir les devises chaque jour au site Internet suivant pour connaître les taux les plus récents : *http://finance.yahoo.com/currency.*

Vous retrouverez dans la présente section de ce guide un encadré affichant les taux de change pour différentes monnaies étrangères. Ceux-ci étaient à jour au moment de mettre sous presse et ne sont donnés qu'à titre indicatif.

Cartes de crédit

Les cartes de crédit sont acceptées dans bon nombre de commerces, en particulier les cartes Visa et MasterCard. Les cartes American Express et Diners Club sont acceptées moins souvent. Ne comptez pas seulement sur vos cartes de crédit, car plusieurs petits commerçants les refusent. Même si vous avez des chèques de voyage et une carte de crédit, veillez à toujours avoir des espèces sur vous. Il est d'ailleurs toujours plus avantageux de payer en monnaie locale qu'avec une carte de crédit.

Chèques de voyage

Il est peut-être prudent de garder une partie de son argent en chèques de voyage, car ils peuvent être remplacés rapidement en cas de vol ou de perte. Les chèques de voyage sont parfois acceptés dans les restaurants et les hôtels ainsi que dans certaines boutiques (s'ils sont en dollars américains ou en pesos). En outre, ils sont facilement encaissables dans les banques et les bureaux de change du pays. Nous vous conseillons de garder de côté une copie des numéros de vos chèques car, si vous les perdez, l'institution financière émettrice pourra vous les remplacer plus facilement et plus rapidement. Rayez sur cette copie, au fur et à mesure de leur utilisation, les numéros des chèques de voyage que vous écoulez. En cas de perte ou de vol, l'institution financière émettrice saura ainsi exactement ce qu'elle vous doit. Cependant, comme nous l'avons déjà dit, ayez toujours des espèces sur vous.

➢ L'autre culture

Le choc culturel

Vous allez visiter un nouveau pays, faire connaissance avec des gens, goûter des saveurs nouvelles, sentir des odeurs inconnues, voir des choses surprenantes, bref,

découvrir une culture qui n'est pas la vôtre. Cette rencontre vous apportera beaucoup, mais elle pourrait aussi vous secouer plus que vous ne le pensez. Le choc culturel peut frapper n'importe qui et n'importe où, même, parfois, pas si loin de chez soi!

Raison de plus alors, si vous vous rendez en pays étranger, de demeurer sensible aux symptômes du choc culturel. Face à la façon de fonctionner différente de la culture que vous abordez, vos repères habituels se révéleront sans doute inutiles. La langue et le langage vous seront peut-être inaccessibles, les croyances vous sembleront peut-être insondables, les habitudes incompréhensibles, les gens inabordables, et certaines choses vous paraîtront peut-être inacceptables au premier abord. Pas de panique, l'être humain peut faire preuve d'une grande adaptation. Mais il faut pour cela lui en donner les moyens.

N'oubliez pas que la diversité culturelle est une richesse! N'essayez pas nécessairement de retrouver vos repères habituels, mais tâchez plutôt de vous mettre dans la peau des gens qui vous entourent et de comprendre leur façon de vivre. Si vous demeurez courtois, modeste et sensible, les gens pourront sans doute vous être d'une grande aide. Le respect est une simple clé qui peut embellir beaucoup de situations. Souvenez-vous qu'il ne s'agit pas seulement de tolérer ce qui vous semble différent. Respecter veut dire beaucoup plus que cela. Qui sait, essayer de comprendre le pourquoi et le comment de tel ou tel aspect culturel pourrait bien devenir l'un de vos plus grands plaisirs de voyage!

Le tourisme responsable

L'aventure du voyage risque d'être fort enrichissante pour vous. En sera-t-il autant pour vos hôtes? La question de savoir si le tourisme est bon ou mauvais pour la terre qui l'accueille soulève bien des débats. On peut facilement dénombrer plusieurs avantages (développement d'une région, mise en valeur d'une culture, échanges, etc.), mais aussi plusieurs inconvénients (aggravation de la criminalité, accroissement des inégalités, destruction de l'environnement, etc.) à l'industrie touristique. Une chose est sûre : votre passage ne restera pas sans conséquence, même si vous voyagez seul.

Bien sûr, cela est évident quand on parle d'environnement. Vous devriez être aussi attentif à ne pas polluer en voyage qu'à la maison. On nous le répète assez: nous vivons tous sur la même planète! Mais lorsqu'il s'agit des aspects sociaux, culturels ou même économiques, il est difficile parfois d'en évaluer l'impact. Sachez rester sensible à la réalité qui vous entoure. Interrogez-vous sur les répercussions possibles avant de commettre une action. Souvenez-vous que l'on risque d'avoir de vous une perception fort différente de celle que vous désirez projeter.

Bref, il appartient à chaque voyageur, peu importe le type de voyage qu'il choisit, de développer une conscience sociale, de se sentir responsable par rapport aux gestes qu'il fait en pays étranger. Une bonne dose de bon sens, suffisamment d'altruisme et une touche de modestie devraient être des outils utiles pour vous mener à un tourisme responsable. C'est aussi ça, le plaisir de mieux voyager!...

Lois et coutumes à l'étranger

Il n'est pas nécessaire d'apprendre par cœur le code des lois du pays que vous allez visiter. Cependant, sachez que, sur le territoire d'un État, vous êtes assujetti à ses lois même si vous n'êtes pas citoyen de cet État. Ainsi, ne tenez jamais pour acquis que quelque chose qui est permis par la loi chez vous l'est automatiquement ailleurs. De plus, n'oubliez jamais de tenir compte des différences culturelles. Certains gestes ou attitudes qui vous semblent insignifiants pourraient, dans d'autres pays, vous attirer des ennuis. Rester sensible aux coutumes de vos hôtes est sans doute le meilleur atout pour éviter les problèmes.

➤ Climat

Comme la plupart des pays tropicaux, le Mexique connaît deux saisons prédominantes, une pluvieuse et une sèche. De façon générale, les précipitations augmentent avec la température, de juin à octobre, alors que, de novembre à mai, il fait moins chaud et qu'il pleut moins. C'est la saison sèche.

Dans la péninsule du Yucatán, la proximité des côtes a une influence déterminante sur la température et le degré d'humidité. En été, les régions qui bordent le golfe du Mexique et la mer des Caraïbes restent fraîches en raison des alizés, tandis que, dans la jungle située à l'intérieur des terres, l'air est chaud et lourd. Le risque d'ouragan est élevé en septembre et octobre et l'on observe alors une forte nébulosité. L'hiver est la saison la plus agréable.

➤ Décalage horaire

Le Mexique est divisé en trois fuseaux horaires. Le pays adopte l'heure avancée du premier dimanche d'avril au dernier dimanche d'octobre. La péninsule du Yucatán a une heure de décalage avec le Québec (une heure de moins) et sept heures de décalage avec la France (sept heures de moins).

➤ Drogues

Absolument interdites (même les drogues dites «douces»). Aussi bien les consommateurs que les distributeurs risquent de très gros ennuis s'ils sont trouvés en possession de drogues.

➤ Électricité

Tout comme en Amérique du Nord, les prises électriques sont plates et donnent un courant alternatif à une tension de 110 volts (60 cycles). Les Européens qui désirent utiliser leurs appareils électriques devront donc se munir d'un adaptateur et d'un convertisseur de tension.

Températures moyennes en °C	
Janvier	23,0
Février	23,5
Mars	24,5
Avril	25,5
Mai	28,0
Juin	28,0
Juillet	28,5
Août	28,5
Septembre	27,5
Octobre	26,5
Novembre	25,0
Décembre	23,5

> Excursions et visites guidées

Cancún étant le point de départ le plus important à destination de Chichén Itzá et de Tulum, les autocaristes et organisateurs d'excursions pullulent. Il est habituel de trouver un comptoir de vente à la réception des hôtels.

Guides

Près des centres touristiques, bon nombre de personnes se débrouillant en anglais ou en français se prétendent guides touristiques. Certains d'entre eux sont peu compétents, méfiez-vous donc. Si vous désirez louer les services d'une telle personne, renseignez-vous bien sur ses compétences, auprès de l'office de tourisme, par exemple. Ces guides ne travaillent pas gratuitement et exigent parfois des sommes d'argent importantes. Avant de partir, entendez-vous clairement sur les services correspondant au montant d'argent réclamé et ne payez qu'à la toute fin.

> Femme voyageant seule

Une femme voyageant seule dans la péninsule du Yucatán ne devrait pas éprouver de problèmes. Dans l'ensemble, les gens sont gentils. En général, les hommes respectent les femmes, et le harcèlement est relativement peu fréquent, même si les Mexicains s'amuseront à draguer les femmes seules. Quant à la tenue vestimentaire, on peut porter tout ce qu'on veut à Cancún en dehors des restaurants et des églises. Dans les petits villages, on se fait par contre facilement remarquer, dès qu'on est blonde ou qu'on porte une jupe courte. Bien sûr, un minimum de prudence s'impose; par exemple, évitez de vous promener seule, dans des endroits mal éclairés, tard la nuit. Si vous êtes importunée, vous n'avez qu'à vous rapprocher d'autres femmes qui vous semblent sympathiques, en leur expliquant votre problème.

> Hébergement

Plusieurs types d'hébergement sont proposés aux voyageurs dans cette région, de la modeste *cabaña* au grand hôtel de luxe, en passant par la location de maison ou d'appartement. Généralement, si vous ne parlez pas l'espagnol, vous pourrez au moins vous débrouiller en anglais avec les employés de la réception. Il est d'usage de laisser au porteur 20 pesos par valise. Donnez aussi de 20 à 50 pesos par jour à la femme de chambre. Vous pouvez les lui laisser, bien en vue sur la commode, à la fin de votre séjour ou chaque jour, avant qu'elle ne vienne faire le ménage. Lui offrir quelque chose dès votre arrivée vous garantira un supplément d'attention.

Vu que les formalités de départ sont habituellement longues, vous devez prévoir quelques minutes d'attente au comptoir de la réception. Si vous prévoyez un départ tardif (après 13h), informez-vous à la réception de votre hôtel. Les établissements acceptent généralement de reporter le départ d'une heure ou deux si on les avise à l'avance. Dans les grands complexes hôteliers, lorsque la note est réglée, on vous remet un laissez-passer (*pase de salida*), que vous devrez remettre à votre tour au chasseur en quittant l'hôtel.

La plupart des grands hôtels acceptent les cartes de crédit; les petits hôtels, quant à eux, les prennent rarement.

Les prix mentionnés dans ce guide s'appliquent à une chambre standard pour deux personnes en haute saison, même pour les établissements qui pratiquent la formule «tout compris» (*tc*). À ces prix s'ajoute une taxe de 19%.

$	moins de 60$US
$$	de 60$US à 90$US
$$$	de 91$US à 140$US
$$$$	de 141$US à 200$US
$$$$$	plus de 200$US

Label Ulysse

Le pictogramme du label Ulysse est attribué à nos établissements favoris (hôtels et restaurants). Bien que chacun des établissements inscrits dans ce guide s'y retrouve en raison de ses qualités ou particularités, en plus de son rapport qualité/prix, de temps en temps un établissement se distingue parmi d'autres. Ainsi il mérite qu'on lui attribue un label Ulysse. Les labels Ulysse peuvent se retrouver dans n'importe quelle catégorie d'établissements: supérieure, moyenne-élevée, petit budget. Quoi qu'il en soit, dans chacun de ces établissements, vous en aurez pour votre argent. Repérez-les en premier!

Les hôtels

Vous remarquerez que la plupart des hôtels dans la région sont facilement classés 3, 4 ou 5 étoiles. Sachez cependant que chaque pays possède sa propre grille de critères pour attribuer ces étoiles. Un hôtel 5 étoiles au Mexique n'aura donc pas nécessairement les mêmes garanties de qualité qu'un hôtel 5 étoiles dans votre pays.

Près des centres-villes, on trouve des hôtels pour petit budget, au confort minimal. Leurs chambres comportent généralement une salle de bain et un ventilateur de plafond. La deuxième catégorie, soit les hôtels de catégorie moyenne, dispose normalement de chambres climatisées au décor simple. On les trouve dans les centres touristiques et dans les grandes villes. Enfin, plusieurs hôtels de catégorie supérieure sont établis dans la zone hôtelière de Cancún, ainsi que sur la Riviera Maya (de Puerto Morelos à Tulum en passant par Playa del Carmen), à Cozumel et sur l'Isla Mujeres. Ils se surpassent tous en luxe et en confort. Parmi les hôtels de cette catégorie, vous avez le choix entre plusieurs grandes chaînes hôtelières internationales, notamment Barceló, Riu et Grand Bahía Príncipe.

Certains établissements touristiques ont leur propre installation d'épuration de l'eau. Un autocollant fixé au miroir de votre salle de bain vous le confirmera; si vous n'en voyez pas, informez-vous au comptoir de la réception. Les établissements placent souvent des bouteilles d'eau purifiée dans les salles de bain (ce service est gratuit) et dans les réfrigérateurs des chambres. S'il y en a, cela veut dire que l'eau du robinet n'est pas potable.

La plupart des hôtels de la région disposent de téléviseurs captant une foule de chaînes par satellite.

Dans certains établissements, des modalités d'enregistrement très serrées entourent la location d'une serviette de plage. Des frais élevés vous attendent si vous oubliez de remettre la vôtre chaque jour.

Certains hôtels proposent des forfaits «tout compris», si bien qu'à votre billet d'avion s'ajoutent deux ou trois repas par jour, toutes les boissons locales, certaines activités, les taxes et le service.

Location d'appartements

Divers sites Internet proposent de mettre directement en contact les voyageurs avec des résidents de Cancún et de la Riviera Maya qui louent une chambre ou un appartement complet, moyennant des frais de service retenus sur le coût de chaque location. Cette option permet de faire de bonnes économies sur le coût de l'hébergement, mais il importe évidemment de demeurer vigilant, notamment en vérifiant les commentaires laissés par d'autres locateurs.

Voici quelques sites qui offrent ce service:

www.airbnb.com
www.homeaway.com
www.roomorama.com

Les apart-hotels

Les *apart-hotels* ou résidences hôtelières sont conçus comme des hôtels et en offrent tous les services, mais proposent en plus une cuisine équipée et des chambres fermées. Pour les longs séjours au Mexique, il s'agit d'une formule économique. Pour les séjours avec des enfants, cette formule est certainement la plus pratique puisqu'on peut les faire manger à l'heure qui leur convient et qu'on n'a pas à leur faire supporter le long repas au restaurant des parents. Les chambres fermées ont aussi leur importance dans la qualité du sommeil de toute la famille… ce qui n'est pas à négliger en vacances!

Appartements en multipropriété (time sharing)

Les ventes d'appartements en multipropriété sont en plein essor au Mexique. Ce pays occupe la deuxième place au monde après les États-Unis pour le nombre total de logements à temps partagé.

Ce type de vacances vendues sur le principe d'achats de séjour dans un hôtel pour un nombre de semaines fixes par année, sur un contrat s'étendant sur plusieurs années, fait couler beaucoup d'encre.

Les vacanciers se sentent souvent harcelés par les vendeurs qui surgissent à tous les coins de rue, jusque dans les hôtels et même sur la plage, à Cancún principalement. Ceux qui acceptent de les écouter se voient généralement offrir des cadeaux alléchants pour assister à une séance d'information (repas, tours en hélicoptère, logement gratuit, argent comptant). Ces offres sont toujours faites soi-disant «sans obligation» mais pas sans pression... et surtout, elles ne se concrétisent pas toujours. Souvenez-vous qu'une proposition qui semble trop belle pour être vraie devrait éveiller votre méfiance.

Les haciendas

Les *haciendas* appartenaient jadis aux grands propriétaires fonciers du Mexique. Ce sont de vastes demeures magnifiquement décorées, avec cour intérieure. Aujourd'hui, certaines d'entre elles ont été reconverties en hôtels.

Les cabañas

Les *cabañas* ont la particularité de proposer des chambres situées dans de petits pavillons indépendants. Elles sont généralement rustiques (ou «rustico-chics») et comportent parfois une cuisinette. Vous en trouverez un peu partout dans le «corridor Cancún-Tulum», surtout à Tulum Playa.

Les palapas

Ces pièces circulaires chapeautées d'un toit de palmes sont les demeures traditionnelles des Mayas. Il y en a de toutes petites, où vous pouvez simplement accrocher un hamac, et de plus grandes, avec lit et penderie.

Les gîtes touristiques (bed and breakfasts)

Ici et là, quelques personnes ont aménagé leurs maisons afin de recevoir des visiteurs. Le confort offert peut varier grandement d'un gîte à l'autre. La plupart des chambres disposent de salle de bain privée. Comme le nom le dit en anglais, le petit déjeuner est toujours compris dans le prix des chambres des gîtes touristiques.

Les auberges de jeunesse

Vous trouverez ce type d'hébergement dans la région. Ces auberges proposent des dortoirs avec lits à une ou deux places et souvent quelques chambres privées abordables. Le petit déjeuner est souvent inclus, et les clients disposent généralement d'une cuisine commune tout équipée.

Le camping

Les sites où camper à Cancún et à Cozumel sont rares. Le meilleur endroit reste la Riviera Maya, où quelques petits hôtels sur le bord de l'eau vous permettront de planter votre tente ou de suspendre votre hamac pour une vingtaine de dollars. Tout cela se négocie de façon informelle. On trouve quand même un tout petit camping plus organisé à Paamul, à quelques kilomètres au sud de Playa del Carmen. Les véhicules récréatifs bénéficient de terrains aménagés.

Le couchsurfing

Véritable immersion culturelle, le réseau **Couchsurfing** *(www.couchsurfing.org)* offre à ses membres le privilège de recevoir des voyageurs ou d'être reçus partout dans le monde, et ce, gratuitement. Plusieurs hôtes à Cancún, Playa del Carmen, Cozumel, Tulum et Valladolid mettent à la disposition des voyageurs un canapé dans un salon, un lit dans une chambre... et parfois même plusieurs chambres!

Les tout-compris

Depuis quelques années, on assiste à la croissance de la formule «tout compris»: vous payez une somme fixe pour une ou deux semaines, et l'hôtel où vous logez vous fournit les trois repas par jour, ainsi que les boissons nationales. Si cette formule semble être financièrement une bonne affaire pour le client, elle n'est toutefois pas la plus économique. Son principal atout est qu'une fois dans l'avion, vous êtes entièrement pris en charge!

Il existe une variété insoupçonnée d'hôtels tout-compris dans la région, et il est important de bien cibler ses besoins avant d'arrêter son choix. De niveaux de confort différents, certains sont réservés aux adultes, alors que d'autres ciblent davantage les familles. Certains n'abritent qu'une centaine de chambres et d'autres en comptent plus d'un millier sur un terrain immense.

Avec les années, les traditionnels buffets se sont raffinés et affichent de plus en plus de spécialités mexicaines. En outre, les complexes comptent fréquemment plus de cinq restaurants à la carte, dont de très bonnes tables qui servent une cuisine internationale ou mexicaine, ouvertes pour le déjeuner et le dîner.

Renseignements généraux - Renseignements utiles, de A à Z

Comme le prix des repas dans les restaurants de Cancún et de la Riviera Maya sont sensiblement les mêmes qu'au Canada, mis à part dans les cantines, la formule «tout compris» représente une économie. Par contre, elle limite sérieusement le plaisir de la découverte. Et n'est-ce pas pourquoi nous voyageons? Il faut aussi tenir compte du fait que la majorité des clients des hôtels tout-compris feront des sorties pour essayer des restaurants à l'extérieur (souvent de qualité supérieure) et donc dépenseront une partie de l'argent qu'ils pensaient économiser.

Pour certaines personnes, un autre inconvénient majeur des formules «tout compris» est que la majorité des clients de l'hôtel auront tendance à y demeurer en permanence en raison de la «gratuité». En conséquence, les hôteliers organisent des animations qui s'avèrent souvent bruyantes, comme l'aérobie en piscine (pendant que vous tentez de lire tranquillement sur votre balcon), une partie de volley-ball, voire un concours de danse avec musique américaine. Oui, la musique est omniprésente dans presque tous les complexes hôteliers du genre, et ce, du matin jusqu'au soir.

Heureusement, quelques établissements commencent à offrir des activités célébrant les cultures mexicaine et maya, comme des ateliers culinaires et des séances de *temascal* (rituel et sauna traditionnels mayas).

➤ Internet

Il est possible de se brancher à l'Internet par réseau Wi-Fi un peu partout dans les grandes villes et même dans les endroits plus reculés comme Tulum.

La plupart des hôtels incluent ce service dans le tarif de la chambre.

➤ Jours fériés

Durant les jours fériés, toutes les banques et plusieurs commerces sont fermés (voir l'encadré «Fêtes, festivals et événements» p. 41 pour connaître les dates). Prévoyez donc assez d'argent en cas de besoin. Au cours de ces festivités, le pays semble fonctionner au ralenti.

Les banques et les bureaux du gouvernement sont aussi fermés durant la Semaine sainte,

spécialement les jeudi et vendredi avant Pâques (la Semaine sainte débute le dimanche des Rameaux). Durant la semaine de Noël, du 25 décembre au 2 janvier, plusieurs bureaux et commerces sont également fermés.

➤ Mineurs

Toute personne âgée de moins de 18 ans est considérée comme mineure au Mexique. Les mineurs doivent, s'ils voyagent seuls, détenir un formulaire de consentement notarié ou certifié par un commissaire à l'assermentation ou un juge de paix, signé par leurs deux parents.

Si la personne mineure voyage en compagnie d'un seul de ses parents, elle doit détenir une lettre de consentement notariée ou certifiée signée par l'autre parent. Si ce parent est décédé, elle doit en fournir la preuve par une déclaration notariée ou certifiée.

À l'arrivée au Mexique, les transporteurs aériens exigeront le nom, l'adresse et le numéro de téléphone de la personne venue à la rencontre du mineur non accompagné.

➤ Poste

Les bureaux de poste sont généralement ouverts de 9h à 18h du lundi au vendredi et le samedi en avant-midi.

Même s'il est possible de poster son courrier à la réception de la plupart des hôtels, nous vous suggérons d'opter pour la poste officielle, plus sûre. Des timbres sont habituellement proposés partout où l'on vend des cartes postales.

➤ Préparation des valises

La première chose à faire avant d'empiler pêle-mêle les vêtements dans vos valises est de penser aux diverses activités qui vous attendent, comme visiter une église, aller dans un restaurant chic, aller danser ou bien explorer le temple de Chichén Itzá... Choisissez des vêtements infroissables séchant rapidement qui pourront tous se coordonner entre eux et, en premier lieu, l'essentiel de votre garde-robe de voyage, préférablement de couleur neutre.

Le type de vêtements à emporter dans la péninsule du Yucatán varie peu d'une saison à l'autre. Les vêtements de coton et de lin, amples et confortables, sont les plus appréciés. Pour les balades en ville, il est préférable de porter des chaussures fermées couvrant bien les pieds, car elles protègent mieux des blessures qui risqueraient de s'infecter. Pour les soirées fraîches, un chemisier ou une veste à manches longues peuvent être utiles. N'oubliez pas d'emporter des sandales de caoutchouc pour la plage. Pour visiter certains sites, il est nécessaire de porter une jupe couvrant les genoux ou un pantalon. Si vous prévoyez faire une randonnée dans l'arrière-pays, emportez de bonnes chaussures de marche et un chandail chaud.

Sachez aussi qu'un code vestimentaire (pantalon et chaussures fermées pour les hommes) est exigé dans plusieurs restaurants à la carte des hôtels tout-inclus.

› Presse écrite

L'hebdomadaire **Cancun Today** *(www. cancuntodaynews.com)* s'adresse aux visiteurs et propose des articles sur le tourisme et l'actualité locale en anglais et en espagnol.

Si vous pouvez lire l'espagnol, achetez le journal *¡Por Esto! (www.poresto.net)* en vente partout, qui aborde en détail les sujets relatifs à la vie sociale et économique.

Enfin, *Novedades de Quintana Roo (http:// sipse.com/novedades)*, de grand format, donc moins facile à consulter, aborde plus en profondeur les questions politiques et nationales.

› Renseignements touristiques

Au Canada
Mexican Tourism Board Office : 2 Bloor St. W., Suite 1502, Toronto, Ontario M4W 3E2, 416-925-2753, www.visitmexico.com

Conseil de promotion touristique du Mexique : 1 Place Ville Marie, bureau 1931, Montréal, Québec H3B 2B5, 514-871-1052, www.visitmexico.com

En France
Conseil de promotion touristique du Mexique : 4 rue Notre-Dame-des-Victoires, 75002 Paris, 01.53.70.27.70, www.visitmexico.com

› Restaurants
On trouve quantité de bons restaurants dans la région, certains spécialisés dans la cuisine mexicaine et d'autres dans les cuisines internationales, européennes et asiatiques. Il existe aussi des restaurants végétariens et végétaliens en petit nombre. Dans les villages situés à l'extérieur des zones touristiques, on ne trouve généralement que des établissements spécialisés dans la cuisine locale. Ne manquez d'en découvrir les saveurs!

Pour le choix d'un restaurant, fiez-vous à votre bon sens et n'ayez pas peur de vous aventurer à l'extérieur de votre hôtel, car vous ferez des découvertes merveilleuses. Une cuisine à aire ouverte, beaucoup de monde attablé et un menu concis sont habituellement de bonne augure.

Les repas durent plus longtemps au Mexique, car le service est souvent plus lent et les Mexicains aiment prendre leur temps à table.

Traditionnellement, le déjeuner (*comida*) est le plus important repas de la journée et il n'est pas rare que les Mexicains ne se mettent à table qu'à 14h. En conséquence, le dîner est habituellement servi vers 20h.

On ne vous apportera l'addition que lorsque vous la demanderez (*¡La cuenta, por favor!*), et vous devrez sans doute attendre un peu avant qu'on vous rende votre monnaie. C'est une façon d'agir qui se veut polie. Inutile de s'impatienter.

En règle générale, le service est toujours très courtois et attentionné, quoique lent, qu'il s'agisse d'un petit ou d'un grand établissement. Il arrive fréquemment que l'expression *Propina incluida* ne soit pas inscrite sur l'addition, il faut alors laisser 16% du total avant taxes pour le pourboire.

Les prix mentionnés dans ce guide s'appliquent à un repas pour une personne, avant les boissons, les taxes (16%) et le pourboire.

$	moins de 10$US
$$	de 10$US à 20$US
$$$	de 21$US à 30$US
$$$$	plus de 30$US

Pour comprendre la signification du label Ulysse ☺ qui est accolé à nos restaurants favoris, reportez-vous à la page 55.

Renseignements généraux - Renseignements utiles, de A à Z

Renseignements généraux – Renseignements utiles, de A à Z

Vocabulaire de base au restaurant

Restaurant	*restaurante*	Fourchette	*tenedor*
Une table	*una mesa*	Couteau	*cuchillo*
Menu	*menú*	Cuillère	*cuchara*
Une portion de...	*una orden de...*	Serviette	*servilleta*
Plat	*un plato*	Tasse	*taza*
Repas	*comida*	Verre	*vaso*
Casse-croûte, hors-d'œuvre	*botana, antojito*	Le menu, s'il vous plaît	*¿Puedo ver el menú por favor?*
Petit déjeuner	*desayuno*	Garçon!	*¡Joven!*
Déjeuner	*comida*	L'addition, s'il vous plaît!	*¡La cuenta, por fa vor!*
Dîner	*cena*	Où sont les toilettes?	*¿Dónde están los sanitarios?*
Boisson	*bebida*		
Dessert	*postre*	Je voudrais...	*Quisiera...*

Lexique gastronomique de la cuisine mexicaine

Tortillas, tacos, empanadas, enchiladas: autant de mots prêtant à confusion pour qui est confronté la première fois à la cuisine mexicaine. Les préjugés ayant la vie dure (plats trop pimentés) face à l'inconnu, trop souvent le visiteur opte pour la cuisine internationale. Toutefois, s'il est vrai que les Mexicains aiment manger une cuisine forte en saveurs, la cuisine mexicaine offre une variété infinie de plats, allant du plus doux au plus épicé. Elle peut être diversifiée et raffinée. Afin d'aider le voyageur à naviguer dans ses délicieux méandres, nous vous proposons ci-dessous un lexique gastronomique.

Sachez que, la plupart du temps, les mets sont accompagnés de riz (*arroz*) et de haricots (*frijoles*) noirs ou rouges. Souvent on déposera sur votre table une corbeille de pain garnie ici de *tortillas* chaudes. Bien sûr, la sauce (*salsa*) piquante ne sera jamais loin, et vous pourrez remarquer qu'il en existe une impressionnante panoplie! Traditionnellement, on la prépare au mortier avec de la tomate, de l'oignon, de la coriandre et différents piments doux et forts.

Notez aussi que le *desayuno* est le petit déjeuner, l'*almuerzo* ou la *comida* le déjeuner et la *cena* le dîner. La *comida*

corrida est servie l'après-midi, jusque vers 17h ou 18h, et il s'agit en fait d'un menu du jour, souvent à bon prix. Les Mexicains n'ont pas l'habitude de manger beaucoup le soir. Alors, surtout dans les villages, faites attention pour ne pas vous retrouver devant des portes de restaurants fermées après 18h.

Ceviche: plat de poisson blanc ou fruits de mer, «cuits» seulement dans le jus de citron; au Mexique, on y ajoute de l'oignon, des tomates, des piments forts et de la coriandre.

Chicharrón: couenne de porc frite, servie la plupart du temps avec l'apéritif.

Chile: piments (il en existe plus de 100 variétés) frais ou séchés qui peuvent être préparés de mille et une manières: farcis (*relleno*) ou servant eux-mêmes de farce, en sauce, bouillis, cuits dans l'huile, etc.

Cochinita pibil: porc mariné dans du rocou, cuit lentement dans une feuille de bananier et effiloché, généralement servi avec des *tortillas* et des oignons marinés.

Empanada: chausson farci de viande, de volaille, de poisson, etc.

Enchilada: *tortilla* (voir p. 62) enroulée et fourrée, souvent avec du bœuf, recouverte d'une sauce pimentée, de crème, et parsemée de fromage, parfois gratiné.

Fajita: lamelles de poulet marinées et grillées avec des oignons, de l'ail et des piments doux. On sert généralement ce mélange accompagné de sauce tomate, de crème et de légumes, que l'on peut mettre dans une *tortilla* que l'on enroule.

Guacamole: purée d'avocats salée et poivrée à laquelle on a ajouté de petits dés de tomates, d'oignons et de piments frais, le tout mélangé avec un peu de jus de lime. Même si souvent ce plat ne figure pas au menu en tant que tel, n'hésitez pas à demander le *guacamole con totopos* (avec chips au maïs), un mets très connu constituant une rafraîchissante entrée ou un bon amuse-bouche.

Huevos: œufs frits dans une sauce tomate et servis sur une *tortilla*.

Rancheros: œufs frits généralement relevés d'une sauce piquante.

Mole: ce terme désigne des sauces onctueuses composées de plusieurs sortes de piments et d'un mélange de nombreuses épices dont du cacao, parfois de noix et de bien d'autres ingrédients encore. Chaque région du pays ou presque possède sa propre recette. Les sauces les plus connues sont la Mole Poblano et la Mole Negro Oaxaqueño. Ces sauces accompagnent les plats de volaille et de viande.

Nopal: feuilles de cactus (sans les épines bien sûr!) frites ou cuites dans l'eau ou servies dans une soupe ou en salade.

Pozol: ragoût consistant à base de grains de maïs et de porc, accompagné de radis, d'oignons, de coriandre et de jus de lime. Il existe en deux versions: le ragoût vert et le ragoût rouge, ce dernier étant le plus pimenté.

Quelques recettes

Guacamole (purée d'avocats)

- deux gros avocats
- 1 c. à soupe d'oignon finement haché
- 1 à 2 piments hachés
- 1 grosse tomate pelée et hachée
- coriandre fraîche ou séchée
- jus de lime
- sel

Le *guacamole*, dont le nom vient d'un mot d'origine aztèque, s'est vu ajouter par les conquérants espagnols l'oignon, la coriandre et le jus de lime. Il ne doit pas se faire au mélangeur, car sa texture ne doit pas être homogène. Dans un bol, écrasez les avocats avec une fourchette et arrosez-les de jus de lime. Mélangez les avocats, l'oignon, les piments, la tomate et la coriandre avec soin. Saupoudrez un peu de sel et servez immédiatement avec des *totopos*. Cette recette est pour six personnes.

Cruda (sauce mexicaine)

- 1 tomate moyenne non pelée
- 4 c. à soupe d'oignon finement haché
- 2 c. à soupe de coriandre hachée grossièrement
- 3 piments hachés finement
- ½ c. à thé de jus de bigarade (orange amère)
- 75 ml d'eau froide

La *cruda*, dont le nom signifie «crue», est une sauce grumeleuse et rafraîchissante, à déguster avec des *tortillas*. Elle accompagne souvent les œufs du petit déjeuner, les viandes rôties et les *tacos* du soir. Hachez la tomate non pelée et mélangez-la aux autres ingrédients. Cette sauce peut être préparée jusqu'à 3h à l'avance, mais il vaut mieux la faire à la dernière minute car elle perd rapidement sa texture croquante. Cette recette donne environ une tasse et demie de *cruda* (350 ml).

Renseignements généraux – **Renseignements utiles, de A à Z**

Ceviches et tartares:
pour le meilleur et pour le pire

Presque tous les restaurants, des plus grandes tables aux petites cantines de plage et jusqu'aux kiosques de rue, proposent des plats de poisson et de fruits de mer crus (tartare) ou cuits dans le jus de lime (*ceviche*). Ces mets savoureux et rafraîchissants, qui s'inscrivent dans la tradition culinaire du Mexique, ne répondent cependant pas aux critères de prévention pour la santé des voyageurs. Première règle d'or pour éviter les désagréments de la diarrhée des voyageurs ou de l'intoxication alimentaire? N'ingérez rien qui n'ait été bouilli, cuit ou pelé...

Mais puisque de nombreux voyageurs adorent la cuisine mexicaine, particulièrement les *tostadas de atún* et les *ceviches* bien épicés, voici quelques astuces pour se faire plaisir tout en diminuant les risques d'être malade:

- Choisissez un établissement très fréquenté.

- Évitez les gargotes qui se trouvent directement sur la plage, sans cuisine fermée.

- Ne consommez jamais de *ceviche* ou de tartare dans des restaurants de style buffet ou dans un kiosque de rue.

- Réfléchissez bien avant de consommer ces plats le jour même de votre départ ou la veille, ou encore avant tout déplacement important.

Enfin, sachez que vous pourrez la plupart du temps déguster ces mets sans avoir de malaises gastriques après leur ingestion et que les symptômes plus graves d'une intoxication alimentaire (crampes abdominales, vomissements et diarrhées) ne durent habituellement qu'un jour. Il faut toutefois compter environ une semaine pour être complètement rétabli....

Quesadilla: *tortilla* fourrée, repliée et réchauffée dans la poêle, généralement au fromage.

Sopa de Lima: soupe à base de poulet et de citron ou lime, mélangée avec des morceaux de *tortilla*.

Taco: *tortilla* garnie de divers ingrédients que l'on mange enroulée. Dans la rue, des comptoirs préparent de la viande marinée et grillée que l'on sert sur une *tortilla* et que vous pouvez garnir vous-même de divers légumes et bien sûr de sauce piquante.

Tamal: petit pâté à base de purée de maïs, de viande, de volaille ou de poisson. Plusieurs légumes et épices sont également ajoutés à la farce, chacun variant selon la région. Le tout est cuit enroulé dans une feuille de bananier.

Topos ou **totopos:** morceaux de *tortilla* frits dans l'huile. Il s'agit de l'équivalent des chips de pommes de terre, mais faites avec

du maïs. Ils peuvent se présenter sous une forme ronde ou triangulaire.

Tortilla: il s'agit littéralement du pain de l'Amérique latine. Ce sont des galettes minces et rondes, faites à base de farine de maïs et cuites dans la poêle. Traditionnellement cuisinées à la main dans un four à bois, elles sont aujourd'hui préparées dans des fabriques. On trouve aussi de plus en plus de *tortillas* à base de farine blanche. À ne pas confondre avec les *tortillas* espagnoles (plat confectionné avec des œufs et des pommes de terre).

› Santé

Voyager n'est pas dangereux pour la santé! Une bonne hygiène et un peu de bon sens vous garderont en bonne forme: dormez bien, buvez beaucoup d'eau embouteillée, faites attention à ce que vous mangez et prenez garde au soleil et aux insectes. Rappelez-vous de laisser à votre organisme du temps pour s'adapter à un nouvel environnement, que ce soit par rapport au décalage horaire, au soleil et à la chaleur ou encore à l'altitude.

Cependant, la nourriture et le climat peuvent être la cause de divers malaises. Une certaine vigilance s'impose quant à la fraîcheur des aliments (en l'occurrence la viande et le poisson) et à la propreté des lieux où la nourriture est apprêtée. Une bonne hygiène (entre autres, se laver fréquemment les mains) vous aidera à éviter bon nombre de ces désagréments. Il est aussi recommandé de ne jamais marcher pieds nus à l'extérieur, car parasites et insectes minuscules pourraient traverser la peau et causer divers problèmes, notamment des dermites (infection à champignons).

L'eau

Qu'on boit : les malaises que vous risquez le plus de ressentir sont causés par une eau mal traitée, susceptible de contenir des bactéries provoquant certains problèmes, comme des troubles digestifs, de la diarrhée, de la fièvre. L'eau en bouteille, que vous pouvez acheter un peu partout, est la meilleure solution pour éviter les ennuis. Lorsque vous achetez l'une de ces bouteilles, tant au magasin qu'au restaurant, vérifiez toujours qu'elle est bien scellée. Souvenez-vous que, pour éviter la déshydratation en pays chaud, vous devez boire jusqu'à deux litres d'eau par jour. Bref, n'attendez pas d'avoir soif pour boire parce qu'alors vous serez déjà déshydraté.

Les fruits et les légumes nettoyés à l'eau courante (ceux qui ne sont donc pas pelés avant d'être consommés) peuvent causer les mêmes désagréments, de même que les glaces, sorbets et glaçons. Évitez-les si vous n'êtes pas certain de leur provenance. De même, assurez-vous de la provenance des glaçons que l'on met dans vos boissons.

Où l'on se baigne : évitez de vous baigner dans les plans d'eau douce, sauf si vous êtes certain de sa pureté. L'eau de mer est moins à risque, mais l'eau douce peut contenir des micro-organismes dangereux pour la santé. Les bains de boue et de sable sont aussi à éviter pour les mêmes raisons. Qui plus est, le sable des plages (même au bord de la mer) peut cacher des larves qui peuvent en profiter pour s'introduire sous la peau; aussi vaut-il mieux s'étendre sur une serviette.

Le soleil et la chaleur

Pour profiter au maximum du soleil, veillez à toujours utiliser une crème solaire, à opter pour un indice de protection qui vous protège bien (minimum 15 pour les adultes et 25 pour les enfants) et à l'appliquer de 20 à 30 min avant de vous exposer. Souvenez-vous que vous devez vous protéger en tout temps, pas uniquement lorsque vous êtes sur la plage ou au bord de la piscine, pas seulement non plus lorsque le soleil brille mais aussi par temps nuageux, et que le bronzage ne protège pas contre les rayons nocifs. Toutefois, même avec une bonne protection, une trop longue période d'exposition, au cours des premières journées surtout, peut causer une insolation, provoquant étourdissement, vomissement, fièvre, etc. N'abusez donc pas du soleil.

Un parasol, un chapeau et des lunettes de soleil de qualité sont autant d'accessoires qui vous aideront à contrer les effets néfastes du soleil tout en profitant de la plage. Cependant, souvenez-vous que le sable et l'eau peuvent réfléchir les rayons et causer des coups de soleil même si vous êtes à l'ombre!

Portez des vêtements amples et clairs en évitant qu'ils soient faits de fibres synthétiques, les tissus idéaux étant le coton et le lin. Quelques douches par jour aideront à éviter les coups de chaleur. Ne faites pas d'effort inutile pendant les heures les plus chaudes de la journée. Et surtout, buvez de l'eau!

La diarrhée des voyageurs

La diarrhée des voyageurs survient fréquemment lors de déplacements. Bien qu'une diarrhée mineure soit sans grand risque, diverses méthodes peuvent être utilisées pour la traiter. Tentez de calmer vos intestins en ne mangeant rien de solide et en buvant de l'eau en bouteille. Recommencez à manger petit à petit en évitant les produits laitiers, le café, le thé, les boissons gazeuses et l'alcool, et en leur préférant des aliments faciles à digérer et riches en glucides (riz, pommes de terre, pâtes, etc.). Cependant, la déshydratation pouvant être dangereuse, n'oubliez pas de boire de l'eau. Pour remédier à une déshydratation sévère, il est bon d'absorber une solution contenant un litre d'eau, une cuillerée à thé de sel et huit de sucre. Vous trouverez également des préparations dans la plupart des pharmacies. Des médicaments, tel l'Imodium, peuvent aider à contrôler certains problèmes intestinaux. Dans les cas où les symptômes sont plus graves (forte fièvre, diarrhée importante ou avec saignements), un antibiotique peut être nécessaire. Il est alors préférable de consulter un médecin.

Les insectes

L'omniprésence des insectes, particulièrement pendant la saison des pluies et dans les régions boisées, aura vite fait d'ennuyer plus d'un vacancier. Pour vous protéger, vous aurez besoin d'un bon insectifuge. Les produits répulsifs contenant du DEET sont les plus efficaces. La concentration de DEET varie d'un produit à l'autre; plus la concentration est élevée, plus la protection est durable. Dans de rares cas, l'application d'insectifuges à forte teneur (plus de 35%) en DEET a été associée à des convulsions chez de jeunes enfants; il importe donc d'appliquer ce produit avec modération, seulement sur les surfaces exposées, et de se laver pour en faire disparaître toute trace dès qu'on regagne l'intérieur. Le DEET à 35% procure une protection de 4 à 6 heures alors que celui à 95% protège pendant une période de 10 à 12 heures. De nouvelles formulations de DEET, dont la concentration est moins élevée mais qui offrent une protection plus durable, sont proposées en magasin. Il y a aussi des crèmes solaires doublées d'insectifuges; vous pourrez ainsi vous protéger à la fois du soleil et des moustiques.

Les insectes sont en général plus actifs au crépuscule. Bien que ceux porteurs de la malaria soient plus à craindre la nuit, il faut se méfier des moustiques, même le jour et sous certaines latitudes tempérées, puisqu'ils sont porteurs de la fièvre dengue, malheureusement de plus en plus prolifique.

Dans le but de minimiser les risques d'être piqué, couvrez-vous bien en évitant les vêtements de couleur et évitez de vous parfumer. Lors de promenades dans les montagnes et dans les régions forestières, des chaussures et chaussettes protégeant les pieds et les jambes seront certainement très utiles. Des spirales insectifuges vous permettront de passer des soirées plus agréables. Avant de vous coucher, enduisez votre peau d'insectifuge, ainsi que la tête et le pied de votre lit. Choisissez de dormir sous une moustiquaire ou louer une chambre climatisée pour pouvoir fermer les fenêtres.

Comme il est impossible d'éviter complètement les moustiques, vous devriez emporter une pommade pour calmer les irritations causées par les piqûres.

Les serpents et autres rencontres inattendues

La richesse et la diversité de la faune entraînent aussi, il va sans dire, la présence d'espèces qui peuvent nous sembler moins conviviales de prime abord, tels les serpents et insectes venimeux. Inutile d'être alarmiste outre-mesure, vous n'en verrez peut-être aucun durant votre séjour. Cependant, il importe de garder l'œil ouvert. Prenez toujours le temps de regarder où vous mettez les pieds. Dans la forêt, vérifiez les lieux avant de vous appuyer ou de vous asseoir quelque part. Lors d'excursions de randonnée pédestre, soyez prudent en écartant délicatement les feuilles sur votre passage; lors de baignade en rivière, surveillez aussi bien les rives que la surface de l'eau. Certaines personnes, croyant être plus rapides que les serpents, s'amusent à les taquiner ou à les déplacer pour les observer: inutile de préciser qu'il s'agit d'une grave erreur. Encore une fois, la présence de serpents ne devrait pas vous empêcher de découvrir un coin de pays; les serpents, comme la plupart des animaux, ne cherchent pas la présence de l'humain et fuient à son approche.

Les maladies

Il est recommandé, avant de partir, de consulter un médecin (ou de vous rendre dans une clinique des voyageurs) qui vous conseillera sur les précautions à prendre selon le pays où vous vous rendez. Il est à noter qu'il est bien plus simple de se protéger de ces maladies que de les guérir. Il est donc utile de prendre les médicaments, les vaccins et les précautions nécessaires afin d'éviter des ennuis médicaux susceptibles de s'aggraver. Pensez aussi à passer un examen dentaire avant le départ. Il n'est pas nécessaire de subir un examen médical à votre retour; cependant, si vous tombez malade dans les semaines qui suivent, n'oubliez pas de mentionner à votre médecin le nom du ou des pays où vous avez voyagé.

La trousse de santé

Une petite trousse de santé permet d'éviter bien des désagréments. Il est bon de la préparer avec soin avant de quitter la maison. Il peut être malaisé de trouver certains médicaments dans les petites villes. Veillez à emporter une quantité suffisante de tous les médicaments que vous prenez habituellement, ainsi qu'une ordonnance valide. De même, n'oubliez pas l'ordonnance pour vos lunettes ou vos verres de contact. Les autres médicaments tels que ceux contre la malaria et l'Imodium (ou un équivalent) devraient également être achetés avant le départ.

De plus, vous pourriez emporter :

- pansements adhésifs
- désinfectants
- analgésiques
- antihistaminiques
- comprimés contre les maux d'estomac et le mal des transports
- serviettes sanitaires et tampons
- préservatifs

Vous pourriez aussi inclure du liquide pour verres de contact et une paire de lunettes supplémentaire si vous en portez.

Ceux qui doivent voyager avec des médicaments ou des accessoires tels que des seringues doivent détenir une ordonnance ou un certificat médical justifiant leur utilisation. Cela leur évitera d'abord d'avoir à se justifier devant les douaniers et les aidera à les remplacer en cas de perte.

Par grande chaleur, pour éviter les infections vaginales, maintenez une bonne hygiène corporelle et portez des sous-vêtements de coton. Il demeure sans doute plus simple d'apporter le type de serviettes et tampons hygiéniques que vous utilisez habituellement. Sachez aussi que les changements attribuables à un voyage entraînent souvent des perturbations du cycle menstruel.

› Sécurité

Malgré le portrait qu'on en dépeint souvent, le Mexique n'est généralement pas un pays dangereux pour les touristes. Les zones hôtelières de Cancún et de Puerto Morelos, l'île de Cozumel et Tulum présentent un taux de criminalité particulièrement faible et comptent parmi les destinations les plus sécuritaires du Mexique.

Il y a toutefois, comme partout, des risques de vol. N'oubliez pas qu'aux yeux de la majorité des habitants, dont le revenu est plutôt bas, vous détenez des biens (appareils électroniques, valises de cuir, bijoux...) qui représentent beaucoup d'argent. La prudence peut donc éviter bien des problèmes.

Quand vous quittez votre chambre, assurez-vous de ne pas laisser traîner d'objets de valeur ou d'argent et utilisez les coffrets de sûreté. Fermez la serrure de vos valises, même si vous ne partez que quelques heures.

Si vous envisagez de séjourner dans une *cabaña*, apportez un cadenas pour verrouiller la porte.

Vous avez intérêt à ne porter que peu ou pas de bijoux, à garder vos appareils électroniques dans un sac discret que vous garderez en bandoulière et à ne pas sortir tous vos billets de banque quand vous achetez quelque chose. Le soir, ne vous aventurez pas dans des rues peu éclairées, particulièrement si vous êtes accompagné d'inconnus. Ne partez pas à l'aventure sans vous être renseigné au préalable.

Une ceinture de voyage vous permettra de dissimuler une partie de votre argent, vos chèques de voyage et votre passeport. Dans l'éventualité où vos valises seraient volées, vous conserverez ainsi les documents et l'argent nécessaire pour vous dépanner. N'oubliez pas que moins vous attirez l'attention, moins vous courez le risque de vous faire voler.

Si vous apportez des objets de valeur à la plage, vous devrez les garder à l'œil, ce qui ne sera pas de tout repos. Il vaudrait mieux conserver ces objets dans le coffret de sûreté que l'hôtel met à votre disposition.

Ceux qui optent pour la location de voiture devront aussi penser à ne laisser aucun objet de valeur à l'intérieur, à bien verrouiller les portières et à ne pas faire monter d'auto-stoppeurs à bord.

Renseignements généraux – Renseignements utiles, de A à Z

> Tabagisme

Les restrictions à l'égard des fumeurs sont de plus en plus présentes, même en ce qui concerne la «cigarette électronique». Aussi, dans les autocars, les restaurants et la majorité des chambres d'hôtels est-il maintenant interdit de fumer. Cette règle n'est cependant pas respectée à la lettre et l'on est encore très tolérant.

> Taxes

Le Mexique a une taxe sur la valeur ajoutée de 16%, c'est la IVA, ou *impuesto de valor agregado*), imposée tant aux résidents qu'aux voyageurs. Elle s'applique à l'achat de la plupart des articles. Cette taxe est souvent «incluse» dans le total de l'addition au restaurant et dans le prix des achats en magasin et des voyages organisés.

À cette taxe, il faut ajouter une taxe supplémentaire de 3% pour l'hébergement. Le montant devient imposant avec 19% de taxes qui s'ajoutent au prix affiché des chambres.

> Télécommunications

Téléphone

L'indicatif international du Mexique est le **52**.

L'indicatif régional de la ville de México est le **55**.

Voici les indicatifs régionaux des principales villes touristiques de la péninsule yucatèque:

Campeche	**981**
Cancún	**998**
Chetumal	**983**
Cozumel	**987**
Isla Mujeres	**998**
Mérida	**999**
Playa del Carmen	**984**
Valladolid	**985**

En règle générale, il est plus avantageux d'appeler à frais virés (PCV). Il est déconseillé d'appeler à l'étranger en passant par les hôtels car, même en cas d'appels à frais virés ou sans frais, l'hôtel vous facturera des frais élevés pour chaque appel. Il en est de même en ce qui concerne les appels locaux puisque les hôtels vous demanderont jusqu'à trois pesos par appel, alors que, d'une cabine téléphonique, ces appels ne coûtent que 50 centavos.

Pour téléphoner vers l'étranger, il faut composer le 00 + l'indicatif du pays + le numéro du correspondant. Pour les appels interurbains à l'intérieur du pays, il faut composer le 0 + l'indicatif régional + le numéro du correspondant.

D'autre part, il est à noter que les numéros sans frais 800 ou 888 mentionnés dans ce guide ne sont accessibles que de l'Amérique du Nord.

Méfiez-vous du service «Larga Distancia, To call the USA collect or with credit card Simply dial 0», visible un peu partout. En réalité, il s'agit d'une entreprise qui exige des frais élevés pour tout appel.

Pour les appels locaux, achetez-vous une carte de débit Ladatel. Ces cartes sont acceptées dans les téléphones publics Ladatel, que l'on retrouve un peu partout. On peut se les procurer, au coût de 50 pesos, dans les aéroports et les centres commerciaux.

Il est possible d'activer votre téléphone cellulaire en vous procurant une carte «SIM» dans un centre de service de l'opérateur local **Telcel** (demandez que l'on vous indique le *Centro de Atención a Clientes Telcel*). Apportez votre passeport pour remplir les documents. Vous pourrez ensuite facilement ajouter des crédits Telcel (20 à 200 pesos) à votre téléphone dans n'importe quel magasin OXXO (on en trouve partout!). Il est également possible de vous procurer une carte «SIM» avant votre départ par l'entremise du site *www.mexicosimcard.com*.

Vous trouverez, dans le hall des grands hôtels de luxe, des cabines téléphoniques isolées et tranquilles, et même fermantes à l'occasion.

Pour joindre un téléphoniste: faites le **090** pour les appels internationaux, ou le **020** pour les appels nationaux.

Pour le Québec et le Canada: composez le 00-1 + l'indicatif régional + le numéro de votre correspondant.

Pour la France: composez le 00-33 + l'indicatif régional + l'indicatif de la ville si nécessaire + le numéro de votre correspondant.

Pour la Belgique: composez le 00-32 + le préfixe de la ville si nécessaire + le numéro de votre correspondant.

Vocabulaire de base au téléphone

Téléphone	*teléfono*
Interurbain	*larga distancia*
Appel à frais virés (PCV)	*una llamada por cobrar*
Y a-t-il des frais de service?	*¿Cobra un cargo de servicio?*
Allô?	*¿Bueno?*

Pour la Suisse: faites le 00-41, puis l'indicatif régional et le numéro de votre correspondant.

Numéros de téléphone importants:

Téléphoniste (appels locaux) **040**

Téléphoniste (appels interurbains) **020**

Téléphoniste anglophone (appels internationaux) **090**

Urgence police **066**

Télécopie

On peut aisément envoyer des télécopies à partir d'un bureau de poste et de la réception de certains hôtels.

➤ Vins, bières et alcools

L'âge légal pour boire de l'alcool est 18 ans. Aucune vente d'alcool n'est permise dans les commerces avant 10h et après 22h (17h le dimanche).

Le vin

Les vins du pays sont peu coûteux et généralement bons. Essayez les marques Calafia, L.A. Cetto ou Los Reyes.

La bière

Quelques entreprises fabriquent des bières au Mexique, entre autres la fameuse Corona, la Dos Equis (XX) et la Superior. Toutes trois sont de bonne qualité, mais la bière la plus prisée est la Corona. Bon nombre d'hôtels et de restaurants proposent également des bières importées.

Plusieurs établissements offrent aussi un choix d'excellentes bières mexicaines microbrassées. Demandez une *cerveza artesanal*. Vous obtiendrez alors peut-être une bière provenant des brasseries artisanales Albur, Minerva, Hacienda ou Baja.

La tequila

La boisson nationale du Mexique est extraite de l'agave (un cactus qui ressemble à un ananas), dont on écrase la base pour en tirer le jus que l'on fait fermenter et que l'on distille. C'est dans l'État de Jalisco qu'a été inventée la recette de la tequila, probablement au XVIIIe siècle. Comme n'importe quel Mexicain vous le dira, toutes les marques de tequila ne se ressemblent pas: les goûts varient des tequilas blanches plus âpres aux *añejos* de couleur ambrée au goût moelleux, proche du brandy. Les meilleures marques sont Orendain, Hornitos, Herradura Reposado et Tres Generaciones.

Le Kahlúa

Le Kahlúa est une liqueur de café qui était fabriquée à l'origine uniquement au Mexique, mais les Européens en produisent maintenant à leur tour.

Margarita et sangrita

La margarita mexicaine est plus forte que celle à laquelle vous êtes sans doute habitué. Ce cocktail contient de la tequila, du Cointreau, de la lime, du citron ainsi que du sel. Essayez une *sangrita*, un jus de fruits extrait d'oranges amères et de grenades que l'on sirote entre de petites gorgées de tequila.

Le Xtabentún

Plusieurs régions produisent leurs propres boissons alcoolisées. Dans la péninsule du Yucatán, on produit le Xtabentún (prononcer *shta-ben-toun*), une liqueur subtile à base de miel et au goût d'anis.

➤ Voyager en famille

Cancún et la Riviera Maya sont des destinations idéales pour les familles. Il est aisé d'y voyager avec des enfants, aussi petits soient-ils. Les mexicains se montrent très patients et chaleureux à l'égard des enfants et généralement encore plus ouverts aux contacts sociaux envers les familles.

Bien sûr, quelques précautions et une bonne préparation rendront le séjour plus agréable. Pour des conseils plus ciblés sur les voyages en famille, consultez le guide Ulysse *Voyager avec des enfants*.

L'avion

Une bonne poussette, avec dossier inclinable, permet d'amener le bébé partout, qui pourra même faire un somme. À l'aéroport, il sera plus facile de le transporter, surtout qu'il est possible de conserver la poussette jusqu'aux portes de l'avion.

Les personnes avec un enfant ont l'avantage de pouvoir monter dans l'avion les premiers, évitant ainsi les longues files d'attente. En outre, si vous avez un bébé de moins de deux ans, au moment de la réservation du billet d'avion, pensez à demander les sièges à l'avant de l'appareil, qui disposent de plus d'espace et qui sont mieux adaptés aux longs vols, surtout avec un bébé sur les genoux. Certains avions disposent même de petits lits de bébé et certaines compagnies peuvent vous fournir une poussette à votre descente d'avion.

Quant aux bébés, avant de partir, vous devez leur préparer la nourriture nécessaire pour la durée du vol et prévoir un repas de plus, au cas où l'avion aurait du retard. Prévoyez également des couches et des serviettes humides. Quelques jouets pourront également être d'une grande utilité!

Pour les plus grands, qui risquent de trouver le temps long une fois passée l'excitation du départ, des livres et des activités (dessin, coloriage, jeux) seront d'un grand secours.

Au moment du décollage et de l'atterrissage, la pression peut être incommodante; si c'était le cas, certains affirment que la tétée d'un biberon pourrait aider les bébés. Pour les plus vieux, la gomme à mâcher aurait le même effet de soulagement.

Les établissements hôteliers

Nombre d'établissements hôteliers sont équipés pour recevoir adéquatement les enfants. Généralement, pour garder un tout-petit dans sa chambre, il n'y a pas de frais supplémentaires. Plusieurs hôtels et gîtes disposent de lits de bébé; demandez le vôtre

au moment de faire la réservation. Il se peut que vous ayez à payer un supplément pour les enfants, lequel est rarement élevé.

Les restaurants

Les enfants trouveront leur bonheur dans la plupart des restaurants de la région, qu'ils soient mexicains ou internationaux. En plus de compter plusieurs mets savoureux et doux (*guacamole* et *totopos, quesadillas, empanadas, frioles, sopa de lima*, etc.), le côté «interactif» de la cuisine mexicaine plaira aux enfants. Laissez-les concocter leur propre *fajita* avec les ingrédients de leur choix! Pour vous assurer que les plats commandés ne sont pas trop épicés, dites: «*No picante, por favor.*»

La voiture

La grande majorité des agences de location de voitures louent des sièges de sécurité pour enfant. La location de ces sièges n'est pas très coûteuse.

Le soleil

Faut-il préciser que la peau fragile de bébé a besoin d'une protection bien particulière, et ce, même s'il est préférable de ne jamais l'exposer aux chauds rayons du soleil. Avant d'aller à la plage, enduisez-le d'une crème solaire assurant un écran total (protection 25 pour les enfants, 35 pour les bébés). Dans les cas où l'on craindrait une trop longue exposition, il existe sur le marché des crèmes offrant une protection allant jusqu'à 60.

À tout âge, un chapeau couvrant bien la tête est nécessaire tout au long de la journée.

La baignade

L'attrait des vagues est très fort pour les enfants qui peuvent s'y amuser pendant des heures. Il faut toutefois faire preuve de beaucoup de prudence et exercer une surveillance constante. Le mieux qu'on puisse faire, c'est qu'un adulte accompagne les enfants dans l'eau, surtout les plus jeunes, et qu'il se tienne plus loin dans la mer de manière à ce que les enfants s'ébattent entre lui et la plage. Il pourra ainsi intervenir rapidement en cas de pépin.

Pour les tout-petits, il existe des couches prévues pour aller dans l'eau; elles s'avèrent bien pratiques si l'on désire baigner bébé dans une piscine.

Plein air

Paradis des plongeurs et des amateurs de sports nautiques, les côtes de la péninsule yucatèque regorgent également d'activités à pratiquer sur la terre ferme ou dans les airs. Avec ses parcs naturels, ses complexes de loisirs et ses îles réputées mondialement pour la plongée, la région a beaucoup à offrir.

Nous dressons dans le présent chapitre une liste des activités les plus prisées qui vous donnera une vue d'ensemble des sports de plein air pratiqués dans la région. Dans les chapitres ultérieurs, les sections «Activités de plein air» renferment les coordonnées d'organismes et d'autres renseignements.

Parcs et réserves

Les beautés naturelles de la région sont protégées grâce à l'établissement de plusieurs parcs nationaux où il est possible de pratiquer une foule d'activités. L'Isla Contoy, située au nord de l'Isla Mujeres, abrite de nombreuses espèces d'oiseaux marins. Une tour d'observation et un centre d'interprétation ont été construits dans l'île pour mieux les admirer.

La Reserva de la Biosfera Sian Ka'an est située à quelques kilomètres au sud de Tulum et couvre près de 100 km de littoral. Elle comprend une multitude de baies, de lagunes et de récifs coralliens qui font partie de la deuxième barrière de corail en importance au monde, et de nombreuses espèces marines peuplent la zone. Vingt-trois sites mayas ont été mis au jour jusqu'à maintenant dans cette réserve. Des espèces animales comme le puma, l'ocelot et le singe-araignée (atèle) y vivent. Quelques entreprises touristiques organisent des excursions d'une journée dans la réserve.

Complexes de loisirs

Les parcs Xel-Há, Xcaret, Garrafón, Chankanaab et Hidden Worlds sont d'importants sites naturels aménagés en complexes de loisirs qui permettent de découvrir et d'observer de près les écosystèmes de la région, tout en prenant part à de nombreuses activités de plein air.

Les parcs Xplor et Selvatica sont des lieux d'amusement pour les familles avec des enfants de plus de 10 ans qui aiment les expériences qui sortent de l'ordinaire.

Cenotes

Un nombre impressionnant de *cenotes* sont aménagés sur la Riviera Maya afin de recevoir des visiteurs souhaitant s'y baigner, faire de la plongée-tuba, de la plongée sous-marine ou de l'exploration de rivières souterraines. Parmi les sites les plus intéressants, nous recommandons Kantun Chi, Aktun Chen, Río Secreto, Sac Actún, Gran Cenote et Parador Ecoturístico Yokdzonot.

Activités de plein air

› Baignade

La côte est de la péninsule du Yucatán est l'un des endroits du Mexique les plus calmes pour la baignade, bien que des lames de fond puissent parfois se produire. Le public a libre accès à toutes les plages, avec leurs eaux couvrant la palette des verts et des bleus, et leur sable blanc qui reste frais sous les pieds. Ces eaux cristallines, parsemées de récifs de corail, abritent une faune marine abondante.

Comme la côte de l'État de Quintana Roo est une longue plage publique, vous pourrez y marcher pendant de longs moments entre les grands centres touristiques sans rencontrer personne. À Cancún, attendez-vous à une tout autre affaire: la plage est bordée sur plus de 20 km par d'immenses complexes hôteliers.

En général, à Cancún, les eaux des plages situées au nord sont plus calmes que celles du côté est. Les eaux paisibles de la côte ouest de Cozumel (protégées du vent) sont idéales pour la baignade, alors que la côte est, plutôt dénudée, est battue par les vagues et des vents constants. On peut toutefois y

Un écosystème fragile

Les récifs de corail se développent grâce à des organismes minuscules, les cœlentérés, sensibles à la pollution de l'eau. En effet, l'eau polluée (à forte teneur en nitrates) accélère le développement des algues, lesquelles, lorsqu'elles sont en trop grand nombre, envahissent les récifs et les étouffent littéralement. Le *Diadema antillarum*, un oursin noir pourvu de longues aiguilles qui vit sur les récifs, se nourrit d'algues et joue un rôle majeur dans le contrôle de leur prolifération; cependant, il n'y en a pas en quantité suffisante.

En 1983, une épidémie aurait décimé bon nombre de ces oursins peuplant les fonds marins des Caraïbes. La pollution des eaux n'ayant pas cessé et les algues ayant proliféré, la survie de certains récifs était menacée. Depuis lors, des études scientifiques ont permis de comprendre l'importance du *Diadema antillarum* pour l'équilibre écologique, et l'on a rétabli cette espèce sur certains récifs.

Il demeure que ces petits oursins, bien que fort utiles, ne peuvent suffire à la tâche. Un contrôle rigide de la pollution demeure essentiel pour sauvegarder ces récifs de corail dont près de 400 000 organismes très fragiles dépendent. La crème solaire, par exemple, contient des produits chimiques qui peuvent affecter les coraux.

découvrir de ravissants escarpements et des baies où l'on peut se baigner sans danger.

Si les vagues sont fortes, où que vous soyez, évitez de vous baigner ou faites-le très prudemment. Rappelez-vous que peu d'établissements assurent un service de surveillance et de sauvetage. Un système de drapeaux a été instauré sur les plages, indiquant le niveau de risque, un peu à la manière des feux de circulation. Un drapeau rouge ou noir indique un danger; un drapeau jaune vous dit de faire attention; un drapeau bleu ou vert signale que la situation est normale, tandis que des conditions idéales pour la baignade sont symbolisées par un drapeau blanc.

La plupart du temps, il est strictement interdit de prendre des bains de soleil complètement nu ou les seins nus, bien que cette pratique soit tolérée à Playa del Carmen et à Tulum, ainsi que dans certains complexes hôteliers pour adultes seulement. Il est préférable de se renseigner afin de ne pas choquer les mœurs des résidents et des employés d'hôtel.

> ## Baignade avec les dauphins

Plusieurs delphinariums proposent de nager et d'interagir avec des dauphins. Si l'expérience peut être inoubliable pour les enfants, sachez toutefois que cette activité est sujette à controverse et que plusieurs pays tels que l'Australie ou encore le Royaume-Uni ont choisi de l'interdire sur leur territoire. L'espérance de vie de ces dauphins en captivité est en effet plus courte que celle des animaux congénères en liberté.

> ## Équitation

L'équitation est une activité populaire dans la région, et plusieurs parcs et entreprises touristiques proposent des randonnées en forêt ou sur la plage.

> ## Golf

L'État de Quintana Roo compte plusieurs terrains de golf de réputation internationale. Parmi ceux-ci figurent le Cancún Golf Club at Pok-Ta-Pok et le Moon Palace Golf & Spa Resort.

> ## Navigation de plaisance

Des escapades en voilier sur des eaux en général peu agitées sont un plaisir dans cette région. Quelques centres touristiques organisent des excursions; d'autres pourront vous louer une embarcation.

> ## Observation des fonds marins

Si vous ne plongez pas, vous pourrez tout de même admirer les merveilleux fonds marins de la région grâce aux sous-marins d'observation, qui peuvent vous emmener à la découverte de la faune marine et des récifs de corail tout en vous gardant bien au sec.

> Observation des oiseaux

Les parcs nationaux ainsi que les abords des grands sites archéologiques du Yucatán constituent des endroits de prédilection pour l'observation de la faune ailée. Une grande variété d'oiseaux peut être admirée dans la forêt tropicale de Sian Ka'an, dans l'Isla Contoy (où une centaine d'espèces sont protégées) ainsi qu'à l'Aviario Xaman-Ha, une réserve ornithologique située à Playacar, qui abrite une trentaine d'espèces d'oiseaux parmi lesquels on retrouve des toucans et des perroquets.

C'est souvent lors de rencontres inattendues que les passionnés d'ornithologie font d'étonnantes découvertes comme celle-ci : alors qu'elle se fond dans le paysage, une frégate mâle perchée gonfle tout à coup sa gorge écarlate pour séduire une femelle.

Pour assurer le succès de votre excursion, il est important d'apporter des jumelles, un insectifuge et un appareil photo muni d'un téléobjectif.

> Pêche

À condition de réserver quelques jours à l'avance auprès de certains organisateurs d'excursions, il est possible de prendre part à un tournoi de pêche sportive d'une journée ou d'une demi-journée au départ de Cancún, Cozumel, Isla Mujeres ou Playa del Carmen. Le macaire, l'espadon, le thon et la dorade abondent dans le secteur. Les tarifs vont de 350$ à 900$ par bateau et par jour.

> Planche à voile, motomarine et ski nautique

Ces activités nécessitant des eaux plus calmes que celles qui baignent la côte est de Cancún, ou celles de la mer agitée qui borde la côte est de Cozumel, il est recommandé de choisir les eaux tranquilles de la lagune de Nichupté, de Cancún ou de la Bahía de Mujeres, sur la côte nord.

Si vous n'en avez jamais fait, quelques consignes de sécurité doivent cependant être suivies avant de vous lancer à l'assaut des eaux miroitantes : choisissez une plage dont les flots ne sont pas trop agités; assurez-vous de ne pas pratiquer ces sports trop près des baigneurs.

> Plongée sous-marine

Plusieurs centres de plongée proposent aux visiteurs d'explorer les fonds marins. Les récifs sont nombreux, et l'on trouve ces centres partout le long de la côte.

Les personnes détenant un brevet de plongeur pourront s'en donner à cœur joie et découvrir les secrets des côtes yucatèques. Les autres peuvent aussi faire de la plongée, mais à condition d'être accompagnées d'un moniteur qualifié qui supervisera leur plongée (à un maximum de 5 m). Les risques sont minimes; cependant, assurez-vous, si possible, de la qualité de la supervision. Certains moniteurs font de la plongée avec plus d'un débutant, ce qui va à l'encontre des règles de sécurité préconisées en tel cas.

Vous pourrez facilement louer du matériel dans les centres de plongée, mais cela peut coûter cher. Si vous emportez le vôtre, vous ferez des économies, surtout si vous prévoyez plusieurs jours de plongée.

Par ailleurs, Cozumel est réputée dans le monde entier pour la clarté de ses eaux, la richesse de sa vie marine et pour ses installations exceptionnelles. Un nombre important de visiteurs y vont pour une seule et unique raison : la plongée. L'Isla Mujeres est également très cotée. Quant aux centres de plongée sous-marine de Cancún, ils organisent des excursions guidées dans les sites les plus propices environnant la ville.

La plongée vous fera découvrir des récifs de corail magnifiques, des bancs de poissons multicolores et de surprenantes plantes aquatiques. Souvenez-vous que ces écosystèmes sont fragiles et qu'il faut éviter de toucher ou de ramener ces merveilles à la surface. Éviter de nourrir les poissons, bouger ses palmes calmement et ne pas laisser de déchets derrière soi sont des règles élémentaires. Les plus beaux souvenirs que vous en rapporterez seront les photos sous-marines que vous aurez prises avec un appareil utilisable dans l'eau.

› Plongée-tuba

L'équipement de plongée-tuba se résume à peu de chose: un masque, un tuba et des palmes. Accessible à tous, la plongée-tuba constitue une bonne façon de prendre conscience de la richesse et de la beauté des fonds marins. On peut pratiquer cette activité presque partout dans la région. N'oubliez pas que les règles fondamentales pour protéger l'environnement (voir «Plongée sous-marine», ci-dessus) s'appliquent également à la plongée-tuba.

› Surf cerf-volant (*kitesurf* ou *kiteboard*)

Avec un nombre croissant d'adeptes, ce sport à haute teneur en adrénaline se fait une place dans la région. Plusieurs écoles proposent des cours et louent de l'équipement.

› Tennis

Certains hôtels mettent des terrains de tennis à la disposition de leur clientèle. Plusieurs de ces courts sont dotés d'un système d'éclairage permettant d'y jouer le soir.

› Tyrolienne

Les complexes de loisirs proposent presque tous des parcours dans la canopée et la jungle où l'on passe d'une plateforme à une autre par le moyen de tyroliennes.

› Véhicules tout-terrains

Véhicules amphibiens, quads, buggys, répliques de véhicules militaires, bref, les amateurs de véhicules tout-terrains auront le choix en se rendant dans les nombreux complexes de loisirs.

› Vélo

La pratique du vélo gagne visiblement en popularité dans la région. Bien que les entreprises qui louent des vélos soient rares à Cancún et à Playa del Carmen (renseignez-vous tout de même auprès de votre hôtel), plusieurs endroits se prêtent bien à l'activité. Notez entres autres la bande piétonne et cyclable qui traverse toute la zone hôtelière de Cancún (14 km), la piste cyclable qui fait le tour de la partie sud de Cozumel, celle toute neuve reliant Tulum Pueblo et Tulum Playa, et celle reliant Pisté à Chichén Itzá. Il est également agréable de rouler sur les sentiers des ruines de Cobá et dans les rues tranquilles de l'Isla Mujeres.

Notez que les bandes piétonnes et cyclables sont aussi fréquentées par les amateurs de patin à roues alignées et les joggeurs (surtout à Cancún) et qu'elles sont faiblement (ou pas du tout) éclairées en soirée. Sachant que le soleil tape dur dans cette région, ne surestimez pas vos forces. Le meilleur moment pour faire du vélo est le matin très tôt, avant les grosses chaleurs.

Plein air – **Activités de plein air**

Gagnez du temps et économisez!
Découvrez nos **guides numériques par chapitre**.

www.guidesulysse.com

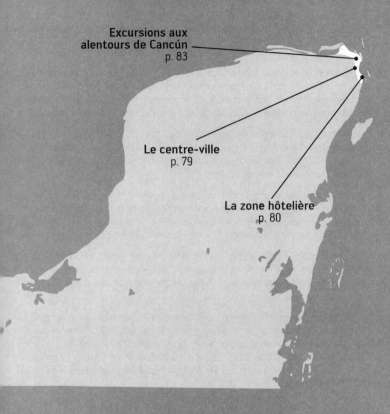

Excursions aux
alentours de Cancún
p. 83

Le centre-ville
p. 79

La zone hôtelière
p. 80

Cancún

Avant que le gouvernement mexicain n'arrête son choix sur une bande de sable habitée par une centaine de pêcheurs mayas pour développer un site touristique majeur, **Cancún** ★ était un paradis calme et isolé.

Ces pêcheurs étaient sans doute loin de se douter que, pendant qu'ils vaquaient à leurs tâches traditionnelles, de nombreux fonctionnaires se penchaient sur les données compilées dans un ordinateur: il n'y avait pas de doute, Cancún était le coin du Mexique le plus susceptible d'attirer le maximum de touristes saison après saison!

Depuis une quarantaine d'années, Cancún a vu grandir une ville champignon de plus de 630 000 habitants et s'établir une impressionnante quantité d'hôtels d'une capacité totale de près de 30 000 chambres pouvant loger 3 millions de touristes à longueur d'année, des centaines de restaurants et de boutiques...

Tout a commencé dans les années 1960, alors que le Mexique prend conscience de son potentiel touristique. En 1967, le site est officiellement choisi pour y développer les infrastructures d'un mégaprojet, en raison de sa longue plage de sable blanc, de son climat subtropical, des eaux turquoise de la mer des Caraïbes et de la proximité des États-Unis.

La construction des routes, des aqueducs et des hôtels débute en 1974, et l'endroit restera relativement peu connu jusqu'au milieu des années 1980. À partir de là, l'activité devient frénétique: les hôtels poussent comme des champignons et Cancún devient une ville éminemment touristique.

Malgré le passage des ouragans *Wilma* (2005) et *Dean* (2007), la station balnéaire poursuit son développement. D'une part, les rénovations des hôtels ont fait monter l'offre en gamme; aujourd'hui 75% des hôtels correspondent à des cinq-étoiles. D'autre part, une nouvelle zone hôtelière s'étend aujourd'hui à Playa Mujeres, au nord de Puerto Juárez, et rassemble des hôtels de luxe. Le golf (voir p. 85) et l'hôtel **Excellence Playa Mujeres** (voir p. 93), entre autres, sont déjà en activité.

Cancún est conçue pour plaire à sa clientèle principale, soit les touristes nord-américains provenant principalement des États-Unis. Ceux-ci représentent 80% de l'ensemble des visiteurs étrangers. Ils s'y retrouvent comme chez eux, avec les mêmes grandes chaînes de restaurants, d'hôtels, les mêmes supermarchés, la même musique qui joue dans les discothèques. Tout est conçu pour répondre à leurs goûts. D'ailleurs, l'anglais l'emporte souvent sur l'espagnol dans la conversation. Cela enlève beaucoup de charme exotique à l'endroit, mais plaît à bien du monde, puisque Cancún est l'une des villes mexicaines les plus visitées par les touristes étrangers.

Cancún est formée de la Ciudad Cancún (le centre-ville de Cancún) et de la *zona hotelera* (la zone hôtelière, voir p. 80). La zone hôtelière, royaume quasi exclusif des touristes, est longue de 27 km et couverte d'hôtels souvent gigantesques et de classe internationale. Ces hôtels sont placés côte à côte, bordés d'un côté par la mer et de l'autre par une route réservée à la circulation automobile.

La ville de Cancún est quant à elle habitée en majeure partie par des gens qui travaillent dans les hôtels, les bars et les restaurants; ils sont pour la plupart nés ailleurs. Si l'on entend très souvent que Cancún n'est pas le vrai Mexique, il n'y a paradoxalement que dans la ville de México que l'on retrouve autant de Mexicains venus de tous les coins du pays.

Cancún est un port d'entrée très commode pour les voyageurs qui souhaitent découvrir les sites archéologiques mayas de Chichén Itzá et de Tulum, et s'imprégner du mode de vie traditionnel yucatèque.

Accès et déplacements

> Orientation

Dans la zone hôtelière, la route est bordée de bornes kilométriques dont le Km 0 est le centre-ville de Cancún. Repérez-les pour vous situer. Il peut sembler facile de s'orienter puisqu'il s'agit d'une simple bande de terre, mais il est parfois malaisé de savoir s'il faut prendre à gauche ou à droite. Pour ne pas confondre le côté de la lagune de celui de la mer, souvenez-vous que la longue enfilade d'hôtels fait face à la mer, alors qu'on trouve principalement des commerces et des restaurants du côté de la lagune.

Au centre-ville de Cancún, le nom des rues et les adresses sont généralement indiqués, mais il est préférable de toujours se munir d'une carte pour ses excursions, même si le centre-ville n'est pas très grand.

La ville est divisée en plusieurs *manzanas* (*Mza.*) parfois contenues dans des *super manzanas* (*SM*, littéralement : immenses blocs). Chaque secteur *SM* possède un code postal distinct.

Le centre-ville de Cancún comprend quatre avenues principales : Cobá et Uxmal (est-ouest) ainsi que Tulum et Yaxchilán (nord-sud). Ces deux dernières avenues sont les plus développées du point de vue commercial. Boutiques, restaurants, hôtels et bureaux de change s'y trouvent en grand nombre.

Pour prendre l'autobus (Ruta 1 ou Ruta 2) vers la zone hôtelière, il est préférable de se rapprocher du rond-point situé à l'angle des avenues Cobá et Tulum. Les autobus y sont plus fréquents qu'ailleurs.

> En avion

L'**Aeropuerto Internacional de Cancún** *(998-848-7200, www.cancun-airport.com)* est situé à 20 km au sud du centre-ville. Il s'agit d'un des aéroports les plus modernes du Mexique. En plus des guichets automatiques et des boutiques hors taxes, on y trouve de nombreux magasins, restaurants et bars où les prix, comme ailleurs, sont un peu plus élevés qu'à la ville.

Location de voitures à l'aéroport

Plusieurs agences de location de voitures ont un comptoir à l'aéroport, entre autres Thrifty, Hertz et Budget. Pour éviter des frais excessifs, il est préférable de réserver une voiture avant le départ et de comparer les prix. Demandez qu'on vous transmette une confirmation de la réservation et du tarif.

Accès au centre-ville et à la zone hôtelière depuis l'aéroport

Vous pouvez réserver votre correspondance en navette privée *(environ 40$ pour 10 personnes ou moins)*, taxi ou limousine entre l'aéroport et votre hôtel sur le site Internet *www.cancun-airport.com*. En plus d'être certain d'avoir affaire à des compagnies autorisées, c'est un très bon moyen de bénéficier de réductions disponibles uniquement sur Internet. Sur place, vous aurez également accès à des moyens de transport plus économiques comme des autobus *(www.ado.com. mx)* et des navettes publiques *(environ 12$/ pers.; tlj 8h à 20h; arrêts fréquents)*. Notez qu'un service de navette est généralement inclus dans le prix des voyages à forfait.

Si vous louez une voiture à l'aéroport, sachez que le trajet jusqu'au centre-ville dure moins de 30 min par la route 307, l'aéroport étant situé à 20 km au sud du centre-ville. Si vous allez plutôt vers la zone hôtelière, empruntez le Boulevard Kukulcán, que vous croiserez quelques instants après vous être engagé sur l'Avenida Tulum. En quelques minutes seulement, vous aurez atteint la queue du 7 que forme la zone hôtelière de Cancún.

Notez qu'une course en taxi régulier entre l'aéroport et la *zona hotelera* coûte environ 60$, et que les prix sont à la baisse si vous sortez de la zone aéroportuaire pour prendre un des taxis. Dans le même ordre d'idées, vous déboursez environ 25$ pour le retour depuis la zone hôtelière.

Pour les indications sur les moyens de transport pour se rendre dans les différentes villes de la **Riviera Maya** au départ de Cancún, voir p. 122. Pour les directions vers **Chichén Itzá**, **Valladolid** ou **Ek Balam**, voir p. 202. Finalement, si vous désirez rejoindre l'**Isla Mujeres**, l'**Isla Holbox** ou l'**Isla Contoy**, voir p. 101.

➤ En voiture

Louer une voiture pour faire la navette entre votre hôtel et le centre-ville est certainement une dépense inutile qui ne peut que vous causer des maux de tête, à moins que vous soyez vraiment allergique aux transports en commun. Les autobus sont fréquents et bon marché, et le centre-ville n'est pas si grand. Vous perdrez beaucoup de temps à chercher un stationnement... et votre chemin! De plus, le coût de location des voitures à Cancún est plutôt élevé. Toutefois, si vous louez un véhicule pour partir en expédition, vous aurez sans doute à traverser la ville. La vitesse maximale permise y est de 40 km/h. On trouve plusieurs stations-service sur la route 307, notamment entre le centre-ville de Cancún et l'aéroport.

Les principales agences de location ont des représentants à l'aéroport (voir p. 77) et au centre-ville, mais il s'en trouve aussi dans plusieurs hôtels.

➤ En autocar

La **gare routière** *(24h sur 24; angle Av. Tulum et Av. Uxmal)* affiche une foule de destinations, depuis la capitale, México, jusqu'à Chetumal, à la frontière du Belize. Le prix du billet varie peu selon qu'on choisit un autocar de première ou seconde classe. Vous pouvez également acheter vos billets directement auprès du transporteur **ADO** *(800-009-9090, www.ado.com.mx)*. Les départs pour Playa del Carmen, Tulum et Chichén Itzá sont fréquents. On trouve un guichet automatique à la gare.

➤ En transports en commun

Le tarif des autobus circulant à l'intérieur de la ville de Cancún et de la zone hôtelière est de 8,50 pesos. Les véhicules roulent à fond de train sur le Boulevard Kukulcán, qui longe la zone hôtelière. S'ils ne sont pas déjà complets, ils s'arrêteront parfois si vous leur faites un simple signe de la main, même si vous n'êtes pas à l'un de leurs arrêts officiels. La plupart sont en service entre 6h et minuit. Les autobus R1 (pour «Ruta 1»), R2, R15 et R27 sillonnent la zone hôtelière en faisant des arrêts sur les artères importantes et les points d'intérêt majeurs comme l'Avenida Tulum et le Mercado 28.

➤ En *colectivo*

Des *colectivos* (camionnettes de transport collectif) partent vers Playa del Carmen (environ 50 pesos) et la Riviera Maya en face du terminus d'autocars (ADO) de Cancún de 5h30 à 11h30. Ils s'arrêtent tout au long de la route 307.

➤ En taxi

Comme les taxis n'ont pas de compteur, le prix de la course est généralement fixe et dépend de la distance parcourue. Vous paierez toutefois plus cher si vous prenez le taxi à votre hôtel plutôt que dans la rue. Pour de petites courses, votre talent de négociateur peut être utile! À la réception de votre hôtel, on pourra vous renseigner sur les tarifs en cours. Comptez en général de 30 à 35 pesos pour un trajet en ville et entre 100 et 300 pesos depuis la zone hôtelière. Entendez-vous toujours avec le chauffeur sur le tarif avant de monter. Vous pouvez appeler un taxi *(998-840-0651)* ou contacter le syndicat de taxis *(998-193-3670)* pour obtenir des renseignements ou porter plainte.

Renseignements utiles

➤ Argent et services financiers

On peut encaisser des chèques de voyage à la réception de son hôtel, dans les banques ou dans les nombreux bureaux de change (*casas de cambio*) qui pullulent dans le centre-ville et la zone hôtelière. Ces bureaux proposent généralement de meilleurs taux que les banques et restent ouverts plus longtemps, soit jusqu'à 21h ou 22h. Les banques sont habituellement ouvertes de 9h à 16h en semaine, dont celles-ci, situées à côté de l'hôtel de ville :

Banamex : Av. Tulum n° 19, 998-881-6405

Bancomer : Av. Tulum n° 27, 998-621-3434

Vous trouverez des guichets automatiques un peu partout dans la ville ainsi que dans la zone hôtelière. Certains distribuent des billets américains; d'autres, des pesos. Repérez les guichets automatiques des banques comme Santander, qui offrent de meilleurs taux de change et exigent moins de frais de transaction.

> Internet et télécommunications

De nombreux établissements hôteliers, restaurants et cafés disposent d'un accès Internet sans fil gratuit. Sur les artères principales, plusieurs commerces proposent des services de télécommunication (poste Internet, télécopie, appels internationaux).

Il est possible d'activer votre téléphone cellulaire en vous procurant une carte «SIM» *(150 pesos)* dans un centre de services de l'opérateur local **Telcel** (voir p. 66).

> Poste

Bureau de poste : Av. Xel-Ha, angle Sunyaxchén, www.correosdemexico.gob.mx

Plusieurs hôtels de la zone hôtelière vendent des timbres et peuvent poster vos lettres ou vos cartes postales sur demande.

> Renseignements touristiques

Vous pouvez joindre par courriel ou téléphone le **Cancun Convention & Visitors Bureau** *(998-881-2745, www.cancun. travel)* pour toute question relative aux attraits touristiques, lieux d'hébergement, restaurants et transports.

> Santé

Pour de l'assistance en espagnol ou en anglais :

Hospital Americano : Retorno Viento n° 15, 998-287 8022, http://hospitalamericano.com

Hospiten : Av. Bonampak - Lote 7, Manzana 2, SM 10, 998-881-3700 www.hospiten.com

Amerimed : Av. Bonapak, angle Av. Nichupté, 998-881-3400, www.amerimedcancun.com

> Sécurité

Urgence : 066

Commissariat de police de Cancún : Calle Xcaret SM 21, 998-884-1913

Attraits touristiques et plages

À ne pas manquer

- Museo Maya de Cancún p. 82
- Parque Urbano Kabah p. 80
- Xoximilco Cancún p. 84
- Playa Delfines p. 82
- Museo Subacuático de Arte p. 83
- Interactive Aquarium Cancún p. 82
- Parque Las Palapas p. 79
- Les croisières du Captain Hook Cancun p. 84
- Zona Arqueológica El Rey p. 83
- Can Cook in Cancún p. 80

Les bonnes adresses

Restaurants
- Emara Antojitos Yucatecos p. 93
- Julia Mía p. 94
- Pescaditos p. 93
- Pik nik p. 93
- Du Mexique p. 94
- Río Nizuc p. 95
- La Habichuela Sunset p. 94, 95

Sorties
- Plaza de Toros p. 80
- Mandala p. 97
- Coco Bongo p. 97

Achats
- Mercado 23
- La Isla Shopping Village p. 98

Le centre-ville

Voir carte p. 87.

Bien avant de devenir la grande station balnéaire qu'elle est aujourd'hui, le site de Cancún fut occupé par les Mayas dès le début de notre ère. La ville de Cancún comme telle a été construite dans les années 1970. Récente et plutôt fonctionnelle, elle possède toutefois un charme bien à elle, et il est agréable de s'y balader, surtout autour du **Parque Las Palapas** ★ ★, le cœur battant de la ville. La grande place s'anime régulièrement (particulièrement les dimanches soir) grâce aux concerts en plein air et aux familles venues s'y rencontrer, danser, flâner et manger. L'endroit est d'ailleurs entouré, d'une part, d'une rangée de petits comptoirs de restauration (*cocina pibil, tacos, tortas*) dotés de tables protégées par des parasols, et d'autre part, de kiosques ambulants colorés proposant également des gourmandises sucrées ou salées à se mettre sous la dent. L'ambiance y est des plus agréables! Les familles apprécieront l'aire de jeux et les petits manèges tels que le carrousel.

Lors de notre passage, le centre-ville subissait d'importants travaux visant à piétonniser un tronçon de l'Avenida Tulum et à réaménager d'autres portions de rues afin de rendre les déplacements à pied plus conviviaux.

Cancún - Attraits touristiques et plages - Le centre-ville

Le centre-ville abrite également un planétarium, le **Ka'Yok' Planetario de Cancún** ★ *(50 pesos; projections sous dôme mar-ven à 17h et 18h et sam-dim 12h à 18h; Av. Palenque, angle Av. Yaxchilán, www. ventanaaluniverso.org)*, qui compte une salle de projection sous un dôme, un observatoire des plus modernes et un musée de l'eau. Tout est présenté seulement en espagnol, mais la visite demeure intéressante même pour ceux qui ne connaissent pas la langue.

La grande arène de Cancún, la **Plaza de Toros** ★ *(Av. Bonampak, angle Av. Sayil, Manzana 1, 998-884-8372 ou 998-884-8248)*, présente aujourd'hui plus de spectacles et d'événements sportifs que de corridas. Entouré de restos-bars où se produisent des musiciens, l'endroit est particulièrement animé le soir (voir p. 96).

Le verdoyant et rafraîchissant **Parque Urbano Kabah** ★ ★ *(entrée libre; tlj; Av. Yaxchilán entre Av. Kabah et Av. Nichupté)*, une aire naturelle protégée d'environ 40 ha, abrite entre autres des coatis et des tortues. De larges sentiers bien aménagés permettent d'admirer une flore variée et colorée. On y retrouve un étang, une aire de jeux et un *campamento chiclero*, réplique du camp traditionnel que les Mayas dressaient durant la période de récolte du latex (*chiclé*).

Can Cook in Cancún ★ ★ *(115$; 998-874-1175 ou 998-147-4827, http://cancookincancun.com)* est une sympathique école de cuisine établie dans la maison même de la chef Claudia Garcia Ramos. Elle propose des cours de cuisine mexicaine de plusieurs régions du pays. Le cours débute par un petit déjeuner suivi d'une introduction à la culture culinaire mexicaine, de la préparation de quelques plats et de la dégustation accompagnée de boissons mexicaines. On y vend aussi des épices, des ustensiles et de l'artisanat.

Mais pour la majorité des touristes, les attraits principaux de Cancún demeurent, encore et toujours, la longue plage qui borde la mer des Caraïbes et les complexes hôteliers de luxe.

La zone hôtelière

Derrière le faste de la zone hôtelière se cachent plusieurs vestiges des anciens Mayas de Cancún, des terrains de golf, de bons restaurants, des bars et de grands centres commerciaux. La zone forme un 7 où sont placés en enfilade tous les hôtels et bâtiments. Si vous décidez d'explorer les plages de cette zone, sachez que la partie nord de ce 7 est plus à l'abri du vent que la partie sud. Si vous décidez de faire le tour de la *zona hotelera* à pied, munissez-vous de pièces de monnaie pour pouvoir prendre l'autobus à tout moment, car les distances sont appréciables. Vous pouvez aussi entrer et vous reposer dans les bars et les restaurants des hôtels que vous croiserez.

Playa Las Perlas *(Boulevard Kukulcán, Km 2,5)* est la plage située la plus près du centre-ville de Cancún; elle se trouve à l'extrémité nord-ouest de la *zona hotelera*. Comme ses voisines, elle est à l'abri du vent, mais ses eaux sont moins transparentes que celles des plages situées plus à l'est.

Playa Linda *(Boulevard Kukulcán, Km 4)* se trouve à la jonction de la *zona hotelera* et du centre-ville de Cancún, là où le pont Nichupté relie la chaîne de plages à la «terre ferme». L'*embarcadero* de Playa Linda abrite plusieurs bateaux d'excursion ainsi que des navettes pour l'Isla Mujeres.

Le complexe **El Embarcadero** est dominé par la **Torre Escénica de Cancún** *(15$; El Embarcadero, Boulevard Kukulcán, Km 4,2)*, une tour haute de 80 m qui offre une vue panoramique à couper le souffle.

L'une des plus jolies plages de Cancún, **Playa Langosta** ★ ★, au Km 5, est formée d'un petit espace rocailleux qui devient bien vite une belle bande de sable blanc. C'est peu profond et idéal pour les familles. L'endroit est animé et l'on retrouve tous les services à proximité.

De nombreux bateaux mouillent à la marina de **Playa Tortugas**. Certains font régulièrement la navette entre cette plage et l'Isla Mujeres. Playa Tortugas offre un beau point de vue sur la Bahía de Mujeres.

Les **Ruinas Pok-Ta-Pok** *(Boulevard Kukulcán entre le Km 6 et le Km 7)* sont

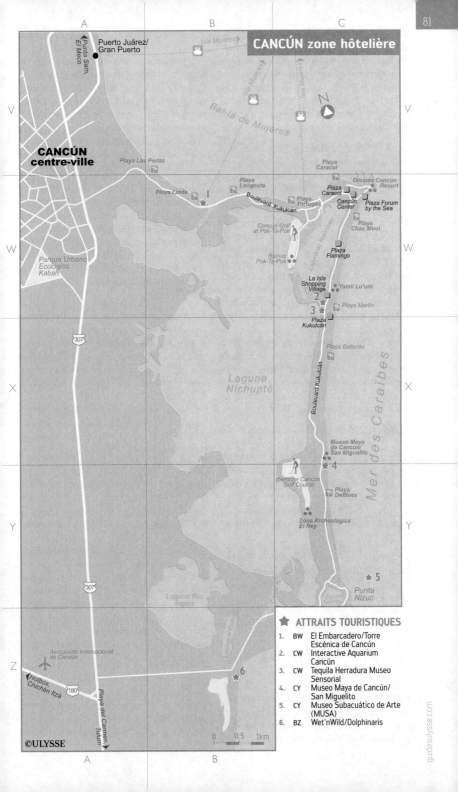

CANCÚN zone hôtelière

CANCÚN centre-ville

Puerto Juárez/
Gran Puerto

Punta Sam.
El Meco

Isla Mujeres

Bahía de Mujeres

Playa Las Perlas

Playa
Langosta

Playa Linda

Boulevard Kukulcán

Playa
Caracol

Dreams Cancún
Resort

Plaza
Caracol

Playa
Tortugas

Cancún
Center

Plaza Forum
by the Sea

Playa
Chac Mool

Cancun Golf
at Pok-Ta-Pok

Plaza
Flamingo

Ruinas
Pok-Ta-Pok

La Isla
Shopping
Village

Yamil Lu'um

Playa Marlin

Plaza
Kukulcán

Parque Urbano
Ecológico
Kabah

Laguna
Nichupté

Playa Ballenas

Boulevard Kukulcán

Mer des Caraïbes

Museo Maya
de Cancún/
San Miguelito

Iberostar Cancún
Golf Course

Playa
Delfines

Zona Archeológica
El Rey

Laguna Río
Inglés

Punta
Nizuc

Aeropuerto Internacional
de Cancún

Holbox
Chichén Itzá

Playa del Carmen
Tulum

©ULYSSE

0   0.5   1km

⭐ ATTRAITS TOURISTIQUES

1. **BW** El Embarcadero/Torre
   Escénica de Cancún
2. **CW** Interactive Aquarium
   Cancún
3. **CW** Tequila Herradura Museo
   Sensorial
4. **CY** Museo Maya de Cancún/
   San Miguelito
5. **CY** Museo Subacuático de Arte
   (MUSA)
6. **BZ** Wet'n Wild/Dolphinaris

guidesulysse.com

deux petites structures mayas intégrées au parcours du **Cancún Golf Club at Pok-Ta-Pok** (voir p. 84). Pour voir les vestiges, vous devez soit jouer une partie de golf, soit tenter d'obtenir la permission d'entrer pour les observer. Vous devrez marcher pendant environ 15 min vers le sud pour atteindre les ruines qui se trouvent près de la lagune.

Sur le terrain du **Dreams Cancún Resort & Spa** *(Boulevard Kukulcán, Km 8,5; voir p. 90)* s'alignent une série de petites structures mayas qui étaient probablement d'usage religieux.

Sur Punta Cancún, vous verrez le **Cancún Center** (aussi appelé Centro de Convenciones) *(Boulevard Kukulcán, Km 9, 800-881-0400)*, un immeuble moderne où ont lieu de nombreux événements culturels et rassemblements de toutes sortes. Il est entouré de plusieurs restaurants, de guichets automatiques, de boutiques et d'entreprises de services. Située près du centre de congrès, **Playa Caracol** forme le coude de la zone hôtelière. Près des plus luxueux hôtels, cette plage tranquille, la préférée des visiteurs plus âgés de Cancún, contourne doucement l'hôtel Camino Real et Punta Cancún pour rejoindre Playa Chac Mool.

Playa Chac Mool *(Boulevard Kukulcán, Km 9,5)* se trouve tout près de l'activité commerciale de la zone hôtelière. On y accède par un passage étroit entre deux grands complexes hôteliers. Les restaurants et les différentes entreprises de services ont contribué à la populariser auprès des habitants de la ville qui y viennent encore nombreux en famille la fin de semaine.

Le temple de **Yamil Lu'um** *(Boulevard Kukulcán, Km 12, entre les hôtels Westin Lagunamar et Park Royal, en face du centre commercial La Isla)*, accessible par la plage, date probablement du XIIIe ou XIVe siècle. Il s'agissait sans doute d'un poste d'observation.

L'**Interactive Aquarium Cancún** ★ ★ ★ *(10$; tlj 10h à 18h; La Isla Shopping Mall, Boulevard Kukulcán, Km 12,5, 998-883-0411, www.aquariumcancun.com.mx)* tient davantage du centre d'interprétation que du simple aquarium. Il rassemble sous un même toit les activités les plus appré-

ciées des familles à Cancún, soit un aquarium exotique avec des bassins tactiles où l'on peut observer des centaines d'espèces marines et même toucher des raies et des étoiles de mer, jouer avec les dauphins *(88$)* ou les otaries *(65$)*, ou encore observer des requins *(30$)*. Le prix d'entrée permet de faire des allées et venues toute la journée et d'assister au spectacle son et lumière *(tlj à 18h)* mettant en vedette les dauphins et leurs prouesses.

Vous apprendrez tout sur les méthodes de production, modernes et traditionnelles, de la tequila, et pourrez aussi en déguster, au **Tequila Herradura Museo Sensorial** ★ *(5$ visite libre, à compter de 20$ visite guidée et dégustation; lun-sam 14h à 20h30, dim 14h à 17h30; à l'intérieur du magasin La Europea, Boulevard Kukulcán, Km 12,5, 998-176-8204)*.

En continuant vos pérégrinations vers le sud, vous pourrez apercevoir le magnifique **Museo Maya de Cancún** ★ ★ ★ *(59 pesos incluant l'accès à la zone archéologique de San Miguelito; mar-dim 9h à 18h, fermeture de la billetterie à 16h; Boulevard Kukulcán, Km 16,5, www.inah.gob.mx)*, installé à même les vestiges de **San Miguelito**, qui comporte quelques structures sur un terrain de plus de 80 ha (accessible par un sentier balisé).

Les deux principales salles du musée présentent de superbes artéfacts mayas, dont d'impressionnants encensoirs et des masques de jade, provenant du Quintana Roo et des États limitrophes (Yucatán, Tabasco et Campeche), où vivait également le peuple maya. Des expositions temporaires portant aussi sur l'archéologie sont présentées. Puisque le musée est récent et que tous les panneaux n'ont pas encore été traduits, nous vous conseillons de faire la visite avec un guide (en français ou en anglais, selon les disponibilités), histoire de mieux saisir les subtilités de la fascinante culture maya.

Playa Delfines ★ ★ ★, une très belle plage située entre le Km 18 et le Km 20, est l'une des plus grandes de la zone. On y trouve un grand stationnement avec un belvédère, quelques *palapas* et des toilettes. Les vacanciers qu'on y rencontre sont surtout les clients des grands hôtels des environs.

Juste de l'autre côté du Boulevard Kukulcán, en face de Playa Delfines, s'étend la **Zona Arqueológica El Rey** ★ ★ *(43 pesos; tlj 8h à 17h; Boulevard Kukulcán, Km 17, 998-883-2080)*, le plus important site maya de Cancún. Habité depuis 300 ans avant J.-C., le site est principalement composé de deux grandes *plazas* entourées de palais, de temples, de pyramides et d'autres structures qui datent de 1300 à 1400 de notre ère. L'endroit a été mis en valeur au milieu des années 1970, mais certains archéologues l'avaient déjà visité au XIXe siècle. Autre attraction du site, de nombreux iguanes, parfois très gros, se promènent à travers les vieilles pierres, au plus grand bonheur des enfants. Ces reptiles sont tout à fait inoffensifs.

La zone hôtelière longe la grande **Laguna Nichupté**, fortement appréciée pour le ski nautique ou la voile. De nombreuses entreprises de location de bateaux et agences de tours organisés y font des affaires d'or. De plus en plus d'hôtels donnent sur la lagune.

À l'extrémité sud de la zone hôtelière, près du Club Med, se trouve **Punta Nizuc**, un site recherché pour ses récifs coralliens, moins impressionnants qu'à Cozumel ou Puerto Morelos, mais tout de même intéressants pour les amateurs de plongée-tuba. Attention cependant, la circulation des embarcations motorisées est très dense par endroits. Mais son paysage de mangrove lui donne encore une allure de jungle!

C'est à Punta Nizuc que se trouve l'une des expositions sous-marines du **Museo Subacuático de Arte (MUSA)** ★ ★ ★ *(www.musacancun.com)*. Il s'agit de statues de personnages locaux ou d'archétypes du Mexicain moderne, en taille réelle, réalisées par l'artiste Jason deCaires Taylor. Les premières sculptures de ce projet toujours en cours ont été installées en 2009. On en retrouve aussi au récif de Manchones entre l'Isla Mujeres et Cancún (voir p. 108). Parmi les œuvres de Punta Nizuc, notons **La Jardinera de la Esperanza** *(La jardinière de l'espoir)*, **Herencia** *(Héritage)* et **Inercia** *(Inertie)*.

En plus de créer un attrait culturel original, le MUSA a pour vocation de protéger l'écosystème marin de Cancún. Il attire les plongeurs à l'écart des sites naturels, de plus en plus fragilisés par une surfréquentation, où les œuvres elles-mêmes sont vouées à se transformer avec le temps en hôtes pour les coraux et la faune marine. De quoi recréer un écosystème avec une œuvre splendide! Vous pourrez accéder au site en prenant part à une sortie de plongée sous-marine ou de plongée-tuba, entre autres avec l'entreprise **Aquaworld** (voir p. 86).

Wet'nWild ★ *(49$, location de casier 4$ et dépôt de 10$, location de chambre à air 4$; il faut mesurer 1,07 m ou plus pour accéder à la plupart des toboggans; Boulevard Kukulcán, Km 25, 998-193-2000, www.wetnwildcancun.com)* est un parc aquatique classique comptant une piscine à vagues, des toboggans et des jeux d'eau pour les petits. À côté se trouve le **Dolphinaris** *(à compter de 95$ incluant l'entrée au parc aquatique Wet'nWild, www.dolphinaris.com)*, qui propose la gamme habituelle d'activités interactives avec les dauphins.

Excursions aux alentours de Cancún

El Meco ★ ★

La zone archéologique d'El Meco *(43 pesos, visites libres)* est située entre Puerto Juárez et Punta Sam, du côté est de la route 307, au nord de Cancún. Construite entre 1200 et 1500 apr. J.-C., cette grande ville, probablement un village de pêcheurs à l'origine, se compose du temple principal, El Castillo, et de près d'une quinzaine de différents bâtiments en pierre et de sculptures diverses, entre autres des têtes de serpent. La pyramide principale est la plus haute structure de la région. El Meco était un repère important pour les navigateurs mayas et le point de départ des traversées vers l'Isla Mujeres.

Vers l'Isla Contoy

Il est possible de visiter le parc national d'Isla Contoy au départ de Cancún. Pour plus d'information sur ce parc, voir le chapitre «Isla Mujeres, Isla Contoy et Isla Holbox», p. 108.

Activités de plein air

➤ Baignade avec les dauphins

Au départ de la zone hôtelière, l'entreprise **Dolphin Discovery** (voir p. 109) propose des excursions vers le Parque Natural Garrafón de l'Isla Mujeres pour la baignade avec les dauphins.

Le **Dolphinaris** (voir p. 83) offre des rencontres interactives avec des dauphins en piscine.

L'**Interactive Aquarium Cancún** (voir p. 82) offre aussi la possibilité de nager avec les dauphins et les otaries, d'observer de près des requins et de toucher des raies!

➤ Croisières

Comme Cancún est une importante station balnéaire, l'une des choses les plus agréables qu'on puisse y faire est une excursion en bateau. La majorité des bateaux d'excursion se dirigent vers l'Isla Mujeres, située un peu plus au nord. Ces croisières sont la plupart du temps accompagnées de musique, de danse, de jeux et d'un repas bien arrosé. Tous les bateaux n'accostent pas à l'Isla Mujeres, certains se contentent d'en faire le tour. Il est important de se le faire confirmer avant d'embarquer. Les quelques entreprises suivantes proposent différents types d'excursions.

Les superbes bateaux de pirates de l'entreprise **Captain Hook Cancun** *(100$; départ de Puerto Juárez à 19h, retour à 22h30; www.capitanhook.com)* voguent tous les soirs entre Cancún et l'Isla Mujeres. Cette croisière thématique comprend le repas, l'alcool à volonté, l'animation et même la reconstitution d'une bataille de pirates entre les deux navires de l'entreprise!

Pour une croisière romantique au soleil couchant ou au clair de lune, montez à bord du grand voilier ***Columbus*** *(99$, réservée aux 14 ans et plus; tlj, durée 2h30; départ de la Marina Aquatours, Boulevard Kukulcán, Km 6,5, 998-849-4748, www. thelobsterdinner.com)*, une réplique d'un bateau espagnol. Cette croisière sur la lagune de Nichupté comprend un repas de homard et un romantique concert de jazz.

L'entreprise Albatros *(à compter de 69$; 998-848-7972, www.albatrossailaway.com)* propose des excursions vers l'Isla Mujeres qui incluent entre autres la traversée en catamaran, l'alcool à volonté, la plongée-tuba au site d'El Farito, la visite de la ville d'Isla Mujeres, l'accès à un club de plage et le *spinnaker* (parachute ascensionnel tiré par le bateau).

Pour expérimenter une *fiesta* mexicaine traditionnelle dans toute sa splendeur, optez pour la croisière **Xoximilco Cancún** *(98$ transport, repas et alcool à volonté inclus; au sud de Cancún sur la route 307, à 5 min de l'aéroport, www.xoximilco.com)*. Il s'agit d'un hommage des plus réussis au village de Xochimilco, situé dans le district de México, dont les fameux canaux et jardins flottants sur lesquels naviguent les *trajineras*, ces embarcations traditionnelles où les musiciens et les plaisanciers prennent place, font partie du patrimoine mondial de l'UNESCO.

S'adressant davantage à une clientèle adulte prête à faire la fête (même si les enfants de 8 ans et plus sont admis), Xoximilco propose une croisière au clair de lune sur des canaux ponctués de *trajineras* décorées à l'effigie des différents États mexicains. Au fil de la croisière, les *trajineras* croisent d'autres embarcations sur lesquelles jouent des musiciens traditionnels (*mariachis, rancheros, norteños, tovadores...*). Les eaux fruitées, les amuse-gueules et les délicieux repas s'avèrent une véritable incursion dans la gastronomie traditionnelle.

Tout au long de la croisière animée par un guide (en anglais ou en espagnol), des jeux incitants à lever le coude sont proposés et la tequila coule à flots! Un moment est aussi réservé pour se délier les jambes et danser au rythme de la musique.

➤ Golf

Le site Internet de langue anglaise *www. golfcancun.com* répertorie les terrains de golf de Cancún à Tulum avec moult détails sur les parcours et les tarifs réduits.

Internationalement reconnu, le **Cancún Golf Club at Pok-Ta-Pok** *(160$; Boulevard Kukulcán, Km 7,5, 998-883-1277 ou 998-883-1230, www.cancungolfclub.com)* côtoie les ruines d'un temple maya sur la lagune de Nichupté. En plus du parcours (18 trous) comme tel, il y a un terrain d'exercice, un vert de pratique et un restaurant. On peut y suivre des leçons de golf et louer tout le matériel requis. Il est nécessaire de réserver au moins une journée à l'avance.

Sur les rives de la lagune de Nichupté, l'**Iberostar Cancún Golf Course** *(200$; Boulevard Kukulcán, Km 17, 998-881-8000, www.iberostar.com)* offre un beau parcours dans un cadre paisible. Évitez toutefois d'y jouer après une averse importante.

L'aménagement du **Playa Mujeres Golf Club** *(260$; Av. Bonampak S/N, Punta Sam, au nord de Cancún, 998-887-7322, www. playamujeresgolf.com.mx)* est un modèle de préservation de la nature. Les paysages, majestueux et contrastés, comprennent forêt tropicale, plage et lagune. Les services sont de très haute qualité.

Situé à 10 min de l'aéroport, le **Moon Palace Golf & Spa Resort** *(289$; route 307, à 20 km au sud de Cancún, 877-325-1532, www.moonpalacecancun.com)*, dont la conception relève de Jack Nicklaus, compte 18 trous. Son décor grandiose est composé d'une forêt tropicale et de plans d'eau.

› Réacteur dorsal aquatique (jet pack) et planche volante (flyboard)

Taillée sur mesure pour les visiteurs qui carburent à l'adrénaline, l'expérience que propose l'entreprise **Jetpack Adventures MX** *(à compter de 119$/20 min; tlj 10h à 17h; Centro Comercial La Isla, Boulevard Kukulcán, Km 12,5, 998-231-5324, www. jetpackadventures.mx)* fait littéralement voler les participants en les propulsant à l'aide de deux puissants jets d'eau.

› Observation des fonds marins

Le ***SubSee Explorer*** *(40$; AquaWorld, Boulevard Kukulcán, Km 15,3, 998-848-8327, www.aquaworld.com.mx)* est un sous-marin aux nombreuses fenêtres et au plancher vitré qui permet d'observer sans se mouiller cinq sculptures du **MUSA** (voir p. 83), les fonds marins et les poissons qui nagent autour des coraux de Punta Nizuc.

Cette activité convient à toute la famille et peut être jumelée à une sortie de plongée-tuba. Un départ par heure entre 9h et 15h.

› Parachute ascensionnel

Installée à Playa Tortugas, l'entreprise **Parasail Adventure Cancun** *(60$; Boulevard Kukulcán, Km 6,5, 998-849-4995, www.parasailcenter.com)* propose des vols en solo ou en duo de parachute ascensionnel tiré par un bateau.

› Pêche

Les eaux qui entourent Cancún grouillent de centaines d'espèces de poissons. Une excursion de pêche sportive en haute mer peut coûter environ 350$ pour 4h (location privée). Les entreprises **Fishing Tours Cancun** *(998-848-3257 ou 866-273-5347, www.fishingtourscancun.com)*, **Cancun Adventure** *(998-849-49111 ou 866-387-6678, www.cancunadventure.net)* et **Cancun Kianah's Sportfishing** *(417-576-6155 ou 888-825-2644, www.deepseafishingcancun.com)* organisent différentes excursions sur des bateaux en location privée ou partagées.

› Sports nautiques

Cancún est l'une des villes les mieux équipées du monde pour la pratique des sports nautiques. Tout gravite autour de l'eau, et la majorité des grands établissements de la zone hôtelière disposent de tout ce qu'il faut pour la plongée-tuba et la plongée sous-marine. De plus, il existe un grand nombre d'entreprises spécialisées dans la location d'équipement, et des marinas proposent tous les services, comme ceux qu'on retrouve sur la Laguna Nichupté.

Il est possible de suivre des cours d'initiation à la plongée, mais vérifiez bien les qualifications de votre moniteur.

AquaWorld et AquaFun (voir plus loin) louent le matériel nécessaire à la plongée, à la voile, au motonautisme, au ski nautique et même parfois à la pêche sportive. Elles organisent aussi différents types d'excursions. Notez que la mangrove a été durement touchée par l'ouragan *Wilma*. Même si elle est doucement en train de se refaire une beauté, il se peut que certaines excursions n'offrent pas autant de splendeur que ce qu'on voudra bien vous faire croire.

La marina d'**AquaWorld** *(Boulevard Kukulcán, Km 15,3, 998-848-8327 ou 877-730-4054, www.aquaworld.com.mx)* est l'une des plus importantes de la région. Si vous prenez part à la sortie organisée de plongée-tuba «Paradise Snorkel», on vous emmènera entre autres admirer le musée sous-marin **MUSA** (voir p. 83).

AquaFun *(Boulevard Kukulcán, Km 16,2, 998-885-2930, www.aquafun.com.mx)* offre deux types d'excursions nautiques guidées: l'exploration de la mangrove avec plongée-tuba dans les coraux ou un tour d'observation de la lagune de Nichupté. Toutes deux se font à bord de petites embarcations à moteur hors-bord.

> **Vélo**

Cancún s'est offert une piste cyclable (et pédestre) le long de la zone hôtelière qui ne cesse de s'agrandir. Cette piste est partiellement protégée du soleil par quelques arbres, mais il reste que la meilleure période pour la parcourir demeure le matin très tôt ou en fin d'après-midi. Le soir, la piste n'est pas éclairée. Attention aux voitures qui entrent dans les multiples entrées le long de la piste cyclable et qui en ressortent.

Hébergement

La ville de Cancún est reliée à la zone hôtelière par un petit pont qui se trouve aux environs de Playa Linda. Quand on parle de Cancún, il faut donc distinguer la ville comme telle, sur le continent, d'avec la *zona hotelera*, un long ruban de sable d'une vingtaine de kilomètres, en forme de 7, qui borde la Laguna Nichupté. À partir du point le plus éloigné de la série d'hôtels, le trajet en autobus pour aller en ville peut prendre jusqu'à 45 min.

Cancún recèle des hôtels très luxueux, certains parmi les plus beaux du monde. En général, ceux qui se trouvent dans la ville sont meilleur marché que ceux de la zone hôtelière, pour une qualité égale, mais sans vue ni accès direct à la mer, il va sans dire. Certains hôtels du centre-ville offrant gratuitement le transport jusqu'à la plage à leurs clients, cette option peut être intéressante. Et n'hésitez pas à demander à voir les chambres avant d'arrêter votre choix.

La zone hôtelière tente, quant à elle, de se suffire à elle-même en recréant une espèce de ville un peu artificielle, avec ses bars, ses restaurants et ses centres commerciaux. Puisque la plupart des hôtels fonctionnent selon la formule «tout compris», les vacanciers qui le souhaitent peuvent même ne jamais mettre les pieds en dehors de la limite de leur hôtel!

En famille dans un tout-compris?

Bien qu'elle courtise une clientèle familiale et semble être taillée sur mesure pour plaire aux enfants (clubs, jeux et gardiennage), la formule «tout compris» ne représente pas nécessairement la meilleure option pour un hébergement en famille à Cancún. D'abord, certains complexes, grands et étourdissants, exigeront beaucoup de temps en simples déplacements sur le site. Puis, les unités comportant des chambres fermées ou des cuisinettes se limitent souvent à deux suites de luxe jointes ensemble et louées à un coût prohibitif. Notez aussi que l'accès aux buffets et aux restaurants est limité dans le temps et qu'un hôtel richement décoré n'est pas garant d'hygiène ou de fraîcheur! Un autre détail à ne pas négliger: l'alcool est inclus, omniprésent, à volonté et disponible 24h sur 24. Les chambres étant généralement insuffisamment insonorisées, vous constaterez bien vite que l'horaire de sommeil des enfants, et le vôtre incidemment, sera bousculé par de joyeux fêtards. Pourtant, parmi ce type d'établissement, certains se démarquent (voir p. 90) en permettant aux familles de réellement profiter de leurs vacances à la mer.

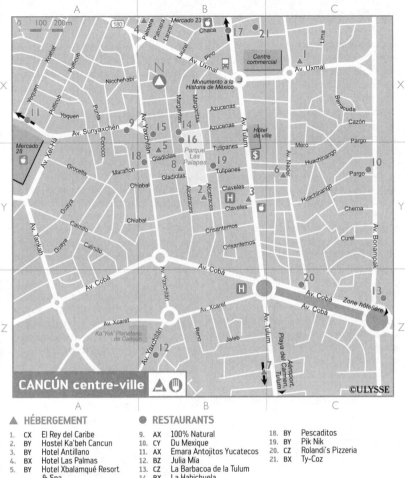

©ULYSSE

▲ HÉBERGEMENT

1.	CX	El Rey del Caribe
2.	BY	Hostel Ka'beh Cancun
3.	BY	Hotel Antillano
4.	BX	Hotel Las Palmas
5.	BY	Hotel Xbalamqué Resort & Spa
6.	CY	Hotel y Suites Nader
7.	BZ	La Quinta Inn & Suite
8.	BY	Mallorca Hotel & Suites

● RESTAURANTS

9.	AX	100% Natural	18.	BY	Pescaditos
10.	CY	Du Mexique	19.	BY	Pik Nik
11.	AX	Emara Antojitos Yucatecos	20.	CZ	Rolandi's Pizzeria
12.	BZ	Julia Mía	21.	BX	Ty-Coz
13.	CZ	La Barbacoa de la Tulum			
14.	BX	La Habichuela			
15.	BX	La Parilla			
16.	BX	Labná			
17.	BX	Los Almendros			

Le centre-ville

Hostel Ka'beh Cancun $ ☙
Alcatraces n° 45, SM 22, Manzana 10, Lote 26, Retorno 5

Voilà une auberge de jeunesse bien sympathique (même si un peu bordélique), où la vie en communauté prend tout son sens festif. Dans la cuisine commune, les résidents concoctent leur propre petit déjeuner, café ou thé (eau purifiée également incluse). L'auberge compte 20 lits en dortoirs et deux chambres privées. La cour intérieure est invitante et flanquée d'une table de pique-nique et de plusieurs hamacs. Avec le Wi-Fi gratuit, l'ordinateur à disposition de la clientèle de l'auberge, la bibliothèque d'échange bien fournie, le bac de vêtements et d'objets à donner, les soirées thématiques et l'absence d'heure fixe de départ, il n'est pas étonnant que certains y restent longtemps!

Hotel Las Palmas $ ☙
Calle Palmera 43, 998-884-2513, http://laspalmashotel.mex.tl

Bon choix pour les voyageurs à petit budget à la recherche d'un coin tranquille, l'Hotel Las Palmas propose des chambres privées bien équipées (air conditionné, téléviseur, accès Internet sans fil) et des dortoirs *(10$/pers.)* avec salle de bain. Une cuisine commune et une petite cour intérieure sont à la disposition des clients. Certaines chambres sont plus lumineuses que d'autres.

Hotel y Suites Nader $-$$
Av. Nader n° 5, 998-884-1584,
www.suitesnadercancun.com

Situé dans un secteur tranquille à quelques
rues au nord du Parque Las Palapas, cet établissement idéal pour les familles compte
trois chambres et huit suites qui, sans être de
grand luxe, sont impeccables, très spacieuses
et dotées d'une cuisine complète, d'un salon,
d'un téléviseur, d'une connexion Wi-Fi et de
l'air conditionné. Le restaurant voisin, le Cafe
Nader, est un bon choix notamment pour
les petits déjeuners. L'accueil est des plus
aimables ici.

El Rey del Caribe $$ &
Av. Uxmal n° 24 (angle av. Nader), SM 2A,
998-884-2028, http://elreydelcaribe.com

Voilà un petit bijou d'hôtel, parfait pour ceux
qui souhaitent passer une nuit paisible dans
la ville de Cancún. Accueillant les familles
(espace de jeu avec maisonnette), il offre
une atmosphère chaleureuse et relaxante,
sans doute parce que les propriétaires vivent
sur place et offrent de nombreux conseils
aux visiteurs. Autour de la petite piscine,
des hamacs permettent de se détendre dans
le jardin tropical. La plupart des chambres
disposent d'un petit coin cuisine, d'air conditionné et de deux lits doubles. Les efforts
en matière d'écologie sont particulièrement
remarquables (chauffe-eau solaire, recy-
clage des déchets, etc.). Un petit spa offre
des soins bios à des prix abordables. Accès
gratuit à un poste Internet.

Hotel Antillano $$ &
Av. Tulum, angle Claveles, SM 22, 998-884-1132,
www.hotelantillano.com

L'un des plus anciens hôtels du centre-ville,
l'Antillano propose des chambres jolies et
confortables. Celles qui donnent sur la piscine sont plus tranquilles. Cet hôtel bien
tenu comporte un bar, une boutique, un
stationnement et un salon Internet.

Hotel Xbalamqué Resort & Spa $$ &
Av. Yaxchilán n° 31, SM 22, Manzana 18,
998-193-2720, www.xbalamque.com

À deux pas du Parque Las Palapas, cet
hôtel a su créer un univers particulièrement
dépaysant, entièrement inspiré de la tradition maya. Si la mise en scène plutôt kitsch
flirte parfois avec l'excès, l'ensemble reste
très agréable. Le hall débouche sur une petite

piscine et un restaurant (où l'attente est souvent longue). Les chambres sont simples.
Celles qui donnent sur l'extérieur sont
assez bruyantes. Demandez à voir quelques
chambres avant de faire votre choix, certaines étant plus lumineuses que d'autres.
L'hôtel abrite également un théâtre où sont
entre autres présentées des comédies.

La Quinta Inn & Suite $$ &
Av. Tulum, deux rues au nord de l'Avenida
Bonampak, 998-872-9400, www.lq.com

Comptant 137 suites bien équipées, cet établissement inauguré en 2011 offre un des
meilleurs rapports qualité/prix dans la ville
de Cancún. Parmi les nombreux services et
installations, notons l'accès gratuit au réseau
Wi-Fi et à des ordinateurs pourvus d'impri-
mantes, les petits déjeuners en formule buffet
servis dans un agréable salon lumineux, la
piscine et la baignoire à remous dans la cour,
la salle de lavage libre-service, le stationnement et le service de transport gratuit pour
tout déplacement à l'intérieur d'un rayon de
5 km. Service courtois et personnalisé.

Mallorca Hotel & Suites $$$
Calle Gladiolas, angle Calle Alcatraces, en face du
Parque Las Palapas, 998-884-4285,
www.mallorcahotelandsuites.com

Cet hôtel intime, situé dans l'agréable quar-
tier du Parque Las Palapas, se démarque
par la grande qualité de son offre d'hébergement et son accueil personnalisé. Les
chambres et suites impeccables sont toutes
équipées d'un coin cuisine, d'air conditionné
et d'un accès Internet sans fil. Les murs de
pierres et le superbe mobilier fabriqué par
un ébéniste local apportent un cachet certain à cet hôtel aux couleurs chaudes et aux
allures d'hacienda.

La zone hôtelière

Voir carte p. 91

Notre sélection de lieux d'hébergement dans
la zone hôtelière se divise en trois catégories:

- les hôtels en plan européen (votre
  réservation comprend seulement les
  nuitées)

- les hôtels proposant à la fois la formule
  plan européen et la formule «tout compris»

- les hôtels tout-compris

› Hôtels en plan européen

Cancun Resort $$$-$$$$

Boulevard Kukulcán, Km 11,5, 888-774-0040,
http://avalonbaccaracancunresort.com

Seule une trentaine de chambres, décorées avec soin dans un style mexicain champêtre et coloré, composent ce petit hôtel. Situé entre deux complexes hôteliers gigantesques, l'endroit invite au calme et conviendra davantage aux couples qu'aux familles. Attention, il n'y a pas d'ascenseur. En plus de la piscine et des restaurants de l'hôtel, il est possible de profiter de ceux de l'hôtel NYX, à quelques pas de là.

Beachscape Kin Ha Villas & Suites

$$$ chambres/$$$$$ suites

Boulevard Kukulcán, Km 8,5, 998-891-5400,
www.beachscape.com.mx

Établi près de la jolie Playa Caracol, cet hôtel propose des chambres standards et des suites avec cuisinette de une à trois chambres à coucher. Il y a une agence de voyages, un bureau de location de véhicules, une aire de jeux pour les enfants et un service de gardiennage sur place.

Fiesta Americana Grand Coral Beach $$$$$

Boulevard Kukulcán, Km 9,5, 998-881-3200,
www.fiestamericanagrand.com

Le Fiesta Americana Grand Coral Beach est installé près du centre de congrès et du centre commercial Plaza Caracol. Le hall est décoré de grands palmiers et s'ouvre sur la Bahía de Mujeres. Ses quelque 600 suites, réparties dans deux bâtiments de couleur pêche et agréablement décorées, ont vue sur l'océan. L'hôtel compte plusieurs restaurants et bars. Sa grande piscine, très élégante, est entourée de *palapas* et de palmiers. Ses nombreuses boutiques spécialisées et son programme quotidien d'activités assurent à sa clientèle un séjour des plus agréables. Il y a aussi un club pour enfants.

Ritz-Carlton Cancún $$$$$

Boulevard Kukulcán, Retorno del Rey 36,
998-881-0808, www.ritzcarlton.com

Membre de la chaîne luxueuse du même nom, le Ritz-Carlton Cancún est situé non loin de la Plaza Kukulcán. Cet hôtel, légèrement surélevé par rapport au boulevard, présente un hall richement décoré au plancher de marbre. Si dans l'ensemble les chambres sont élégantes, certaines

d'entre elles auraient néanmoins besoin d'être rafraîchies pour maintenir le standard de qualité élevé qui fait la réputation de la chaîne. L'hôtel évoque de façon discrète l'architecture et l'ambiance des riches demeures mexicaines. Le Ritz-Carlton abrite entre autres l'un des meilleurs restaurants de Cancún, le **Club Grill** (voir p. 95), ainsi qu'un restaurant méditerranéen et un «bar à sushis et *ceviches*». Il y a aussi un spa, un salon de beauté, trois terrains de tennis et plusieurs boutiques.

› Hôtels en plan européen et tout-compris

Krystal Cancún $$$$$

Boulevard Kukulcán, Km 9, 998-848-9800,
www.krystal-hotels.com

Populaire auprès d'une clientèle jeune et festive, le Krystal Cancún a été partiellement retapé, et les chambres rénovées, face à la mer, offrent une jolie vue depuis leurs tout nouveaux balcons. Les autres, qui donnent sur la lagune, n'ont pas de balcon et auraient bien besoin d'une cure de rajeunissement! Le hall dispose d'un bar avec tables de billard. Trois restaurants et des bars entourent la piscine. Sans être particulièrement axé sur les familles, l'hôtel offre un programme d'activités pour enfants.

› Hôtels tout-compris

Paradisus Cancún $$$$-$$$$$
Boulevard Kukulcán, Km 16,5, 998-881-1100,
www.melia.com

Premier établissement de la chaîne espagnole Meliá construit au Mexique, ce grand hôtel de verre et de béton compte près de 700 chambres réparties dans des bâtiments inspirés des pyramides mayas. Sa grande cour intérieure est littéralement envahie par la végétation. L'hôtel dispose de quatre piscines, dont l'une est réservée aux enfants, et d'un parc aquatique (Splash Park) avec une dizaine de toboggans. Il y a aussi un terrain de tennis, plusieurs restaurants et bars, un spa et un terrain de golf (9 trous).

Beach Palace $$$$$ tc
Boulevard Kukulcán, Km 11,5, 998-891-4110,
www.palaceresorts.com

Ce grand complexe de près de 300 chambres simples et élégantes combine une ambiance haut de gamme soignée et toutes les commodités pour des vacances en famille bien réussies. Le service personnalisé, courtois et efficace fait de ce complexe l'un des plus appréciés à Cancún. Les chambres familiales (deux chambres connexes) ont vue sur la lagune et sont conçues spécialement pour les enfants (jeux, DVD, collations et jus…). Chaque chambre dispose d'une baignoire à remous et d'un balcon. Les restaurants à la carte et le buffet mexicain sauront satisfaire les gourmets. Belles piscines, spectacles de qualité, excellent club pour enfants.

Club Med de Cancún $$$$$ tc
Punta Nizuc, 998-881-8200, www.clubmed.com

Situé en retrait du Boulevard Kukulcán sur Punta Nizuc, à l'extrémité sud de la zone hôtelière, le Club Med propose un concept axé sur les vacances en famille. Les Mini Club Med (4 à 10 ans) et Club Med Passworld (11 à 17 ans) prendront en charge vos enfants pendant que vous profiterez des nombreuses activités offertes. Le village est composé de petits bâtiments de deux ou trois étages décorés avec goût, mais qui mériteraient d'être rafraîchis. On y a aménagé un nouvel espace exclusif, le Jade, qui compte une cinquantaine de suites et chambres au luxe supérieur, un *lounge* et une piscine privée.

Dreams Cancún Resort & Spa $$$$$ tc
Boulevard Kukulcán, Km 8,5, Punta Cancún,
998-848-7000, http://dreamsresorts.com

Cet hôtel est un petit village en soi, établi au meilleur endroit possible: dans le coude de la zone hôtelière, avec vue sur l'océan des deux côtés. Il se trouve aussi tout près de l'activité commerciale et nocturne de la zone hôtelière. Il comprend près de 400 chambres, six restaurants, cinq bars, une piscine bordée de tours de pierre, un lagon artificiel et un terrain de tennis. L'hôtel compte également un bassin dans lequel il est possible de nager avec des dauphins ($). Il y a un *Explorer Club* pour les enfants de 3 à 12 ans. Il existe également des séances de yoga et un spa sur place. La structure d'origine des ruines Ni Ku est intégrée à l'architecture de l'hôtel.

▲ HÉBERGEMENT

1.	CW	Beach Palace
2.	AY	Beachscape Kin Ha Villas & Suites
3.	CZ	Club Med de Cancún
4.	BY	Dreams Cancún Resort & Spa
5.	CX	Fiesta Americana Condesa Cancún
6.	BY	Fiesta Americana Grand Coral Beach
7.	AZ	Gran Caribe Real
8.	AZ	Grand Park Royal Cancún Caribe
9.	CY	Iberostar Cancún
10.	BY	Krystal Cancún
11.	AZ	Le Blanc Spa Resort
12.	CX	Live Aqua
13.	AZ	Mia Cancún Resort
14.	CX	Paradisus Cancún
15.	CX	Ritz-Carlton Cancún
16.	CZ	Royal Solaris Cancún Resort Marina & Spa
17.	CX	Sandos Cancún
18.	AZ	Sunset Royal Beach Resort

● RESTAURANTS

19.	AY	Casa Rolandi
20.	CX	Club Grill
21.	BV	Dolce… Mente Pompei
22.	CX	La Destilería
23.	CX	La Habichuela Sunset
24.	CX	Puerto Madero
25.	CZ	Río Nizuc
26.	CW	Tacun

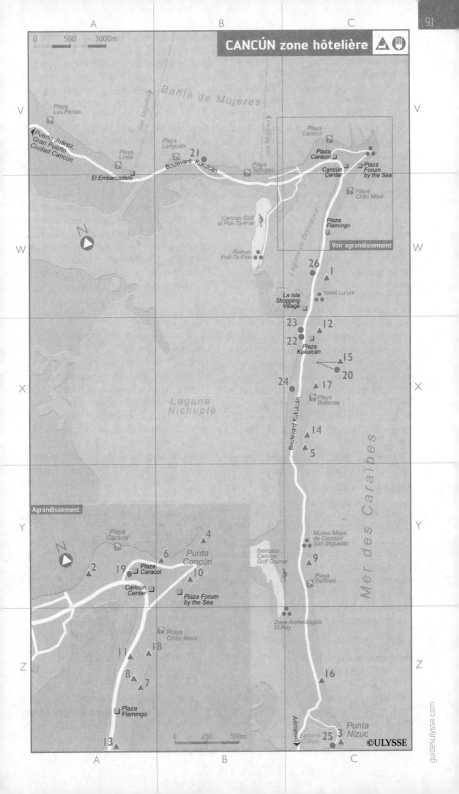

CANCÚN zone hôtelière

Bahía de Mujeres

Playa Las Perlas

Puerto Juárez, Gran Puerto Ciudad Cancún

Playa Linda

El Embarcadero

Playa Langosta

Boulevard Kukulcán

21

Playa Tortugas

Playa Caracol

Plaza Caracol

Cancún Center

Plaza Forum by the Sea

Playa Chac Mool

Cancún Golf at Pok-Ta-Pok

Plaza Flamingo

Ruinas Pok-Ta-Pok

Laguna de Bojórquez

Voir agrandissement

26 1

La Isla Shopping Village

Yamil Lu'um

23 12

22

Plaza Kukulcán

15

24

20

17

Playa Ballenas

Laguna Nichupté

14

5

Boulevard Kukulcán

Mer des Caraïbes

Agrandissement

Playa Caracol

4

Punta Cancún

2

19

Plaza Caracol

6

10

Cancún Center

Plaza Forum by the Sea

Playa Chac Mool

11 18

8 7

Plaza Flamingo

13

Museo Maya de Cancún/ San Miguelito

Iberostar Cancún Golf Course

9

Playa Delfines

Zona Arqueológica El Rey

16

Aeropuerto

Laguna Caleta

25 3

Punta Nizuc

©ULYSSE

0 500 1000m

0 250 500m

Fiesta Americana Condesa Cancún $$$$$ tc
Boulevard Kukulcán, Km 16,5, 998-881-4200,
www.fiestamericana.com

Le Fiesta Americana Condesa Cancún n'est pas sans rappeler une ruche d'abeilles. Ses quelque 500 chambres et suites sont réparties dans deux bâtiments de style *pueblo* (petit village). La vaste piscine forme des arabesques entourées de *palapas*. L'hôtel compte quatre restaurants et deux bars. La belle plage n'est pas très grande, mais il y a beaucoup de place pour s'étendre au soleil. L'hôtel offre un programme d'activités pour les enfants et la possibilité de s'adonner entre autres à des cours de yoga et de langue maya.

Gran Caribe Real $$$$$ tc
Boulevard Kukulcán, Km 11,5, 998-881-7340,
www.realresorts.com

Le Gran Caribe Real est un établissement qui répond bien aux besoins des familles. La plupart des suites sont vastes et la majorité ont une vue au moins partielle sur la mer ou la lagune. Très varié, le programme des activités saura contenter petits et grands, notamment grâce au parc aquatique sur le thème des pirates. Si vous n'êtes pas amateur de buffet, optez pour les restaurants Maria's ou Sunset Grill. L'accès Internet sans fil est gratuit dans tout l'établissement. Le Gran Caribe Real est une valeur sûre pour ceux qui préconisent la formule «tout compris».

Grand Park Royal Cancún Caribe $$$$$
Boulevard Kukulcán, Km 10,5, 998-848-7800,
http://parkroyal.mx

Le Grand Park Royal Cancún Caribe est un hôtel d'environ 300 chambres et suites au design contemporain avec quatre restaurants et plusieurs bars. Sa forme incurvée procure une vue magnifique à partir de plusieurs de ses chambres. L'animation pour adultes et enfants ainsi que le service attentionné sont particulièrement appréciés.

Iberostar Cancún $$$$$ tc
Boulevard Kukulcán, Km 17, 998-881-8000,
www.iberostar.com

De forme pyramidale, l'Iberostar Cancún comprend plus de 400 chambres, deux buffets-restaurants et quatre restaurants à la carte. Chacune des chambres a vue sur l'océan ou la lagune. La clientèle de l'hôtel a aussi accès à l'Iberostar Cancún Golf Course, situé de l'autre côté du boulevard, tout près des ruines d'un temple maya. Avec sa superbe plage et son club pour enfants, cet établissement convient aux familles.

Le Blanc Spa Resort $$$$$ tc
Boulevard Kukulcán, Km 10, 998-881-4740,
www.leblancsparesort.com

Ce complexe hôtelier pour adultes seulement est le nec plus ultra du tout-compris. Les chambres sont vastes et luxueuses, les aires communes apportent partout ce petit plus décoratif, et les restaurants sont chics et de qualité. La cave à vin comblera les attentes de tous les aficionados. Vous y serez dorloté et bénéficierez d'un large éventail d'activités de détente. On y présente en soirée des spectacles de musique.

Live Aqua $$$$$
Boulevard Kukulcán Km 12,5, 998-881-7600,
www.feel-aqua.com

Face au centre commercial La Isla, cet établissement affiche une architecture contemporaine du plus bel effet. Le thème de l'eau se décline dans trois piscines donnant sur la mer, ainsi qu'à l'intérieur de l'édifice, par des jeux de bassins et fontaines. Le personnel est tout particulièrement attentif. La plupart des chambres regardent vers la mer. Les restaurants comme le buffet proposent des repas de grande qualité. Établissement destiné aux adultes.

Royal Solaris Cancún Resort Marina & Spa $$$$$ tc
Boulevard Kukulcán, Km 20,5, 888-204-0127,
www.clubsolaris.com

Apprécié des familles pour son bon rapport qualité/prix, le Royal Solaris Cancún, un grand hôtel un peu vieillot mais au confort honnête, compte de nombreux services et installations. On y trouve entre autres de vastes piscines, trois restaurants et bars, un court de tennis, un terrain de volleyball et un minigolf. Le bâtiment principal et les pavillons mériteraient certainement d'être rafraîchis. Situé devant Playa Delfines, l'une des plus belles plages de Cancún, il se trouve tout près de la **Zona Arqueológica El Rey** (voir p. 83). Un programme quotidien de sports nautiques dans la journée et une discothèque avec orchestre latino-américain le soir en font un endroit très animé. Il y a un programme d'activités pour enfants.

Sandos Cancún $$$$$ tc
Retorno del Rey, Km 14, 998-881-2200, www.sandos.com

Avec ses quelque 200 chambres et suites, le Sandos Cancún mise sur un cachet plus intime que ses voisins et sur la qualité de ses restaurants pour attirer sa clientèle de couples et de familles. La plage y est magnifique et la splendide piscine compte trois bassins qui semblent plonger dans la mer.

Sunset Royal Beach Resort $$$$$ tc
Boulevard Kukulcán, Km 10, 998-881-4500, www.royalsunset.com

Non loin de la Plaza Caracol, dans le coude de la zone hôtelière, niche le Sunset Royal, dont toutes les chambres et suites lumineuses disposent d'une cuisinette et d'un balcon avec vue sur la mer ou la lagune. L'établissement offre une grande variété d'activités et du divertissement pour les clients de tous les âges.

Au nord de Cancún

Excellence Playa Mujeres $$$$$ tc
Prolongación Bonampak, près de Punta Sam, 998-872-8579, www.excellence-resorts.com

Ce luxueux complexe hôtelier situé près de Punta Sam s'adresse à une clientèle adulte en quête de douceur de vivre. Le service y est des plus attentionnés. Les 450 suites sont impeccables, et celles disposant d'une terrasse sur le toit sont très appréciées. Le spa et le terrain de golf sont aussi des atouts pour cet établissement paisible, à l'écart de la fébrile zone hôtelière. Sachez toutefois que l'eau de la mer n'est pas aussi limpide qu'à Cancún même.

Restaurants

Le centre-ville

Voir carte p. 87.

Autour de la Plaza de Toros se trouvent plusieurs restos-bars très animés en soirée (groupes de musique allant du rock aux mariachis). Parmi eux, notons le populaire restaurant ouvert 24 heures sur 24 et spécialisé dans les *tacos* et la *cochinita pibil*, **La Barbacoa de la Tulum** *($)*.

Emara Antojitos Yucatecos $-$$
Av. Xel-Ha, SM 27, à côté de Banamex, 998-884-3904

Populaire auprès des Mexicains et des voyageurs, l'Emara se spécialise dans les *antojitos yucatecos*, de petits plats de la région généralement apprêtés avec du poulet, du porc ou du bœuf. Il s'agit d'un restaurant très bien tenu, convivial et idéal pour casser la croûte à petit prix.

Los Almendros $-$$
Av. Tulum Lote 66, entre Calle Cedro et Calle Chacte, 998-887-1332 ou 998-884-0942, www.restaurantelosalmendros.com.mx

Los Almendros est idéal pour découvrir des spécialités yucatèques comme la *sopa de lima* ou le poulet et le porc cuits dans des feuilles de bananier (*pollo pibil* et *cochinita pibil*). La spécialité de la maison est le *poc chuc*, soit du porc mariné dans du jus d'oranges amères, cuit sur le gril et servi avec des haricots noirs.

Pescaditos $-$$
Av. Yaxchilan nº 69, près du Parque Las Palapas

Petite cantine agrémentée d'une planche de surf en guise de marquise, Pescaditos est réputé pour ses fruits de mer savoureux, toujours frais et à un prix imbattable.

Ty-Coz $-$$
derrière le centre commercial Mexicana, Av. Tulum, SM 2

Le restaurant de la chaîne Ty-Coz prend ici des allures de sympathique petit bistro français. La carte propose de bons sandwichs sur baguette, espressos et cappuccinos. Des affiches européennes tapissent les murs. Le service est sympathique. Excellent rapport qualité/prix.

Pik Nik $-$$
Calle Tulipanes entre Av. Tulum et le Parque Las Palapas, 998-147-7049

En retrait de l'agitation des grandes rues, près du Parque Las Palapas, le restaurant Pik Nik comporte une attrayante terrasse où les convives s'attablent devant de généreux et délicieux plats mexicains. Ne manquez pas les soupes et les plats de poisson entier, cuit et apprêté à la perfection.

100% Natural *$-$$$*

Av. Sunyaxchén n° 62, 998-884-0102, www.100natural.com.mx

Ce restaurant fait partie d'une chaîne que l'on retrouve un peu partout au Mexique, mais la santé, la fraîcheur et le sourire sont à l'ordre du jour au restaurant 100% Natural. On y sert des montagnes de fruits frais, une variété de jus vitaminés à faire rêver et des plats végétariens simples et alléchants, ainsi que des plats mexicains, du poulet et des fruits de mer.

Labná *$$-$$$*

Calle Margaritas n° 29 (voisin de La Habichuela), 998-884-3158, www.labna.com

Le magnifique portail de style puuc du restaurant Labná s'ouvre sur une aventure gastronomique qui s'inspire de la tradition culinaire yucatèque (*cochinita pibil*, *poc chuc*). On y retrouve également des plats mexicains classiques, le tout dans un décor charmant et une ambiance chaleureuse et paisible.

Rolandi's Pizzeria *$$-$$$*

Av. Cobá n° 10, 998-884-4047, http://rolandirestaurants.com

La Rolandi's Pizzeria appartient au même propriétaire que la **Casa Rolandi** (voir p. 95). On y propose surtout de la pizza cuite au four à bois, mais aussi des fruits de mer et des steaks. Toujours populaire, ce restaurant, ouvert depuis 1978, présente un décor coloré, simple et enjoué.

La Parilla *$$-$$$$*

Av. Yaxchilán n° 51, près de l'Avenida Sunyaxchén, 998-287-8119, www.laparrilla.com.mx

On s'attable à La Parilla pour festoyer et goûter les fruits de mer, steaks et spécialités yucatèques, ou pour profiter du buffet *(jeu-dim)* très varié. Cette institution de Cancún, en activité depuis 1975, attire son lot de touristes, mais est aussi très fréquentée par la population locale, ce qui est une preuve de son authenticité en matière de cuisine. C'est également un bon endroit pour découvrir toutes les facettes de la tequila, la boisson nationale, car sa carte en offre un vaste choix. Il vaut mieux réserver en soirée.

Julia Mía *$$$-$$$$*

Av. Yaxchilán entre Av. Bacalar et Av. Xpuhil, 800-849-1343, www.juliamia.com.mx

Dans un cadre élégant et empreint de charme, Julia Mía propose une cuisine mexicaine contemporaine des plus réussies. Les plats, dont plusieurs comme l'*elote* rappellent ceux des kiosques de rue, sont revampés et soigneusement présentés (mention spéciale à la pieuvre sur tortilla bleue et au thon sur lit de fleurs d'hibiscus). Les vendredis soir, des mariachis animent les lieux. Excellent rapport qualité/prix.

La Habichuela *$$$-$$$$*

Calle Margaritas n° 25, en face du parc Las Palapas, 998-884-3158, www.lahabichuela.com

Les habitués disent : « Si vous n'avez pas mangé à La Habichuela, vous n'êtes pas passé par Cancún. » Spécialisée dans la cuisine tropicale des Caraïbes, La Habichuela sert surtout des fruits de mer. Avec une grande murale peinte, une végétation abondante et de nombreuses sculptures mayas, son ambiance est cossue et relaxante. La spécialité de la maison est le *cocobichuela* : des crevettes et de la langouste nappées d'une sauce au cari et servies dans une moitié de noix de coco. Une autre succursale se trouve dans la zone hôtelière (voir p. 95).

Du Mexique *$$$$*

Av. Bonampak 109, angle Calle Pargo, 998-884-5919

Ce tout petit restaurant fait de la grande cuisine. Dans un local au décor contemporain ponctué de toiles abstraites aux couleurs vives, Du Mexique affiche un menu qui change au gré des semaines, des saisons et, surtout, de l'humeur du chef. Ce dernier propose une cuisine française classique apprêtée avec finesse. L'accueil est personnalisé et le service attentif. Il est impératif de réserver quelques jours à l'avance.

La zone hôtelière

Voir carte p. 91.

Río Nizuc $-$$

accès par le Boulevard Kukulcán, Km 22, prendre la sortie à l'ouest du pont Nizuc (Puente Nizuc)

Bien caché près du Puente Nizuc, cet établissement rustique est un secret bien gardé… des touristes. Ouvert depuis plus de 30 ans, il s'agit d'un grand favori auprès de la population locale qui vient en grand nombre la fin de semaine pour savourer le meilleur *pescado a la tikinxic* (poisson mariné au rocou, ou *achiote* en espagnol, enroulé dans une feuille de bananier et cuit sur le gril) de la région. L'environnement est superbe et, bien que les *palapas* sous lesquelles sont installées les tables fassent face à la rivière (à l'endroit où elle se jette dans la mer) prise d'assaut par les touristes dans leurs embarcations motorisées, il n'est pas rare d'y observer des hérons et d'autres oiseaux pêcheurs.

Tacun $-$$

Boulevard Kukulcán, Km 11,5, 998-593-3638

Petite gargote familiale aux chaises de plastique, Tacun n'en fait pas moins une délectable cuisine mexicaine, d'une fraîcheur irréprochable et surtout abordable!

Dolce… Mente Pompei $$$-$$$$

Pez Velador n° 7, Boulevard Kukulcán, Km 5,5, 998-849-4006

Situé un peu en retrait du Boulevard Kukulcán, entre les hôtels Casa Maya et Riu Caribe, ce restaurant italien n'est pas banal. L'ambiance est très conviviale et étonnamment peu touristique considérant l'emplacement sublime au bord de la mer. Au menu, des classiques italiens parfois délicieux, parfois tout simplement corrects.

La Destilería $$$-$$$$

Boulevard Kukulcán, Km 12,6, 998-885-1086, www.ladestileria.com.mx

En face de la Plaza Kukulcán, La Destilería, réplique d'une fabrique de tequila de Guadalajara, dresse sa façade colorée. Dans une ambiance festive et au son des mariachis, le chef concocte des plats mexicains traditionnels et contemporains inspirés de différentes régions de la république. Si vous êtes friand de tequila, sachez que vous aurez ici l'embarras du choix. Une petite terrasse derrière l'établissement permet de prendre un verre ou de manger en plein air en regardant la mer, mais elle n'est ventilée que par la brise marine.

Casa Rolandi $$$$

Boulevard Kukulcán, Km 13,5, Marina Blue Ray, 998-883-2557, www.casarolandirestaurants.com

Le menu de la Casa Rolandi affiche des plats raffinés s'inspirant des traditions italiennes et suisses. On y sert des carpaccios de poisson et pieuvre, tartares, risottos, côtelettes d'agneau, pizzas cuites au four à bois et, bien sûr, des pâtes maison. La splendide terrasse du restaurant donne sur la Marina Blue Ray, d'où les couchers de soleil sont sublimes.

Club Grill $$$$

Ritz-Carlton Cancún, Retorno del Rey n° 36, 998-881-0808

L'un des restaurants les plus chics et les plus chers de Cancún est le Club Grill de l'hôtel Ritz-Carlton. Dans un décor feutré, on vous sert avec professionnalisme une déclinaison de plats élaborés et raffinés sur le thème des mets français, créoles et yucatèques. Tenue de ville exigée et réservations requises.

La Habichuela Sunset $$$$

Boulevard Kukulcán, Km 12,6, 998-840-6240, www.lahabichuela.com

Ce restaurant au décor travaillé, dont la terrasse donne sur la lagune, propose de la grande cuisine internationale incorporant une touche locale vraiment bien maîtrisée ainsi qu'un spectacle d'inspiration maya deux soirs par semaine. La carte présente des plats classiques (homard thermidor, canard à la poire) et des découvertes exquises (jeunes crabes dans leur coquille, *relleno negro*), qui s'accompagnent de célèbres crus surtout latino-américains, réservant une place spéciale aux vins mexicains. Service impeccable. Une cuisine empreinte de raffinement et accessible.

Puerto Madero $$$$

Boulevard Kukulcán, Km 14,1, 998-885-2829 ou 998-885-2830, www.puertomaderorestaurantes.com

Restaurant argentin du nom du célèbre port éponyme de Buenos Aires, le Puerto Madero sert d'excellentes viandes et de bons fruits de mer. La carte des vins affiche une sélection intéressante, avec bien sûr une prédominance de vins de l'Argentine. Le cadre est très agréable, peu importe que vous choisissiez la belle terrasse qui surplombe la lagune ou la grande salle aux larges baies vitrées, dont le décor est rehaussé par les poutres de bois sombre et les murs de briques décorés de photos en noir et blanc de Buenos Aires. Contrairement aux autres restaurants de steaks et fruits de mer à la mode américaine qui pullulent à Cancún, le Puerto Madero met davantage l'accent sur la qualité que sur la quantité.

Sorties

> ### Activités culturelles

Teatro de Cancún
Boulevard Kukulcán, Km 4, 998-849-5580, www.teatrodecancun.com.mx
Cette salle de spectacle propose des pièces de théâtre en espagnol tirées d'un répertoire dramatique et comique, ainsi que des concerts et de la danse.

Casa de Cultura
Prolongación Av. Yaxchilán, SM 21, 998-884-8364
Les frais sont minimes pour entrer dans cette «maison de la culture» où alternent concerts, lectures de poésie, pièces de théâtre, danses rituelles et même expositions temporaires d'art local actuel.

Cinémas
Plusieurs cinémas présentent des films hollywoodiens à succès, entre autres :

Cinemark La Isla Cancún : Boulevard Kukulcán, Km 12,5, 998-883-5604, www.cinemark.com.mx

Cinepolis : 4 adresses à Cancún dont une à la Plaza Las Américas (260 Av. Tulum S.), www.cinepolis.com.mx

> ### Bars et boîtes de nuit

Le centre-ville
Le cœur de Cancún bat au rythme des musiques latino-américaines, disco, *dance*, électro et rock, qu'on entend dans une foule de bars très achalandés. Généralement, il n'y a pas grand monde dans les boîtes de nuit avant 23h, mais passé minuit, et jusqu'à l'aube, ça ne désemplit pas. Les alentours de la Plaza de Toros et de la Plaza Solare sont plutôt animés et regroupent plusieurs restos-bars agréables qui demeurent ouverts jusque tard dans la nuit et qui proposent des spectacles de musique (groupes de musique allant du rock aux mariachis).

The Black Pub
Av. Sayil, 998-267-7409
Ce pub classique offre des prestations de groupes rock et diffuse des matchs de football (soccer) dans une ambiance chaleureuse, loin des hordes de touristes. On y sert aussi de bonnes pizzas.

La Cura de Todos los Males
Mercado 28, angle Av. Xel-Ha et Av. Tankah, SM 28
Art kitsch et dégustation de mescal se côtoient dans ce bar sympathique et sans prétention. On y propose un court menu aux saveurs mexicaines et à bon prix. Des musiciens (rock, *indie*, reggae, punk, électro...) s'y produisent fréquemment.

Toro Rojo
Av. Bonampak, devant la Plaza de Toros
Toro Rojo affiche des tarifs réduits sur ses cocktails tous les jours ainsi qu'un alléchant menu qui mise sur les grillades. L'endroit est aussi réputé pour ses énormes assiettes de *nachos*.

La Playita
Av. Bonampak, devant la Plaza de Toros
La Playita a fait des *mojitos* sa spécialité et propose un menu appétissant (et bon marché) de fruits de mer et cuisine mexicaine dont certaines trouvailles telles que l'ananas farci aux crevettes. L'endroit est animé et sans prétention.

Las de Guanatos
Plaza de Toros
On s'attable au Las de Guanatos principalement pour boire de la bière et autres alcools (servis à coup de 2 litres à prix imbattable), manger un sandwich et écouter les groupes de musique qui se produisent sur la terrasse.

Perico's
Av. Yaxchilán nº 61, 998-884-3152 ou 998-884-0415, www.pericos.com.mx
Perico's est l'endroit tout indiqué pour faire la fête. Le resto-bar dispose de deux salles de spectacle où des musiciens jouent, pour le grand plaisir des convives qui aiment lever leur verre et bavarder joyeusement.

La grande tournée

Si vous souhaitez entreprendre la tournée des meilleurs bars de Cancún, sachez que **Cuncrawl** *(984-165-0699, www.cuncrawl.com)*, **Party Rockers Cancun** *(www.partyrockerscancun.com)* et **After Dark Events & Entertainment** *(www.afterdark-entertainment.com)* proposent de vous accompagner dans les bars de Cancún, droit d'entrée et boissons incluses. Des tables vous seront réservées et vous éviterez ainsi les files d'attente. Vous pouvez également demander le service de raccompagnement à votre hôtel.

La zone hôtelière

Dady'O
droit d'entrée et bar ouvert, dès 22h; Boulevard Kukulcán, Km 9,5, 998-883-3333, www.dadyo.com
De grandes murales de stuc donnent une allure originale au Dady'O, situé à la Plaza Caracol. Sa grande piste de danse, ses jeux de lumière laser élaborés et ses concours de bikini en font un endroit très populaire. Le rythme de la musique s'accélère savamment avec les heures qui passent dans ce bar qui semble avoir la faveur des jeunes.

Señor Frog's
droit d'entrée et bar ouvert; dès midi; Boulevard Kukulcán, Km 9, 998-883-3454, www.senorfrogscancun.com
À la fois restaurant et discothèque, le Señor Frog's est un endroit très animé. À compter de 22h, l'endroit est envahi de fêtards qui apprécient la musique à plein régime et les jeux loufoques qu'on y propose. Pour une expérience qui sort de l'ordinaire, ne manquez pas le *foam party* ou le *glow party!*

Coco Bongo Cancún
droit d'entrée, bar ouvert et spectacle; spectacle dès 22h30; Boulevard Kukulcán, Km 9,5, 998-883-5061, www.cocobongo.com.mx
Incontournable de la vie nocturne de Cancún, le Coco Bongo présente tous les soirs d'étonnants spectacles de musique fidèles à l'esprit de Las Vegas. L'atmosphère est à la fête, et le public, nombreux, se déhanche joyeusement au son des reprises de succès d'hier et d'aujourd'hui.

Mandala
droit d'entrée et bar ouvert; dès 21h30; Boulevard Kukulcán, Km 9, 998-848-8380, http://mandalanightclub.com
Le Mandala est décidemment la coqueluche des boîtes de nuit de Cancún. Son luxueux décor dramatique d'inspiration asiatique lui insuffle de la classe. Son ambiance est enlevante et son service irréprochable.

Palazzo
droit d'entrée et bar ouvert; dès 22h; Boulevard Kukulcán, Km 9,5
Le Palazzo est une boîte de nuit prisée de la zone hôtelière. La fête s'y installe assez tard, vers minuit, et les DJ font danser la foule compacte jusqu'au petit matin.

❯ Sports

Pour assister à un match de l'équipe de football (soccer) de Cancún, l'Atlante, à l'Estadio Olímpico Andrés Quintana Roo *(Av. Circuito Mayapan, 998-848-2725, http://espnfc.com)*, procurez-vous des billets à la gare d'autocars **ADO** (voir p. 78) ou à la **Plaza Las Américas** (voir p. 98).

Achats

Cancún est vraiment une ville de magasinage. On y trouve plusieurs centres commerciaux, sans compter toutes les petites boutiques d'artisanat du centre-ville et de la zone hôtelière. Ces boutiques ont l'avantage de permettre de marchander. Attention toutefois, les centres commerciaux ne sont certainement pas les meilleurs endroits pour faire de bonnes affaires : les prix affichés sont toujours assez élevés.

Le centre-ville

Ki Huic
9h à 20h; Av. Tulum nº 17
Ki Huic est l'un des marchés aux puces les plus pittoresques de Cancún. Bon choix d'objets artisanaux traditionnels.

Mercado 28
angle Av. Xel-Ha et Av. Tankah, SM 28
Pour les férus du marchandage, un endroit intéressant est le Mercado 28, un regroupement de magasins qui entourent une fontaine en plein centre-ville de Cancún. Vous y

trouverez de jolis objets faits à la main, dont le prix mérite parfois d'être revu à la baisse! Notez que sur l'avenue Tankah, au sud du Mercado 28, certaines personnes interpellent les touristes afin de les faire entrer plutôt dans la Plaza 28, beaucoup plus petite et certainement moins intéressante quant au choix et aux prix que le véritable marché. Ne vous faites pas prendre!

Mercado 23
Av. Chichén Itzá entre Calle Jabín 9 et Calle Chaca

Si vous souhaitez vivre une expérience de marché plus authentique en étant moins interpellé par les vendeurs, rendez-vous au Mercado 23. Vous y trouverez d'excellents kiosques de nourriture dans une ambiance de marché aux puces. La marchandise est moins destinée aux touristes et vous pourrez y dénicher de belles pièces (art religieux, céramiques, *piñatas*, plusieurs déclinaisons de squelettes). L'autobus R1 s'y rend depuis la zone hôtelière. Profitez de votre balade pour aller flâner au Parque Las Palapas!

Plaza Las Américas
Av. Tulum n° 260, 998-887-3863

La Plaza Las Américas est un vaste centre commercial qui abrite entre autres des boutiques de vêtements, des salles de cinéma, un hôpital, un supermarché, des restaurants et un hôtel.

La zone hôtelière

Kukulcán Plaza & Luxury Avenue
Boulevard Kukulcán, Km 13, 998-193-0161,
www.kukulcanplaza.com

La Plaza Kukulcán est un grand centre commercial avec air conditionné et à la propreté impeccable; elle abrite de nombreuses boutiques. On y trouve de tout, surtout des boutiques de souvenirs, de vêtements et de bijoux où il faut mettre le prix, plusieurs restaurants et une pharmacie. Un bon endroit pour acheter de la tequila!

Coral Negro
Boulevard Kukulcán, Km 9,5

On trouve dans ce marché aux puces une grande variété de belles pièces d'artisanat régional. N'hésitez pas à négocier les prix et amusez-vous!

La Isla Shopping Village
Boulevard Kukulcán, Km 12,5, 998-883-5025,
www.laislacancun.com.mx

Le La Isla Shopping Village est construit en plein air, le long d'un canal sur lequel petits et grands peuvent naviguer. Il mérite une visite aussi bien pour ses attraits que pour ses boutiques et ses restaurants gastronomiques. Les boutiques de mode côtoient les magasins de sport ou les échoppes de souvenirs bon chic, bon genre. L'aire des services et l'aménagement moderne de La Isla donnent l'impression aux visiteurs de parcourir un parc d'attractions. On y retrouve aussi quelques activités pour les enfants, dont l'incontournable **Interactive Aquarium Cancún** (voir p. 82).

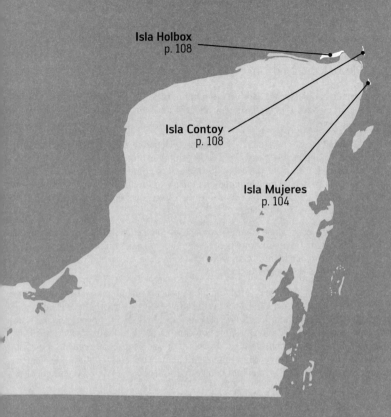

Isla Holbox
p. 108

Isla Contoy
p. 108

Isla Mujeres
p. 104

Isla Mujeres,
Isla Contoy
et Isla Holbox

L **Isla Mujeres** ★ ★ ★ : l'île des Femmes. Si près de Cancún mais si différente, cette île évoque un paradis ensoleillé, bordé à l'ouest de sable blanc et d'une mer turquoise. Les habitants ont su préserver jusqu'à présent la dimension humaine de leur île, et ce, malgré l'inévitable étalement urbain.

Plusieurs sont ceux qui, logeant dans un des nombreux hôtels de Cancún, font une excursion d'une journée dans l'île. Or, l'Isla Mujeres peut très bien être une destination en soi pour un séjour complet.

Son nom lui aurait été donné en 1517 par Francisco Hernández de Córdoba, qui dirigeait une expédition espagnole à la recherche d'esclaves pour exploiter les mines d'or de Cuba. C'est du moins ce qu'affirment plusieurs historiens. Les nombreuses idoles représentant les déesses mayas Ixchel, Ixhunic et Ixhunierta qui s'y trouvaient auraient inspiré ce nom à Córdoba. On croit que les temples de l'île ont été construits en hommage à Ixchel, la déesse de la Lune et de la Fécondité.

Ces idoles, dévoilant leur poitrine comme le voulait la coutume chez la femme maya, étaient vêtues jusqu'à la taille. Ce fait fut fortement souligné par tous les chroniqueurs espagnols et derechef repris par tous les historiens, consacrant ainsi l'île à un lieu de pèlerinage pour vénérer les différentes déesses mayas.

Le gouvernement mexicain érigea en 1917 un monument commémorant le 400e anniversaire de l'arrivée des Européens dans l'île. Mais avant l'arrivée des Espagnols, l'île était aussi une source importante de sel pour les maîtres d'Ecab, capitale de la province du même nom située sur la péninsule du Yucatán. Comme la récolte du sel dans les trois salines (Salinas, Salinitas et Salinas del Canotal) de l'Isla Mujeres était une activité saisonnière, il est fort probable que les Mayas d'antan habitaient la terre ferme. D'ailleurs, en raison des dimensions restreintes de l'île, seules quelques familles pouvaient y vivre de produits agricoles.

L'Isla Mujeres fut abandonnée quelque temps après la conquête espagnole. Aux XVIIe et XVIIIe siècles, les pirates et corsaires qui écumaient la mer des Caraïbes utilisaient entre autres l'Isla Mujeres comme refuge et point d'attache temporaire afin d'éviter la marine espagnole.

Pendant la guerre des Castes, au milieu du XIXe siècle, l'île devint le refuge des Blancs qui fuyaient la vengeance des insurgés mayas. Firmín Mundaca, négociant d'esclaves, est l'un des plus illustres habitants de cette époque. Communément identifié à la piraterie, ce personnage populaire fit construire une grandiose hacienda (voir p. 106) dans la seconde moitié du XIXe siècle. Dès lors et jusqu'au milieu du XXe siècle, la pêche, l'agriculture de subsistance et l'exploitation des trois salines devinrent les principales activités économiques des nouveaux colons.

Durant la Seconde Guerre mondiale, les États-Unis utilisèrent l'île comme base navale. Au début des années 1950, la construction de la route Mérida-Puerto Juárez ouvrit la porte au tourisme, qui transforma à jamais la vie paisible de l'île. Avec le développement du tourisme de masse, l'Isla Mujeres devint la destination la plus accessible de la côte caraïbe mexicaine. Les salines situées au sud de la ville se transformèrent en dépotoirs, tandis que la Salinas del Canotal produisit sa dernière récolte en 1974. La plupart des produits et aliments sont dorénavant importés de la terre ferme.

Pour se différencier des habitants de Cancún, que l'on qualifie de «nouveaux venus», les insulaires de l'Isla Mujeres se targuent d'être les descendants de vieilles familles qui y habitent depuis plusieurs générations. Ils sont très fiers de leurs traditions culinaires, et le faste de leurs fêtes cérémonielles qui ponctuent les saisons mérite d'être souligné.

L'île mesure environ 7,5 km de long et fait 800 m en son point le plus large. En plus de ses nombreuses plages de sable blanc, de ses lagunes et de ses récifs de corail où la faune marine abonde, ses nombreux attraits contribuent à en faire un endroit enchanteur. Ses quelque 20 000 habitants vivent majoritairement dans les agglomérations du centre et du nord, où se trouvent la plupart des services touristiques.

En effet, la ville éponyme d'Isla Mujeres s'étend au nord de l'île et compte une quinzaine de rues qui s'entrecoupent. L'essentiel des restaurants, hôtels et boutiques de l'île a emménagé dans cette petite ville où il fait bon se promener en dehors des heures d'affluence – de nombreuses visites guidées y amènent leur flot de touristes en provenance de Cancún, surtout entre midi et 15h.

Des quartiers résidentiels, plusieurs lagunes et anciennes salines se partagent le centre de l'île. Des agglomérations rurales (appelées *colonias*) bordent la partie sud de la Salinas Grande, tandis que des hôtels et la Tortugranja (la ferme de tortues) sont situés sur le Sac Bajo, cette langue de terre qui sépare la mer de la grande Laguna Makax.

Du côté est de l'île, une route panoramique longe la mer, trop agitée pour pouvoir y pratiquer des sports nautiques en toute sécurité.

Il faut mentionner ici que le *municipio* (district) d'Isla Mujeres s'étend sur la terre ferme et comprend la pointe nord-est de la péninsule du Yucatán. Ce territoire englobe de nombreuses îles dont l'**Isla Contoy** ★, une réserve faunique qui reçoit quotidiennement un nombre limité de visiteurs. Seuls quelques entreprises ou organismes offrent la visite de ce paradis ornithologique.

Tout juste à l'ouest, l'**Isla Holbox** ★★ est un autre petit paradis protégé du tourisme de masse. Vous n'y trouverez ni voitures ni gros complexes hôteliers, mais des ruelles de sable et des insulaires fort sympathiques.

Accès et déplacements

> Orientation

Isla Mujeres

La ville d'Isla Mujeres occupe la pointe nord de l'île du même nom et compte tout au plus 15 rues qui s'entrecroisent. Il est impossible de s'y perdre, à moins d'être vraiment très distrait! Le Parque Central, bordé de l'église catholique, de l'hôtel de ville et du poste de police, se trouve entre l'Avenida Morelos et l'Avenida Bravo. La route principale de l'île est l'Avenida Rueda Medina. Elle débute à la très belle Playa Norte, située au nord de la ville, puis longe la côte ouest d'un bout à l'autre de l'île. Elle conduit vers le sud au Parque Natural Garrafón, aux plages, au sanctuaire maya dédié à la déesse Ixchel et finalement au phare de la pointe.

Isla Holbox

Le village d'Holbox constitue l'unique endroit véritablement habité de la petite île éponyme. La plupart des adresses où manger se trouvent dans les environs du Parque Central, dans le prolongement de la rue principale en face de l'embarcadère. Si vous poursuivez dans cette même rue, vous rencontrerez la plage nord où se concentrent la plupart des hôtels. La visite de l'île peut se faire aisément à pied.

> En avion

Les petits aéroports d'Isla Mujeres et d'Isla Holbox accueillent notamment les taxis aériens de la compagnie **Aerosaab** *(984-873-0804, www.aerosaab.com)* en provenance de Cancún, Cozumel ou Playa del Carmen.

> En bateau

Vers l'Isla Mujeres

La traversée entre la terre ferme et l'Isla Mujeres se fait de différents endroits: les passagers peuvent partir des plages nord de la zone hôtelière (plus cher) ou des embarcadères de Puerto Juárez, de Gran Puerto et de Punta Sam. Sur l'île, l'embarcadère public, ou *muelle fiscal* en espagnol, se trouve dans la ville même d'Isla Mujeres, en face de l'Avenida Morelos.

Puerto Juárez et Gran Puerto : le quai de Gran Puerto (situé juste au nord de celui de Puerto Juárez) accueille le traversier moderne de la compagnie **Ultramar** *(146 pesos aller-retour toutes les demi-heures dans les deux sens 5h à 20h30, puis à 21h30, 22h30 et 23h30; durée du trajet 15 à 30 min; Av. José López Portillo, Puerto Juárez, 998-881-5890, www.granpuerto.com.mx)*. Ces deux quais sont situés à quelques kilomètres au nord de Cancún et sont accessibles par autobus *(8,5 pesos; du centre-ville prendre la Ruta 13, angle Av. Tulum; de la zone hôtelière, prendre la Ruta 1 en direction de Puerto Juárez)*. On peut aussi atteindre les ports de Puerto Juárez et de Gran Puerto en taxi ou en voiture, en suivant la route 180 vers le nord.

De Punta Sam : à Punta Sam *(route 180, à 5 km au nord de Cancún)* se trouve le traversier *Sergio Gracia Aguilar* de la compagnie **Marítima Isla Mujeres** *(www.maritimaislamujeres.com)* qui mène à Isla Mujeres. Le tarif est de 40 pesos pour les passagers, de 292 pesos pour les voitures et de 390 pesos pour les camionnettes. La traversée dure environ 45 min.

Départs de Punta Sam, direction Isla Mujeres : lun-sam à 7h15, 11h, 14h45, 19h30 et 20h15, dim à 9h15, 13h30, 17h30 et 20h15.

Départs d'Isla Mujeres, direction Punta Sam : lun-sam à 6h, 9h30, 12h45, 16h15 et 19h15, dim à 8h, 12h, 16h15 et 19h15.

De la zone hôtelière de Cancún : des bateaux-taxis de la compagnie Ultramar et des bateaux d'excursion quittent plusieurs ports de la zone hôtelière, notamment à Playa Tortugas *(19$ aller-retour; tlj, toutes les heures de 9h à 17h sauf à 15h; Boulevard Kukulcán, Km 6,5; 998-881-5890)*, à l'Embarcadero *(19$ aller-retour; tlj à 9h15, 10h30, 11h45, 13h, 14h15 et 16h30; Boulevard Kukulcán, Km 4)* et à Playa Caracol *(19$ aller-retour; tlj à 9h, 10h15, 11h30, 12h45, 14h et 16h45; Boulevard Kukulcán, Km 9,5)*.

Vers l'Isla Holbox

On accède à l'île d'Holbox à partir de Chiquilá (à 2h30 de route au nord de Cancún), où des navettes rapides ou régulières font fréquemment la traversée *(environ 70 pesos)*.

Il est préférable de se rendre à Chiquilá en autocar (voir p. 103). Si vous souhaitez vous y rendre en voiture, de Cancún empruntez la route 180 Libre (celle qui passe par les villages, à ne pas confondre avec la route 180 Cuota, qui ne comporte pas de sortie pour Holbox) en direction de Mérida (vers l'ouest). Au Km 80, prenez à droite la toute nouvelle route asphaltée en direction de Kantunilkin. Après avoir passé les villages d'Esperanza et de San Pedro, la route se termine, et vous devez tourner à droite et poursuivre en direction de Kantunilkin. Passé ce village, empruntez la route asphaltée qui mène à Chiquilá, 45 km plus au nord.

Il est déconseillé d'amener sa voiture sur l'île, où des voiturettes de golf servent de taxis. Vous trouverez des stationnements privés et publics à Chiquilá, où vous pourrez garer votre voiture.

› En motocyclette ou en voiturette de golf

Isla Mujeres

La motocyclette et la voiturette de golf sont certainement les moyens de transport les plus populaires sur l'Isla Mujeres. Il faut savoir qu'elles sont, la plupart du temps, assurées pour *«daños a tercera persona»* c'est-à-dire pour les dommages causés à autrui (assurance au tiers) et non pas pour les dommages occasionnés au véhicule loué. Il est donc prudent de bien s'entendre avant la location. En cas d'accident, vous devez négocier avec le locateur et, s'il y a dispute, on réfère le tout au Ministerio Público (police).

Les voiturettes de golf étant plus lentes que les motocyclettes ou les voitures, rangez-vous au besoin en bordure de la route afin d'éviter les foudres des habitants de l'île. Certains visiteurs «oublient» quelquefois qu'ils conduisent sur des voies publiques et non sur un terrain de golf.

En motocyclette, n'oubliez pas que le port du casque est obligatoire.

Plusieurs agences de location ont pignon sur rue devant le quai sur l'Avenida Rueda Medina. Comptez environ 50$ la journée pour une voiturette de golf et généralement un peu moins pour une motocyclette.

Isla Holbox

Pour louer une voiturette de golf auprès d'**Operadora Turística Monkeys** *(Calle Tiburón Ballena Mza. 25, 984-875-2442, www.holboxmonkeys.com.mx)*, comptez environ 700 pesos/12h ou 800 pesos/24h.

> En voiture

Isla Mujeres

Une voiture vous causera plus de maux de tête qu'elle ne vous sera utile. La petite taille de l'île ne justifie pas la logistique et le coût de la traversée. Toutefois, si vous ne pouvez vous passer de voiture, sachez qu'en descendant du traversier vous vous retrouverez juste en face de l'Avenida Rueda Medina, la route qui parcourt toute l'île du nord au sud. Un poste d'essence se trouve sur cette route, au nord de l'embarcadère pour voitures, à l'angle de l'Avenida Abasolo.

> En taxi

Isla Mujeres

Les prix des courses en taxi sont déterminés par la municipalité et sont affichés bien en vue près de l'embarcadère. Assurez-vous tout de même de vous entendre avec le chauffeur sur le prix de la course avant de monter. La course entre l'embarcadère et la pointe sud coûte environ 50 pesos. Vous pouvez aussi louer (et négocier) les services d'un taxi pour environ 150 pesos/h.

> En transports en commun

Isla Mujeres

Des autobus vont en direction de l'Hacienda Mundaca (près de la fourche vers le Sac Bajo) depuis l'Avenida Rueda Medina, au centre-ville d'Isla Mujeres, avec départs fréquents toute la journée. Il est possible de descendre de l'autobus où on le désire pendant le trajet. Il en coûte 4 pesos pour un aller.

Isla Holbox

Des autocars se rendent quotidiennement à Chiquilá, d'où part le traversier pour l'Isla Holbox. Ils quittent la gare de Cancún entre 7h et 13h. Le trajet dure environ 3h30.

> En bicyclette

Isla Mujeres

La bicyclette demeure un excellent moyen de transport en ville. Si votre hôtel ne vous offre pas le service de location, sachez que vous trouverez plusieurs petites boutiques louant des vélos, surtout près du port, sur l'Avenida Rueda Medina. Essayez la bicyclette avant de payer (Puis-je l'essayer?: ¿Puedo pruebar?) pour vous assurer qu'elle roule bien. Demandez qu'on vous fournisse un cadenas.

Renseignements utiles

> Argent et services financiers

Isla Mujeres

Notez que la banque ne change pas l'argent liquide pour des pesos, mais qu'elle peut changer les chèques de voyage. Les voyageurs peuvent retirer des pesos aux distributeurs automatiques, à l'entrée de la **HSBC** *(lun-ven 8h30 à 18h, sam 9h à 14h; Av. Rueda Medina, en face de l'embarcadère pour passagers, 998-877-0005)* ou à l'intérieur du magasin San Francisco Super Express (dans la Calle Morelos en face du Parque Central). Les guichets sont parfois à sec les fins de semaine et les jours fériés, prévoyez en conséquence.

Par ailleurs, vous n'aurez aucun mal à repérer l'un des bureaux de change de l'île.

Isla Holbox

Les quelques distributeurs automatiques sur l'île d'Holbox sont souvent à sec. Comme très peu d'établissements acceptent les cartes de crédit, faites donc provision de pesos à Cancún.

> Internet et télécommunications

Isla Mujeres

Sur l'Isla Mujeres, l'Internet sans fil est gratuit dans le Parque Central et dans plusieurs cafés et hôtels.

Isla Holbox

La plupart des établissements hôteliers offrent l'accès Internet sans fil.

➤ Police

Isla Mujeres

Poste de police : Palacio Municipal, Parque Central, 998-877-0082

➤ Poste

Isla Mujeres

Bureau de poste : *lun-ven 8h à 17h, sam 9h à 13h;* angle Av. Guerrero et Calle López Mateos, 998-877-0085

➤ Renseignements touristiques

Isla Mujeres

Officina de Turismo de Isla Mujeres :
Av. Rueda Medina n° 130, juste au nord de l'embarcadère, 998-877-0767, www.isla-mujeres.net

Isla Contoy

Amigos de Isla Contoy : Cancún Information Center, Plaza Bonita Mall, SM 28, Loc. E-1, Cancún, 998-884-7483, www.islacontoy.org

➤ Santé

Isla Mujeres

La clinique de la Croix-Rouge mexicaine, la **Cruz Roja Isla Mujeres** *(Colonia Gloria, au centre de l'île, devant l'église, 998-877-0280),* propose une gamme complète de services : urgence, médecine familiale, éducation, cours de premiers soins, éducation en santé, et le seul service d'ambulance dans l'île. La Croix-Rouge ne compte que sur ses propres moyens limités. Tous les dons (argent, vêtements, médicaments, jeux pour enfants) sont très appréciés. Au moment de mettre sous presse, un nouvel hôpital (Hospital Comunitario Isla Mujeres) devait ouvrir ses portes d'ici la fin de 2014.

Doctor Antonio Salas : Av. Miguel Hidalgo n° 18, 998-877-0477 ou 998-877-0021 (ce médecin généraliste parle l'anglais).

Farmacia La Major : 17 Av. Madero, 998-877-0116

Attraits touristiques et plages

Isla Mujeres ★ ★ ★

À ne pas manquer

- Museo Subacuático de Arte (MUSA) p. 108
- Capitán Dulché Maritime Museum p. 107
- Tortugranja p. 107
- Playa Norte p. 106
- Plongée-tuba à la Playa Garrafón de Castilla p. 110
- Randonnée pédestre entre le Parque Natural Garrafón et Punta Sur p. 108

Les bonnes adresses

Restaurants
- La Cazuela M&J p. 116
- Olivia p. 117
- La Casa del Tikinxic p. 117
- Lolo Lorena p. 117
- Lola Valentina p. 116
- Greenverde p. 117

Sorties
- Zazil Ha p. 118
- Fenix Lounge p. 118

Achats
- Galería de Arte Mexicano p. 118

L'Isla Mujeres est très appréciée pour la beauté de ses plages, de ses récifs de corail, de ses paysages et pour son ambiance bon enfant. En ces lieux plus authentiques et plus reposants que Cancún, plusieurs des touristes logeant dans la station balnéaire continentale viennent passer un jour ou deux, en quête d'un peu de paix. De plus, on y trouve de très bons restaurants, des hôtels offrant un bon rapport qualité/prix et de nombreuses boutiques d'artisanat.

Comme toutes les villes du Mexique, Isla Mujeres possède son lot de monuments commémorant les événements historiques ou honorant la mémoire des hommes politiques du passé. Par exemple, vous verrez le buste de Benito Juárez (ancien président de la République; libéral reconnu pour ses réformes radicales; premier et seul Autochtone zapotèque à avoir accédé à ce poste à ce jour). Le «monument aux pêcheurs» se trouve à l'angle de l'Avenida López Mateos et de l'Avenida Rueda Medina.

Trois phares signalent les parages dangereux de l'île : un à chaque extrémité de l'île et un troisième, le *farito*, à l'entrée de la baie de Mujeres.

Le *malecón* est une belle promenade qui court tout le long de la côte est de la ville. Précisons toutefois que de ce côté la mer n'est pas aussi jolie que sur la côte ouest, et que la baignade n'y est pas possible.

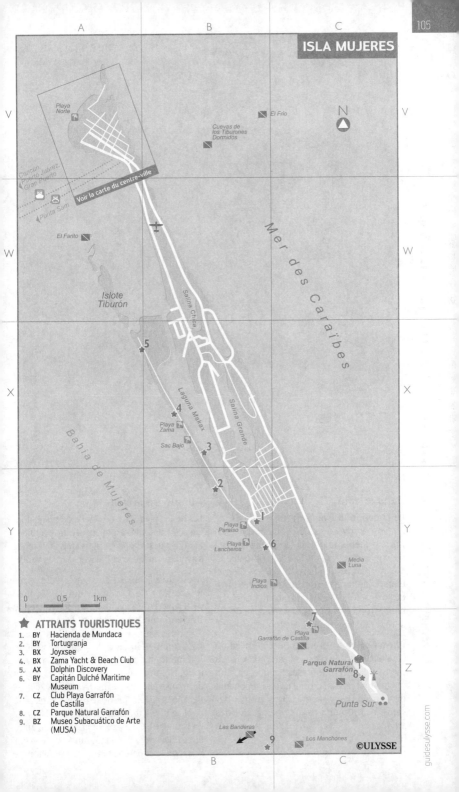

ISLA MUJERES

Voir la carte du centre-ville

Playa Norte

El Frío

Cuevas de los Tiburones Dormidos

Cancún Puerto Juárez Gran Puerto

Punta Sam

El Farito

Mer des Caraïbes

Islote Tiburón

Salina Chica

N

W

X

5

Laguna Makax

4

Playa Zama

Sac Bajo

3

Salina Grande

2

Bahía de Mujeres

Playa Paraíso

Playa Lancheros

6

Playa Indios

Media Luna

7

Playa Garrafón de Castilla

Parque Natural Garrafón

8

Punta Sur

Z

Las Banderas

9

Los Manchones

0   0,5   1km

★ ATTRAITS TOURISTIQUES

1. BY Hacienda de Mundaca
2. BY Tortugranja
3. BX Joyxsee
4. BX Zama Yacht & Beach Club
5. AX Dolphin Discovery
6. BY Capitán Dulché Maritime Museum
7. CZ Club Playa Garrafón de Castilla
8. CZ Parque Natural Garrafón
9. BZ Museo Subacuático de Arte (MUSA)

©ULYSSE

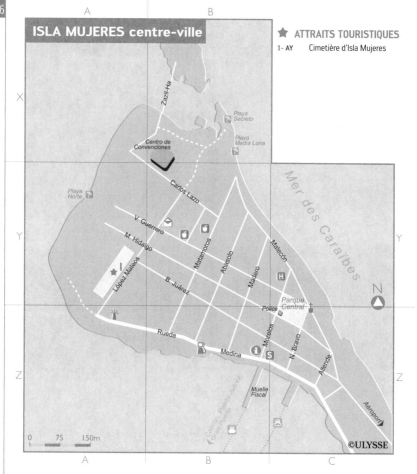

ISLA MUJERES centre-ville

★ ATTRAITS TOURISTIQUES

1- AY   Cimetière d'Isla Mujeres

©ULYSSE

Dans la ville

Le **cimetière d'Isla Mujeres** ★ *(Av. López Mateos, entrée en face de l'Avenida Benito Juárez)* mérite une visite de tous ceux qui ne connaissent pas le rôle, l'importance et l'extravagance des lieux de repos éternel dans la culture mexicaine. On y retrouve des mausolées dignes des plus riches et des pierres tombales signalant le passage de vie à trépas du plus simple citoyen.

Playa Norte ★★ s'étend du côté nord de la ville. Son sable est blanc et doux sous les pieds, et la mer, turquoise et calme, crée un magnifique paysage. La plage est cependant très prisée des visiteurs. On y trouve des cafés, des restaurants, des hamacs et des *palapas*.

Au sud de la ville

Les belles plages (et des clubs de plage dont l'accès est souvent payant) se trouvent sur la côte ouest de l'île, tandis que la côte est s'avère rocailleuse et balayée par les vents.

À environ 4 km au sud de la ville, dans le «coude» de l'Avenida Rueda Medina, se trouve l'immense *palapa* de l'ancienne **Hacienda de Mundaca** *(20 pesos; tlj 9h à 16h)*, une propriété qui date du XIXᵉ siècle. Le principal intérêt de cette propriété, somme toute un peu glauque, est son histoire. Selon la légende, l'hacienda aurait été construite par le marchand d'esclaves Fermín Antonio Mundaca pour gagner le cœur d'une jeune fille de l'île, *La Triguena* (la brunette). Celle-ci se maria avec un autre et partit vivre à Mérida. Mundaca, le cœur brisé, mourut peu de temps après. Sa tombe niche dans le cimetière d'Isla Mujeres. Sur sa pierre tombale, on peut lire d'un côté «*como eres, yo fui*» (ce que vous êtes, je l'ai été) et de l'autre «*como soy, tu serás*» (ce que je suis, vous le serez). Les restes de Mundaca se trouveraient en fait à Mérida, où il termina ses jours.

L'Hacienda de Mundaca se compose de deux modestes bâtiments, entourés de jardins, d'un étang et d'allées. Les cages de fortune qui abritaient jadis jaguars, singes-araignées et boas sont maintenant vides, et l'endroit, même s'il est toujours présenté comme un attrait important de l'île, est clairement négligé. Pour atteindre l'Hacienda, suivez les indications le long de l'Avenida Rueda Medina. Apportez votre répulsif à moustiques!

Directement à droite se trouve la jolie (bien que petite) **Playa Paraíso**, aujourd'hui occupée par l'Isla Mujeres Palace.

Située un peu plus au nord, la **Tortugranja** ★ ★ *(30 pesos; tlj 9h à 17h; Carretera Sac-Bajo, Km 5, 998-877-0595)* est une ferme de tortues vouée à l'élevage, à l'étude et à la sauvegarde de différentes espèces de tortues marines. La petite ferme comprend un aquarium (hippocampes, rascasses, langoustes et tortues) et une boutique. Des bassins de croissance ainsi que des stations de conservation ont été construits sur le littoral. Vous pourrez voir ici des tortues de différents âges et espèces. Chaque année, cette ferme élève et protège des milliers de petites tortues jusqu'à ce qu'elles atteignent une taille suffisante pour retourner à la mer sans danger. Il est possible de manipuler certaines tortues près de l'entrée, moyennant un don.

Plus au nord se trouve l'île artificielle de **Joyxsee** *(50 pesos incluant la traversée, une collation et la visite guidée des lieux, ou 20$ pour la nuitée avec petit déjeuner; http:// joysxee.wix.com/joysxeespiralisland)*, une curiosité sur la lagune de Makax qui attire son lot de visiteurs. Il s'agit d'une petite île entièrement construite de bouteilles de plastique sur laquelle réside son créateur, Richard Sowa, un Britannique qui souhaite partager ses valeurs environnementales et son inventivité.

La plage du **Sac Bajo**, cette longue bande de terre qui sépare la mer de la grande lagune de Makax, est magnifique et de plus en plus prisée des vacanciers et des hôteliers. **Playa Zama** ★ et son luxueux club privé, le **Zama Yacht & Beach Club** *(www.zamaislamujeres. com)*, sont particulièrement agréables pour se détendre. Moyennant des consommations au restaurant du club, vous aurez accès à la piscine et aux transats.

La Carretera Sac-Bajo mène ensuite à la **Villa Rolandi** (voir p. 115) et à **Dolphin Discovery** (voir p. 109), où il est possible de nager avec les dauphins et d'interagir avec des otaries et des lamantins.

Vers le sud sur la même route, près de la fourche pour l'Hacienda de Mundaca, s'étend **Playa Lancheros** ★, où vous pourrez nager en eau calme. Un charmant resto-bar, **La Casa del Tikinxic** (voir p. 117), y propose un menu léger dont fait partie le plat régional qu'est le *tikinxic* (poisson mariné au rocou et cuit sur feu de bois dans une feuille de bananier), à déguster face à la mer turquoise, en face d'un petit embarcadère en bois: vous profiterez en prime d'un vrai paysage de carte postale!

Bien plus qu'un simple musée, le **Capitán Dulché Maritime Museum** ★ ★ *(50 pesos accès au musée; tlj 9h30 à 16h; Carretera Garrafón, Km 4,5, 998-849-7594, www. capitandulche.com)* regroupe une agréable plage privée (accès aux *palapas* moyennant l'achat de consommations), un intrigant «resto-bar-bateau», ainsi que des jardins ponctués d'œuvres d'art et d'antiques pièces de navires. Le musée, intéressant et étonnamment fourni, traite de la vie du capitaine Ernesto Dulché Escalante à travers une collection de plus de 150 photos et de plusieurs modèles réduits de navires.

Playa Indios, située au sud de Playa Lancheros, offre à peu de chose près les mêmes services et les mêmes divertissements que sa voisine, mais elle a l'avantage d'être moins fréquentée.

Le **Club de Playa Garrafón de Castilla** ★ ★ *(droit d'entrée 50 pesos)* loue de l'équipement de plongée-tuba et permet d'admirer les poissons au milieu de quelques coraux en toute tranquillité, à deux pas du Parque

Natural Garrafón, mais dans un cadre plus naturel et pour une fraction du prix. On trouve sur place un petit restaurant, des chaises longues, des casiers et des douches. Bien que modeste, le site est très agréable, sécuritaire et idéal pour initier votre petite famille à la plongée-tuba puisque les récifs sont accessibles depuis la plage.

Le **Parque Natural Garrafón** ★ *(à compter de 59$ incluant l'accès à Punta Sur; tlj 9h à 17h; Carretera Garrafón, Km 6, 998-193-3360, www.garrafon.com)* est situé près de la pointe sud de l'île, juste avant le sanctuaire maya. Le tarif indiqué représente un forfait d'un jour comprenant le transport depuis Cancún, les repas, les boissons, l'équipement de plongée-tuba ainsi que l'accès à la tyrolienne, aux kayaks, aux aires de jeux et de détente et au site de Punta Sur. Un agréable sentier pédestre longe la côte jusqu'à la pointe sud et offre des vues panoramiques.

Le **sanctuaire maya** *(30 pesos)*, qui s'élève sur le site de **Punta Sur** ★ ★ (pointe sud de l'île), est un petit édifice de style Tulum comme on en retrouve partout sur la côte est de l'île. Construit entre les XIIe et XIVe siècles, le temple était fort probablement consacré à Ixchel, la déesse maya de la Lune et de la Fécondité. Plusieurs croient que le temple, en plus d'être un lieu de pèlerinage, servait aussi de poste d'observation astronomique.

Autour du sanctuaire, on a disposé çà et là sur la pointe une dizaine de **sculptures contemporaines** ★. Or, ce qui est le plus impressionnant ici, ce n'est ni le sanctuaire ni la collection de sculptures, mais la falaise qui tombe dans la mer et donne une agréable impression de bout du monde. En soirée, la **vue** ★ ★ ★ des lumières de Cancún à l'horizon est superbe. À l'entrée du site se trouvent le restaurant **Acantilado** (voir p. 117) et des boutiques de souvenirs.

Le récif de **Manchones**, situé au large de Punta Sur, abrite l'une des expositions sous-marines du **Museo Subacuático de Arte (MUSA)** ★ ★ ★ *(http://musacancun.org)* que l'on peut atteindre en prenant part à une excursion de plongée sous-marine *(à compter de 65$)* ou plongée-tuba *(à compter de 35$)*. Parmi les sculptures intrigantes réalisées par l'artiste Jason deCaires Taylor,

notons *La Evolución Silenciosa* (*L'évolution silencieuse*). Cette œuvre impressionnante rassemble 400 personnages en taille réelle. Comme le prévoyait l'artiste, les sculptures abritent déjà nombre de coraux et d'animaux marins.

Isla Contoy ★

Protégée par le **Parque Nacional Isla Contoy** *(998-884-7483, www.islacontoy.org)*, l'Isla Contoy émerge à environ 25 km au nord de l'Isla Mujeres et sert de refuge à une faune ailée qui passionnera sans nul doute les férus d'ornithologie. Parmi les nombreuses espèces d'oiseaux qui virevoltent et s'offrent en spectacle dans cette île minuscule de 8,5 km de long et de seulement 800 m en son point le plus large, mentionnons les hérons, les pélicans et les frégates. L'île est bordée de palétuviers, échancrée de petites lagunes, frangée de plages sablonneuses et entourée de récifs coralliens. Avis aux intéressés: la saison de nidification des frégates va d'avril à juillet. Réservez car l'accès à l'Isla Contoy est limité à 200 personnes par jour. Notez qu'il n'est pas possible de passer la nuit sur l'île et qu'il n'y a pas d'eau courante.

Par ailleurs, l'Isla Contoy réserve également des surprises agréables aux amateurs de plongée-tuba. En effet, les eaux chaudes et cristallines qui la baignent foisonnent d'une multitude de poissons de toutes sortes de formes et de couleurs frétillant parmi les récifs coralliens.

Isla Holbox ★ ★

À ne pas manquer

- Plongée avec les requins-baleines p. 110
- Laguna de Yalahau et Isla Pájaros p. 109
- Cours de *kitesurf* p. 110

Les bonnes adresses

Restaurants
- Barquito Mawimbi p. 118
- Zarabanda p. 118
- El Chapulím p. 118
- Le Jardin p. 118
- Mandarina p. 118
- Antojitos Las Panchas p. 118

Située à la pointe nord-ouest du Yucatán, la petite île d'Holbox fait partie de la **Reserva Ecológica Yum-Balam** et ne mesure qu'environ 2 km sur 40 km. Le millier d'habitants de l'île sont tous regroupés dans la petite ville d'Holbox, la grande majorité vivant de la pêche et du tourisme.

Du côté sud de l'île, vous trouverez le débarcadère et des mangroves, refuges d'une faune très variée qui compte plus de 150 espèces d'oiseaux. Le côté nord de l'île est une longue plage de 35 km qui s'ouvre sur une mer riche de multiples espèces de poissons. Si la plage est splendide, le sable et la mer ne sont toutefois pas aussi beaux que sur la Riviera Maya, par exemple.

Accessible en bateau et entourée de mangroves, la **Laguna Yalahau** ★, avec ses eaux cristallines et poissonneuses, rappelle un *cenote* ouvert. L'aménagement est rustique, mais on peut s'y baigner et manger au restaurant qui se trouve sur place. N'oubliez pas votre répulsif à moustiques!

La lagune abrite également l'**Isla Pájaros** ★, une île couverte de mangroves, de cactus et d'arbustes qui accueillent plus de 150 espèces d'oiseaux, dont des flamants roses, des spatules rosées et des aigrettes neigeuses. L'île dispose de passerelles et de plateformes d'observation et s'avère un endroit de choix pour les ornithologues amateurs, surtout en fin de journée. Encore une fois, notez qu'il est indispensable d'apporter un bon insectifuge, car les moustiques sont véritablement légion sur l'île.

Activités de plein air

➤ Baignade avec les dauphins

Isla Mujeres

Le site de **Dolphin Discovery** *(99$ à 199$; tlj 9h à 17h; au nord de la Carretera Sac-Bajo, www.dolphindiscovery.com)* est un excellent endroit si vous désirez nager avec des dauphins ou interagir avec des otaries et des lamantins, car l'eau y est transparente. Plusieurs des forfaits proposés incluent l'entrée au **Parque Natural Garrafón** (voir p. 108) et le transport de Cancún.

➤ Croisières

Isla Mujeres

Il est à noter que la plupart des entreprises exigent un supplément de 5$ à 10$ pour les frais portuaires et pour un fonds de protection de la vie marine.

Albatros Sail Away to Isla Mujeres *(à compter de 69$; 998-849-4223 ou 998-848-*

7972, www.albatrossailaway.com) organise des croisières vers l'Isla Mujeres depuis Cancún. Le coût de l'excursion comprend les boissons à volonté à bord du catamaran, la plongée-tuba (et l'équipement nécessaire) au site d'El Farito, le buffet, l'accès au club de plage, la séance de *shopping* sur l'île et le vol en *spinnaker* (parachute ascensionnel tiré par le bateau) au retour. Tous les efforts sont déployés pour rendre l'excursion amusante.

Parmi les autres entreprises qui proposent des croisières sur mesure ou très festives et bien arrosées avec sensiblement les mêmes activités, notons **Samba Catamarans** *(environ 75$; 998-849-5453, www. sambacatamaranes.com).*

Isla Contoy

Il est à noter que la plupart des entreprises exigent un supplément de 5$ à 10$ pour les frais portuaires, l'accès à la réserve et parfois pour un fonds de protection de la vie marine. Sachez aussi que les excursions sont plus abordables au départ d'Isla Mujeres.

Il est possible de se rendre à l'Isla Contoy au départ d'Isla Mujeres, de Cancún et de Puerto Juárez. Les bateaux d'**Asterix Tours** *(95$; durée 8h, 3 départs/semaine; Marina Scuba Cancún, Boulevard Kukulcán, Km 5, Zona Hotelera, 998-886-4270, www.contoytours. com)* partent de Cancún, et les excursions comprennent les boissons à volonté (alcool inclus), les repas (petit déjeuner et buffet) et l'équipement de plongée-tuba.

Kolumbus Tours *(95$; durée 8h, 3 départs/ semaine; Marina Scuba Cancún, Boulevard Kukulcán, Km 5, Zona Hotelera, 998-884-5333, www.kolumbustours.com)* propose aussi des excursions depuis Cancún à bord d'un bateau de plaisance à deux ponts. Le tarif inclut les boissons à volonté, un repas de poisson grillé (prise du jour) et l'équipement de plongée-tuba.

Depuis Isla Mujeres, **Captain Tony García's Guadalupana** *(Av. Matamoros n° 7A, 998-877-0229, www.isla-mujeres.net/capttony),* organise des excursions vers l'Isla Contoy. Le capitaine Tony García et sa famille sont d'excellents guides, très sympathiques, et leurs excursions figurent parmi les meilleures de l'île.

> ### Surf cerf-volant (kiteboarding ou kitesurf)

Isla Holbox

Installée dans le très joli **Hotelito Casa Las Tortugas** (voir p. 115), la **Holbox Kiteboarding School** *(www. holboxkiteboarding.com)* permet aux débutants qui souhaitent s'initier au surf cerf-volant de s'inscrire à des cours, et aux initiés de louer de l'équipement. La meilleure saison pour s'adonner à ce sport est de novembre à fin mai.

> ### Observation des requins-baleines

Isla Mujeres

Les entreprises **Ceviche Tours** *(998-241-3345, www.cevichetours.com)* et **Searious Diving** *(www.islawhalesharks.com)* proposent des sorties de plongée-tuba pour partir à la rencontre des requins-baleines *(tiburón ballena)* qui se regroupent au nord de l'île de juin à septembre. Les départs ont lieu tôt le matin. Comptez au moins 125$ pour une demi-journée d'excursion incluant le déjeuner. Il est possible de nager avec les requins-baleines dès l'âge de 5 ans.

Isla Holbox

L'observation des requins-baleines *(tiburón ballena)*, la plus grande espèce de poisson au monde, ou la baignade avec ces géants des mers demeurent les excursions les plus populaires de l'île. Ces activités ont lieu de mai à septembre. Habituellement, ce sont les hôtels qui se chargent de faire les réservations pour ces excursions, mais quelques entreprises indépendantes de l'île offrent également leurs services.

> ### Pêche en haute mer

Isla Mujeres

Surtout populaire pour ses sorties de plongée, **Mundaca Divers** *(Av. Francisco I. Madero nº 10, 998-877-0607, www. mundacadiversislamujeres.com)* organise également des excursions de pêche en haute mer ou dans la baie. Comptez 850$ pour location du bateau pour la pêche en haute mer et 275$ pour la pêche dans la baie.

Keen M Blue Water Encounters and Sport Fishing *(à compter de 1 100$/jour/bateau; Playa La Media Luna Hotel, 998-877-0759 ou 998-877-1124, www.keen-m.com)* fait entres autres des sorties de pêche en mer très appréciées des amateurs. Les enfants de 7 ans et plus sont les bienvenus. Les embarcations peuvent accueillir jusqu'à six passagers.

> ### Plongée sous-marine et plongée-tuba

Isla Mujeres

Outre le **Parque Natural Garrafón** (voir p. 108), les amateurs de plongée-tuba apprécieront une solution de rechange moins chère et offrant une meilleure expérience de plongée juste à côté, au **Club de Playa Garrafón de Castilla** (voir p. 107). Il s'agit d'un excellent endroit pour s'initier à ce sport.

Les plongeurs expérimentés ou bien encadrés ne voudront pas manquer de visiter les **Cuevas de los Tiburones Dormidos** (grottes des requins endormis), situées au nord-est de l'île. Ces grottes ont été découvertes par un pêcheur de l'île. Pour une raison encore inconnue, les requins qui les habitent sont plongés dans une léthargie qui les rend inoffensifs. Plusieurs films ont été tournés à cet endroit, par Jacques Cousteau entre autres, et diverses théories s'affrontent pour expliquer ce phénomène mystérieux. La plupart des centres de plongée de l'île y organisent des excursions.

Un autre site intéressant et très prisé des excursionnistes est la piscine naturelle qui entoure **El Farito**, un petit phare perché sur une toute petite île à quelques encablures au large de la ville. On y célèbre aussi le culte de la Vierge du même nom (Virgen del Farito). Celle-ci, submergée en 1966 pour protéger les pêcheurs locaux, se dresse au milieu de bancs de poissons et de coraux.

Les récifs de **Las Banderas** (pour les plongeurs expérimentés), **El Frio** (où se trouve une épave), **Los Manchones** (un des meilleurs sites pour les débutants), **Media Luna** (formations coralliennes avec arches et cavernes) comptent parmi les favoris des plongeurs.

Mundaca Divers (voir p. 110) propose diverses plongées dans plusieurs sites reconnus pour la richesse de leur faune marine, entre autres les récifs de Los Manchones et de Las Banderas mentionnés ci-dessus. Media Luna, un autre site fréquenté par Mundaca Divers, est peu profond et idéal pour les débutants. L'entreprise, qui bénéficie d'une excellente réputation, emmène les plongeurs expérimentés jusqu'aux endroits où plusieurs navires naufragés peuplent les bas-fonds. Elle donne aussi divers cours de certification PADI. Comptez 37$ pour la plongée-tuba

(47$ pour plonger dans le site du MUSA, près du récif de Los Manchones, voir. p. 108) et entre 60$ et 85$ pour la plongée sous-marine (une à trois demi-journées).

Casa del Buceo *(998-877-0601, www.casadelbuceo.com)* est un centre de plongée très professionnel qui offre à bon prix une vaste gamme d'excursions pour tous les niveaux de plongeurs. Ce centre organise aussi des excursions de pêche, de plongée-tuba et de rencontre avec les requins-baleines.

Hébergement

Isla Mujeres

Il y a peu de gros complexes hôteliers dans l'île. Si plusieurs des établissements se trouvent dans la ville, de plus en plus d'hôtels se construisent le long des côtes ouest et est de l'île.

Pour les longs séjours (au moins une semaine), il est possible de louer un appartement, une maison ou une villa. Le site Internet *www.isla-mujeres.net* recense différentes options pour ce type de location. Vous pouvez également consulter des sites internationaux de location d'appartements comme *www.airbnb.com*.

Dans la ville

Poc-Na Hostel $
Av. Matamoros nº 15, 998-877-0090, www.pocna.com
L'auberge de jeunesse Poc Na bénéficie d'un emplacement idéal, soit en plein centre-ville et directement sur une très belle plage tranquille. C'est l'institution par excellence des bourlingueurs, avec ses dortoirs, sa salle commune pour les hamacs, ses chambres doubles et son camping. Il y a des spectacles de musique quotidiens (21h30), des soirées de feux de camp et des cours de yoga le matin. Une table de billard, de nombreux jeux de table, un terrain de volley-ball de plage et un *beach bar* ouvert jusqu'à 3h (on offre un cocktail de bienvenue) en font un lieu très prisé des voyageurs à petit budget. Il est fortement conseillé de réserver long-

temps à l'avance. Le restaurant du Poc-Na, ouvert de 7h à 23h, sert de bons repas à peu de frais.

Hotel Carmelina $
Av. Guerrero nº 4, 998-877-0006
Ce motel est situé dans une rue tranquille. Les chambres, quoique vieillottes, sont propres et agréables. Certaines sont minuscules, prenez donc la peine d'en visiter quelques-unes avant de vous installer! On y offre l'accès Internet sans fil. Il faut réserver.

Hotel Francis Arlene $$
Av. Guerrero nº 7, 998-877-0310,
www.francisarlene.com
Cet hôtel familial de 24 chambres sur trois étages renferme des chambres qui mériteraient d'êtres rafraîchies, mais qui sont tout de même mignonnes, bien équipées (certaines comptent une cuisinette et l'air conditionné ou un balcon) et économiques.

Hotel Las Palmas $-$$$
Av. Guerrero nº 20, 998-236-5803,
www.laspalmasonisla.com
Cet hôtel éclatant à l'ambiance sympathique recèle de nombreux atouts qui font la joie des voyageurs. La terrasse sur le toit est dotée d'une petite piscine pour se rafraîchir ainsi que de chaises longues et de quelques tables. Les chambres donnent toutes sur la conviviale cour intérieure, bordée de plantes tropicales et abritant une cuisine commune. Les chambres sont simples, propres et équipées de réfrigérateurs. L'accès Internet sans fil est gratuit. L'hôtel, situé à une rue de la plage, accueille aussi les familles.

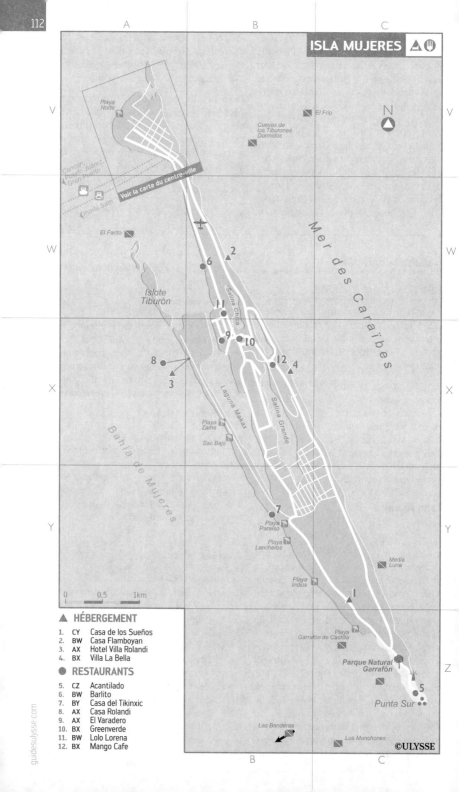

ISLA MUJERES

N

Mer des Caraïbes

Bahía de Mujeres

Playa Norte

El Frio

Cuevas de los Tiburones Dormidos

Cancún Puerto Juárez, Gran Puerto

Punta Sam

Voir la carte du centre-ville

El Farito

Islote Tiburón

Salina Chica

Salina Grande

Laguna Makax

Playa Zama

Sac Bajo

Playa Paraíso

Playa Lancheros

Media Luna

Playa Indios

Playa Garrafón de Castilla

Parque Natural Garrafón

Punta Sur

Las Banderas

Los Manchones

0   0,5   1km

▲ **HÉBERGEMENT**

1. CY Casa de los Sueños
2. BW Casa Flamboyan
3. AX Hotel Villa Rolandi
4. BX Villa La Bella

● **RESTAURANTS**

5. CZ Acantilado
6. BW Barlito
7. BY Casa del Tikinxic
8. AX Casa Rolandi
9. AX El Varadero
10. BX Greenverde
11. BW Lolo Lorena
12. BX Mango Cafe

©ULYSSE

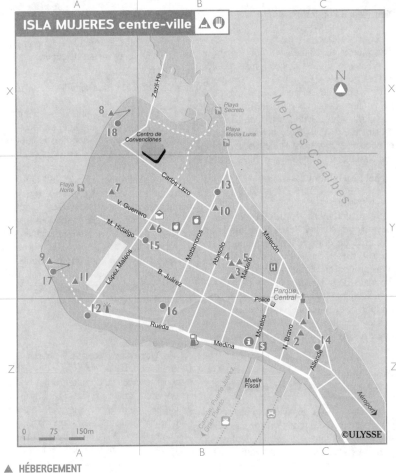

▲ HÉBERGEMENT

1.	CZ	Casa El Pio
2.	CZ	Casa Sirena
3.	BY	Hotel Belmar/Rolandi's Pizzeria
4.	BY	Hotel Carmelina
5.	BY	Hotel Francis Arlene
6.	BY	Hotel Las Palmas
7.	AY	Ixchel Beach Hotel
8.	AX	Na Balam
9.	AY	Nautibeach
10.	BY	Poc-Na Hostel
11.	AY	Privilege Aluxes

● RESTAURANTS

12.	AZ	Coctelería Minino
13.	BY	Frida
14.	CZ	La Cazuela M & J
15.	BY	Lola Valentina
16.	BZ	Olivia
17.	AY	Restaurant Sunset Grill
18.	AX	Zazil Ha

Casa El Pio *$$*

3 Av. Miguel Hidalgo, www.casaelpio.com

Cet élégant hôtel-boutique pour adultes seulement propose quatre grandes chambres impeccables, contemporaines et lumineuses, dont certaines offrent une vue sur la mer. L'établissement, qui dispose d'une petite piscine et d'une terrasse sur le toit, est paisible et apprécié des voyageurs. Accès Internet sans fil gratuit et surtout fonctionnel dans la cour.

Hotel Belmar *$$-$$$* ✆

Av. Miguel Hidalgo nº 110, 998-877-0429, http://hotelbelmarisla.com

Le petit Hotel Belmar n'a qu'une dizaine de chambres, mais il est bien sympathique. Situé au cœur de la ville, en haut de la Rolandi's Pizzeria, il peut donc être parfois bruyant. Les chambres sont confortables, simples et bien décorées. L'hôtel comprend également une suite avec baignoire à remous, cuisinette et salon.

Nautibeach Condos $$$-$$$$
Av. Rueda Medina, Playa Norte, 998-877-0606,
www.nautibeach.com

Très bien situé, Nautibeach Condos abrite des chambres un peu vieillottes mais propres et bien équipées. Les unités avec cuisinette et deux chambres fermées sont idéales pour les familles. Certaines offrent un balcon ou une terrasse avec vue sur la mer. La plage est superbe et l'établissement fournit chaises et parasols. On y trouve une piscine et un restaurant. L'accès Internet sans fil est gratuit.

Ixchel Beach Hotel $$$-$$$$$
Calle Guerrero, Playa Norte, 998-999-2010,
www.ixchelbeachhotel.com

Situé directement devant la très belle Playa Norte, l'Ixchel Beach Hotel, un hôtel moderne de deux bâtiments (cinq et six étages), présente un design minimaliste et offre un confort supérieur. Les suites sont équipées de cuisinettes et d'une chambre fermée. En plus de mettre sa piscine à la disposition de sa clientèle, l'établissement prête gracieusement les chaises de plage. Accès Internet sans fil gratuit dans les chambres.

Casa Sirena $$$$ ✿
Av. Miguel Hidalgo entre Calle Bravo et Calle Allende,
www.sirena.com.mx

Dans cette maison de style coloniale espagnole superbement rénovée, Steve accueille ses clients comme des amis. Seules six chambres sont disponibles, ce qui confère à l'endroit une atmosphère vraiment chaleureuse. Sur le toit, une toute petite piscine a été aménagée. Juste à côté, au bar, les voyageurs se retrouvent pour l'apéritif. Réservations uniquement par Internet (pour au moins 3 nuitées). Clientèle adulte seulement.

Privilege Aluxes $$$$$ ✿
Av. Adolfo López Mateo, 998-848-8470,
www.privilegehotels.com

Non loin de Playa Norte et à deux pas du centre-ville, cet établissement propose des chambres lumineuses aux lignes épurées et contemporaines. Certaines donnent toutefois sur l'école ou sur le cimetière voisin (vous pouvez vérifier cela au moment de votre réservation avec le personnel, particulièrement aimable). La belle piscine centrale comporte plusieurs bassins. Au Café del Mar, l'un des restaurants et club de plage de l'hôtel, la musique *lounge* est parfois enva-

hissante, mais les cocktails sont inventifs et délicieux. L'établissement, très apprécié des vacanciers, offre la formule «tout compris» ou la chambre avec petit déjeuner.

Na Balam $$$$$
Calle Zazil-Ha n° 118, Playa Norte, 998-881-4770,
www.nabalam.com

Le joli hôtel Na Balam, situé directement sur Playa Norte (accès à la plage, parasols, lits et chaises de plage inclus dans le coût de l'hébergement), est divisé en deux sections. D'un côté, les balcons regardent vers la mer et une végétation luxuriante. De l'autre, les chambres s'organisent autour d'une cour intérieure avec vue sur la piscine. Les chambres, à la décoration soignée, sont spacieuses, mais certaines mériteraient d'être rafraîchies. On y propose des cours de yoga, des massages et des activités nautiques, tous payants, de même que l'accès Internet sans fil (seulement dans le hall et le restaurant), un service de lessive et un restaurant sous *palapa*.

Au sud de la ville

Casa Flamboyan $$$
11 Calle Aeropuerto, www.casaflamboyan.com

Devant la popularité grandissante des établissements réservés aux adultes, il fait bon se retrouver en famille à la Casa Flamboyan. Ici, deux jolis appartements sur deux étages et tout équipés sont proposés aux voyageurs. Les unités offrent à la fois la vue sur la mer et sur le lagon... et donc sur le lever et le coucher du soleil! Une petite piscine et une terrasse sur le toit, flanquée de hamacs, font partie des atouts de l'endroit. La superbe plage rocailleuse est idéale pour la promenade, mais on ne s'y baigne pas. Les appartements disposent d'une cuisine complète, d'une terrasse, d'air conditionné et d'un accès Internet sans fil. Séjour d'au moins quatre nuitées.

Villa La Bella $$$$ ✿
Carretera Perimetral (la route longeant la côte est),
SM 4, 998-888-0342, www.villalabella.com

Un couple californien d'une grande gentillesse a pris le pari de construire cette charmante auberge sur la côte est de l'île, longtemps boudée par les hôteliers et les touristes, car on n'y trouve que quelques rares plages rocailleuses et de forts courants. Pourtant la vue est magnifique, la brise bénéfique et la tranquillité incomparable. La Villa La Bella est composée de six confortables chambres, avec vue sur la mer, toutes décorées différemment et disposées autour d'un agréable patio avec bar et piscine. Le petit déjeuner complet servi du mardi au dimanche est délicieux, et les hôtes, Curtis et Ashley, sont aux petits soins pour que votre séjour soit le plus agréable possible. On y offre l'accès Internet sans fil. L'établissement est réservé aux adultes.

Casa de los Sueños $$$$-$$$$$

Carretera Garrafón, Lote 9, 998-888-0369, www.casasuenos.com

Voilà un établissement fort élégant proposant une dizaine de suites et villas avec vue sur la mer, pour des séjours en plan européen ou «tout compris». Balcons sous *palapas*, couleurs vibrantes et matériaux nobles s'agencent ici avec grâce et invitent à la détente, pour ceux qui ne dédaignent pas l'omniprésence de la musique. On prête des kayaks, des vélos et de l'équipement pour la plongée-tuba. Service de spa sur place. Le menu du restaurant est varié et affiche des mets mexicains et internationaux dont plusieurs options végétariennes.

Hotel Villa Rolandi $$$$$ 🐾

Carretera Sac-Bajo, 998-999-2000, www.villarolandi.com

Réservé aux 13 ans et plus, cet établissement cinq étoiles compte plusieurs suites luxueuses. Son hall, garni de magnifiques vitraux, s'ouvre sur un jardin exotique entourant une grande piscine. Toutes les suites ayant vue sur la mer comportent un balcon privé avec bain à remous. Les styles mexicain et caribéen qu'on y observe exhalent beauté et luxe. Les salles de bain, au plancher de marbre, renferment une douche thérapeutique et sont pourvues de nombreux accessoires. Il y a un espace séjour avec chaises et canapé. Le restaurant est réputé, et nombreux sont les amoureux qui passent leur lune de miel en ces lieux. L'hôtel dispose d'un bateau qui vient chercher sans frais les clients à Cancún *(9h30 à 19h30; quai de l'Embarcadero, Boulevard Kukulcán, Km 4,5)* et les dépose au quai privé devant l'établissement.

Isla Holbox

Isla Holbox compte plusieurs hôtels à prix moyen. En voici quelques-uns: **Hotel Casa Bárbara** *($-$$; 984-875-2302, www.hotelcasabarbaraholbox.com)*; **Hotel Casa Iguana Holbox** *($$-$$$$; 984-875-2469, http://holboxhotelcasaiguana.com)*.

Holbox Dream $$-$$$

984-875-2433, www.holboxdream.com

Voilà un petit établissement familial, plein de charme et comptant une quinzaine de chambres sobres, propres et confortables, toutes pourvues d'un balcon avec hamac, d'air conditionné et d'un accès Internet sans fil. La plage privée est paisible et la piscine, bien que petite, est agréable.

Hotel Mawimbi $$$-$$$$ 🐾

984-875-2003, www.mawimbi.net

Ce petit établissement chaleureux et accueillant est installé sur une superbe plage ponctuée de *palapas* et d'invitants lits de plage. Les chambres, bien entretenues et coquettes, sont décorées de tissus guatémaltèques, de boiseries et de céramiques colorées. On y loue également des bungalows tout équipés. Certaines chambres offrent une vue sur la mer, d'autres ont un balcon pourvu de hamacs.

Hotelito Casa Las Tortugas $$$-$$$$ 🐾

984-875-2129, www.holboxcasalastortugas.com

De construction traditionnelle maya, l'Hotelito Casa Las Tortugas offre une piscine chauffée et une extraordinaire plage privée bordant une mer claire et peu profonde, parfaite pour la baignade en famille. L'endroit est tenu par une sympathique équipe italienne, à l'écoute des clients, qui a pris un plaisir évident à parsemer leur établissement et ses chambres de belles pièces d'art local. L'hôtel abrite un excellent restaurant méditerranéen et offre des cours de *kitesurf* (voir p. 110) et de yoga. Séjours offerts en plan *bed and breakfast* ou européen.

Villas HM Paraíso del Mar $$$-$$$$ 🐾

984-875-2062, www.hmhotels.net

Il s'agit d'un ensemble de 58 unités entourées d'une végétation tropicale. Les bungalows, à un ou deux étages avec une vaste salle de bain, offrent tout le confort désiré. Le restaurant se présente comme une immense *palapa*. On y sert de bons plats traditionnels mexicains, sans oublier les produits de la mer. Il y a une piscine, un salon Internet (payant) et un service de change pour clients seulement. On peut y faire la location de voiturettes et profiter d'un service de lessive. L'hôtel propose également des séjours tout compris. L'accès Internet sans fil est payant.

Restaurants

Isla Mujeres

Voir cartes p. 112 et 113.

En raison de la demande touristique, les bons restaurants abondent à Isla Muejres. L'Avenida Rueda Medina, qui longe le front de mer du centre-ville, et l'avenue piétonne Miguel Hidalgo, offrent un vaste choix de restaurants. Quant à la tenue vestimentaire, rien ne complíqué : il suffit de se couvrir et de porter des chaussures. Notez que la plupart des restaurants de plage vous permettront d'utiliser leurs chaises longues et leurs parasols même pour une seule consommation.

Dans la ville

Frida *$*
Calle Matamoros, angle Calle Carlos Lazo
L'ancien propriétaire du Mañana (toujours ouvert mais sous une autre administration) a déménagé ses pénates dans un restaurant tout neuf, le Frida, près de l'hôtel Poc-Na. Il y sert toujours ses fameux sandwichs et plats du Moyen-Orient, un délicieux café, de bons jus de fruits frais et des petits déjeuners.

La Cazuela M & J *$*
Calle Abasolo, angle Calle Guerrero, www.lacazuelamj.com
Nouvellement déménagée, La Cazuela M & J vous reçoit chaleureusement dès 7h avec des jus frais, des crêpes, des omelettes et les traditionnels petits déjeuners mexicains ou américains. Très populaire auprès des Mexicains autant que des touristes, la *cazuela*, un plat entre le soufflé et l'omelette, est une spécialité de la maison.

Coctelería Minino *$-$$*
Av. Rueda Medina
Dans cette simple cantine de bord de mer, les nombreuses tables et chaises de plastique sont plantées dans le sable sous une

grande bâche. Mais ne vous y méprenez pas, c'est bien ici qu'on sert les meilleurs poissons grillés et *ceviches* de l'île, avec vue sur la mer et à un prix des plus raisonnables!

Rolandi's Pizzeria *$$-$$$*
Av. Miguel Hidalgo nº 110, entre Av. Madero et Av. Abasolo, sous l'Hotel Belmar, 998-877-0429, www.rolandi.com
Comme à Cancún, il se trouve à Isla Mujeres une Rolandi's Pizzeria. En plus d'une délicieuse pizza cuite au four à bois, on y sert de belles salades accompagnant les carpaccios, des fruits de mer, des pâtes et des *calzones*. Les amateurs de vrai bon café pourront y savourer un excellent espresso.

Lola Valentina *$$-$$$$*
Av. Miguel Hidalgo, 998-274-0314
Ouvert dès 7h30 pour un copieux petit déjeuner (essayez le pain doré à la noix de coco), Lola Valentina accueille avec chaleur les affamés et les promeneurs de l'avenue piétonnière Miguel Hidalgo. La propriétaire y propose, pour le déjeuner et le dîner, une cuisine fusion mexicaine d'excellente qualité et apprêtée avec savoir-faire. Options pour les végétaliens et plats sans gluten disponibles sur demande. Le restaurant est spacieux et aéré, mais l'atmosphère demeure sympathique. Il s'agit d'un bon endroit pour observer le va-et-vient de la rue. Paiement en espèces seulement.

Zazil Ha *$$-$$$$*
Na Balam, Calle Zazil-Ha nº 118, Playa Norte, 998-881-4770, www.nabalam.com
Le Zazil Ha est le restaurant de l'hôtel **Na Balam** (voir p. 114). On y concocte une cuisine yucatèque et internationale ainsi que des plats de fruits de mer. Le restaurant a été construit dans un jardin tropical luxuriant et cadre bien dans cet environnement romantique. L'apéritif au soleil couchant et les amuse-gueules exotiques sont à ne pas manquer.

Restaurant Sunset Grill *$$$*
côté ouest de Playa Norte, dans le complexe de Nautibeach, 998-877-0785, www.sunsetgrill.com.mx
Ce restaurant est particulier : l'atmosphère est à la détente et au romantisme et la vue du coucher de soleil est tout simplement renversante. Le menu est varié et offre quelques belles surprises comme le végéburger. Avec une consommation de 300 pesos, vous avez

accès à deux chaises longues, à deux serviettes et à un parasol sur la plage.

Olivia $$$-$$$$
11 Av. Matamoros, entre Calle Juárez et Calle Medina, 998-877-1765, www.olivia-isla-mujeres.com
Ce joli restaurant romantique et sans prétention est une affaire de famille. On y cuisine les recettes des grands-parents israéliens, inspirés de touches marocaines (délicieux tajine), turques (*shawarma*), grecques (hoummos, moussaka) et même bulgares…. Le tout est servi dans un petit jardin tropical recouvert d'un toit en *palapa*, ou directement dans le patio à ciel ouvert. Une belle découverte! Pensez à réserver.

Au sud de la ville

Barlito $
Marina Paraiso, 49 Av. Rueda Medina Prolongación Aeropuerto, www.sonrisascatering.com
Maintenant installé dans le magnifique cadre de l'hôtel Marina Paraiso (à l'intérieur, sur la terrasse et dans le jardin, près de la piscine), Barlito est un casse-croûte tenu par de pétillants propriétaires américains et ouvert pour le petit déjeuner et le déjeuner. On y sert, en toute convivialité, de divins et généreux sandwichs et paninis.

La Casa del Tikinxic $
Playa Lancheros
La sympathique Casa del Tikinxic propose une excellente cuisine régionale et de savoureuses grillades. Essayez le *tikinxic* (poisson mariné au rocou et grillé) et profitez du paysage!

Greenverde $-$$
Av. Rueda Medina, angle Calle Albatros
Ouvert dès 17h et proposant de grands classiques de la cuisine mexicaine (*mole, enchiladas*, poisson à la Veracruz) apprêtés d'une main de maître par le chef Oscar Flores, ainsi que des sandwichs sur baguette ou croissant, Greenverde est un restaurant coquet nimbé d'une ambiance rétro franchement sympathique.

Acantilado $-$$$
Punta Sur
On s'attable au restaurant Acantilado pour se rafraîchir et casser la croûte, mais surtout pour contempler la plus belle vue de l'île. On y propose des mets mexicains, du poisson grillé et des *ceviches* bien frais.

El Varadero $$-$$$
en retrait de la route principale, à l'entrée de la Laguna Makax, tout près de la marina Villa Vera
Ce petit restaurant cubain, situé au bord de l'eau et aménagé dans une maison en bois typique des Caraïbes, est bien difficile à trouver, mais son atmosphère unique des années 1950, ses excellents *mojitos* et ses délicieux poissons valent certainement le parcours du combattant pour s'y rendre.

Mango Cafe $$-$$$
725 Payo Obispo, en face de l'église de Guadalupe
Dans un décor pétillant et coloré, ce tout petit restaurant propose des brunchs originaux et des déjeuners savoureux, servis dans la bonne humeur : œufs bénédictine, *quesadillas, empanadas*, tartines…

Casa Rolandi $$$-$$$$
Hotel Villa Rolandi, Carretera Sac-Bajo, 998-877-0700 ou 998-999-2000, www.villarolandi.com
Le soir, le restaurant de l'**Hotel Villa Rolandi** (voir p. 115), un lieu connu des gastronomes, reçoit une clientèle qui vient de l'Isla Mujeres et de Cancún. Une grande salle à manger, garnie de jolis vitraux, surplombe une mer turquoise. Les plats (fruits de mer, cuisines suisse et italienne du Nord) sont à la hauteur de l'excellente carte des vins. On peut s'y rendre à bord de leur yacht depuis Cancún *(sur réservation seulement; gratuit de 9h30 à 19h30, sinon 80$; départ du quai de l'Embarcadero, Boulevard Kukulcán, Km 4,5).*

Lolo Lorena $$$$
Av. Rueda Medina, 998-139-2310
Pour une expérience gastronomique et artistique mémorable, pour la surprise de découvrir le menu du jour à cinq services qui change au fil du temps et des humeurs de la chef, pour la convivialité de la table commune éclairée à la chandelle et installée dans une petite cour intime, pour bénéficier d'un service hors pair personnalisé et pour passer une soirée divertissante, ne manquez pas de réserver chez Lolo Lorena.

Isla Holbox

La plupart des restos-bars d'Holbox se trouvent près de la *plaza*. La cuisine y est généralement excellente et les prix raisonnables. Vous y verrez notamment le **Buena Vista Grill** *($-$$; près de la plage)*, qui sert des plats de poisson cuit sur la braise; le **Zarabanda** *($-$$$; 249 Calle Palomino)*, un restaurant familial (et bar en soirée) qui propose un excellent *ceviche*; le très animé resto-bar **Viva Zapata** *($-$$$; Av. Damero entre Calle Tiburón Balena et Calle Esmedrigal)*, qui affiche un menu maritime, en plus d'une sélection de grillades et d'une succulente cuisine mexicaine traditionnelle; et l'extraordinaire **El Chapulim** *($$$-$$$$; Calle Tiburón Ballena)*, où le chef présente lui-même aux convives quelques plats d'une cuisine mexicaine contemporaine, changeant quotidiennement, au gré des arrivages.

Pour les petits déjeuners, rendez-vous à la charmante boulangerie-cafétéria **Le Jardin** *($-$$$; Calle Lisa)*, qui propose des pâtisseries, des viennoiseries, du délicieux café et de savoureux repas; chez **El Limoncito Breakfast** *($; près de la Plaza)*, pour un copieux petit déjeuner à la mexicaine; ou encore à la **Tortilleria** *($; près de la Plaza)*, pour des omelettes qui valent le détour.

Les restaurants **Casa Nostra** *($-$$$; Hotel La Palapa, Av. Morelos n° 231)*, **Barquito Mawimbi** (**Hotel Mawimbi**, voir p. 115) et **Mandarina** *($$-$$$$; Hotelito Casa Las Tortugas, voir p. 115)* cococtent une cuisine de grande qualité et sont très appréciés des voyageurs.

Du côté de Playa Coco, **Antojitos Las Panchas** *($-$$; Calle Morelos, angle Pedro Joaquín Codwell)* sert de savoureux *empanadas* dans un cadre sympathique et à petits prix.

Sorties

> **Bars et boîtes de nuit**

Isla Mujeres

Dès la tombée du jour, l'Isla Mujeres offre aux visiteurs de quoi se divertir dans ses bars et autres restos-bars. La plupart des établissements ont leurs *horas feliz* (souvent appelées *happy hours* et offrant généralement un « 2 pour 1 » ou autres rabais sur les consommations), qui sont en vigueur selon les endroits entre 15h et 19h. Comme la musique est omniprésente dans l'île, de nombreux musiciens locaux, après avoir accompagné le repas des convives en fin d'après-midi, viennent animer les soirées de danse. L'animation est concentrée sur l'avenue piétonnière Miguel Hidalgo (spectacles de musique quotidiens), sur l'Avenida Rueda Medina et du côté du Poc-Na Hostel, où la fête bat son plein sur la plage jusqu'à 3h.

Fenix Lounge
Na Balam, Calle Zazil-Ha n° 118, Playa Norte, 998-163-6679

Le Fenix est à la fois un resto-*lounge* et un club de plage branché, idéal pour prendre un verre et discuter entre amis. Le décor est soigné mais demeure chaleureux, et l'on y sert une cuisine fusion asiatique. Prestations musicales ou DJ.

Zazil Ha
Na Balam, Playa Norte, 998-881-4770, www.nabalam.com

Les *happy hours* du resto et *beach lounge* Zazil Ha (sur la plage; voir aussi p. 116) s'avèrent également très populaires et l'ambiance est très charmante. Parfois des musiciens s'y produisent.

Café del Mar
Privilege Aluxes, Av. Adolfo López Mateos

Face à la mer et ponctué de fauteuils immaculés posés sur de petits îlots de bois sous les palmiers, avec *palapas* et parasols, le chic Café del Mar est l'endroit rêvé pour passer une bonne soirée. Au menu: cuisine recherchée, spectacles de musique et cocktails divins.

Achats

Isla Mujeres

Au centre-ville, l'**Avenida Rueda Medina** et l'**Avenida Miguel Hidalgo** sont flanquées de nombreuses petites boutiques.

Installée en face d'une aire de jeux dans une jolie boutique peinte en mauve, la bijouterie **Galería de Arte Mexicano** *(angle Av. Guerrero et Av. Madero, 998-877-1272)* recèle de superbes pièces d'une grande qualité réalisées avec soin. L'accueil est chaleureux.

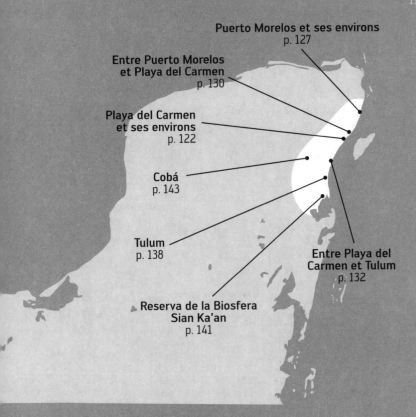

Puerto Morelos et ses environs
p. 127

Entre Puerto Morelos
et Playa del Carmen
p. 130

Playa del Carmen
et ses environs
p. 122

Cobá
p. 143

Tulum
p. 138

Entre Playa del
Carmen et Tulum
p. 132

Reserva de la Biosfera
Sian Ka'an
p. 141

La Riviera Maya

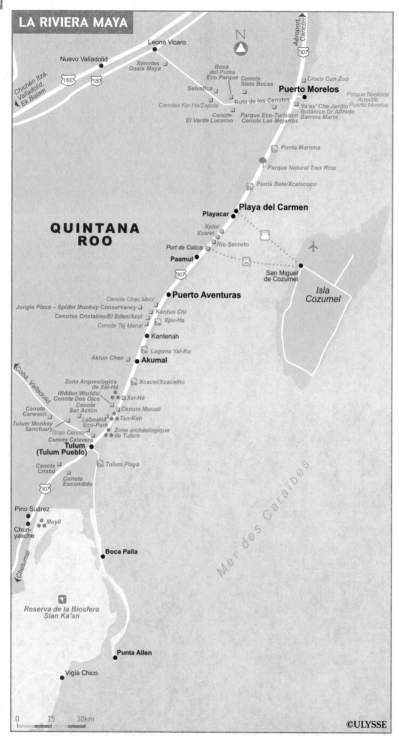

LA RIVIERA MAYA

N

Aéroport, Cancún

307

Leona Vicaro

Nuevo Valladolid

1800   180

Chichén Itzá,
Valladolid,
Ek Balam

Xenotes
Oasis Maya

Boca
del Puma
Eco Parque

Cenote
Siete Bocas

Croco Cun Zoo

Puerto Morelos

Parque Nacional
Arrecife
Puerto Morelos

Selvatica

Ruta de los Cenotes

Ya'ax' Che Jardín
Botánico Dr Alfredo
Barrera Marín

Canotes Kin Ha/Zapote

Cenote
El Verde Lucerno

Parque Eco-Turístico
Cenote Las Mojarras

Punta Maroma

Parque Natural Tres Ríos

Punta Bete/Xcalacoco

Playa del Carmen

Playacar

Xplor
Xcaret

Río Secreto

Port de Calica

Paamul

307

San Miguel
de Cozumel

*Isla
Cozumel*

QUINTANA
ROO

Cenote Chac Mool

Puerto Aventuras

Jungle Place – Spider Monkey Conservancy

Kantun Chi

Cenotes Cristalino/El Eden/Azul

Xpu-Ha

Cenote Taj Mahal

Kantenah

Laguna Yal-Ku

Aktun Chen

Akumal

Cobá, Valladolid

Zona Arqueológica
de Xel-Ha

Xcacel/Xcacelito

Hidden Worlds/
Cenote Dos Ojos

Cenote
Sac Actún

Xel-Há

Cenote
Carwash

LabnaHá
Eco-Park

Cenote Manatí

Tan-Kah

Tulum Monkey
Sanctuary

Gran Cenote

Zone archéologique
de Tulum

Cenote Calavera

**Tulum
(Tulum Pueblo)**

Tulum Playa

Cenote
Cristal

307

Cenote
Escondido

Pino Suárez

Muyil

Chun-
yaxche

Boca Paila

Mer des Caraïbes

Chatumal

Reserva de la Biosfera
Sian Ka'an

Punta Allen

Vigía Chico

0   15   30km

©ULYSSE

La côte mexicaine de la mer des Caraïbes qui porte le nom de **Riviera Maya** ★ ★ ★ est une destination touristique de plus en plus prisée. Ce nom évocateur des premiers occupants de la région fait référence au littoral qui s'étend entre le village de Puerto Morelos et le village de Punta Allen, situé dans la Reserva de la Biosfera Sian Ka'an, au sud du village de Tulum.

Il n'y a pas si longtemps, cette partie du Mexique qui donne sur la mer des Caraïbes consistait en une succession de plages vierges, de lagunes poissonneuses, de *cenotes* inexplorés, de grottes et de rivières souterraines. Il y a une génération, quelques paisibles villages étaient reliés par une route secondaire parallèle à la côte. Les choses ont bien changé depuis...

Aujourd'hui, plus de la moitié des visiteurs qui transitent par l'aéroport de Cancún choisissent de séjourner sur la Riviera Maya. La région, qui a acquis ses titres de gloire dans les années 1980 grâce aux nombreuses excursions d'un jour organisées depuis Cancún vers les villes archéologiques de Tulum et de Cobá ainsi qu'à Xel-Há, compte dorénavant davantage d'établissements hôteliers et d'attraits touristiques que Cancún.

Si Cancún demeure le haut lieu du tourisme en formule «tout compris», la Riviera Maya est une destination plus conviviale et mérite bien plus qu'une simple excursion. Ses nombreux attraits sauront satisfaire ceux qui sont à la recherche de richesse culturelle ainsi que des beautés de la nature et des activités s'y rattachant. Les quelques sites archéologiques qui ont été mis en valeur et ouverts au public donnent un aperçu fort intéressant de ce qu'était la vie des Mayas avant l'arrivée des Espagnols.

Le long des quelque 200 km de littoral s'égrènent des douzaines de très belles plages, certaines jalonnées de complexes hôteliers de grand luxe et d'autres, de plus en plus rares, de *cabañas* rustiques. Au large des côtes, le grand récif maya, deuxième plus longue barrière de corail au monde, offre une vision fantasmagorique des fonds marins.

Les anciennes cités mayas en ruine partagent ce magnifique paysage avec des constructions récentes érigées pour satisfaire le flux toujours croissant des touristes venus de l'Europe et des Amériques.

Les premiers occupants de la région parlaient le maya yucatèque et, même si aujourd'hui la langue officielle est l'espagnol, la plupart des descendants mayas parlent toujours le yucatèque. Depuis quelques années, de nouveaux arrivants parlent le français, l'allemand ou l'italien, et confèrent une atmosphère cosmopolite à ce paradis. L'anglais est évidemment parlé presque partout.

L'engouement qu'a connu Cancún a donc ouvert de nouvelles perspectives aux visiteurs en quête d'un cadre souvent plus intime, généralement plus près de la culture maya et de la nature. L'infrastructure touristique du corridor entre Cancún et Tulum a pris forme au début des années 1990, avec l'ouverture des premiers hôtels d'importance. Si quelque 300 000 visiteurs s'y sont rendus en 1995, la région aurait depuis dépassé le cap des 4 millions de visiteurs par année! On estime aujourd'hui que la Riviera Maya dispose de plus de 40 000 chambres réparties dans près de 400 lieux d'hébergement, dont la majorité se trouvent autour de Playa del Carmen et de Tulum.

En moins d'une trentaine d'années, la Riviera Maya est devenue une destination de première importance; si Puerto Morelos a gardé ses airs de village de pêcheurs sous certains aspects, tout autour les attraits touristiques ont poussé comme des champignons.

La Riviera Maya – Introduction

Et le développement se poursuit avec, entre autres, la venue du Cirque du Soleil, qui offrira, dès novembre 2014, le souper-spectacle *Joyá* dans son théâtre flambant neuf situé à mi-chemin entre Puerto Morelos et Playa del Carmen.

Le village de Playa del Carmen est devenu une ville de plus de 173 000 habitants, très populaire auprès des touristes en quête d'une ambiance plus authentique que sa grande sœur Cancún. La magnifique plage au sud du site archéologique de Tulum, jadis paradis des amateurs de confort rudimentaire et de naturisme, compte maintenant une multitude d'hôtels et de *cabañas*.

Le village qu'est Tulum Pueblo n'a pas subi les mêmes transformations que la côte, mais il offre dorénavant tous les services nécessaires au tourisme de masse (de la location de voitures au médecin parlant le français ou l'anglais, en passant par d'excellents restaurants dont plusieurs proposent des menus internationaux). Tulum Pueblo s'avère non seulement le point de départ pour les grandes destinations telles que Palenque (État du Chiapas) ou Tikal (Guatemala), mais aussi un lieu d'arrêt et de repos pour un nombre croissant de vacanciers et de bourlingueurs. Ses petits hôtels et restaurants familiaux n'ont rien à envier à ceux des autres destinations de la Riviera Maya. On y retrouve moins d'établissements tout-inclus, mais plus d'intimité et de charme.

Du côté de la zone hôtelière de Tulum (Tulum Playa), sur la route Tulum-Boca Paila s'enchaînent, l'un à la suite de l'autre et sur près de 30 km, des restaurants, de petits et moyens hôtels et de nombreuses boutiques en tout genre.

Accès et déplacements

➤ Orientation

Les distances sont relativement courtes sur la Riviera Maya. La route entre Cancún et Tulum, que l'on désigne de plusieurs noms tels que route 307, Carretera Cancún-Tulum ou Carretera Cancún-Chetumal, longe le littoral derrière la mangrove et constitue le seul moyen d'accès à tous les attraits et villages d'intérêt.

Notez qu'à Playa del Carmen, les rues parallèles au rivage sont les *avenidas* (avenues); et les rues perpendiculaires, les *calles* (rues). L'Avenida 5 (la *Quinta*) étant piétonnière, la circulation automobile dans les rues transversales est difficile.

➤ En avion

Tous les vols nationaux et internationaux atterrissent à l'**aéroport international de Cancún** (voir p. 77). La plupart des forfaits vacances incluent le déplacement en bus de l'aéroport jusqu'à l'hôtel, où qu'il soit situé sur la côte. Les voyageurs indépendants trouveront pour leur part de nombreuses agences de location de voitures, des transports collectifs et des taxis sur place.

Le petit aéroport de **Playa del Carmen**, situé juste au sud de la ville, accueille quelques vols intérieurs exploités par des avions de type Cessna. L'aéroport est majoritairement utilisé par la compagnie **Aerosaab** *(984-865-4225, www.aerosaab.com)*, qui propose des vols privés vers les villes et les attraits touristiques environnants : Cancún, Cozumel, Isla Mujeres, Isla Holbox, Mérida, Chichén Itzá, etc.

➤ En voiture

Avec le service d'autocar, la voiture est certainement la façon la plus facile et la plus agréable de parcourir la région. De nombreux postes d'essence, dont ceux de la compagnie Pemex, bordent la Carretera Cancún-Tulum, cette route à quatre voies qui longe la côte à quelque 3 km ou 4 km de la plage. Après Tulum, la route passe par des villes et des villages situés à l'intérieur des terres et rejoint Chetumal, la capitale du Quintana Roo.

Les principaux désagréments de la conduite sur la Riviera Maya se limitent à l'attente aux contrôles routiers et à la densité de la circulation automobile autour de Playa del Carmen aux heures de pointe.

La Carretera 307 est jalonnée d'embranchements de chemins ou de sentiers menant aux grands complexes hôteliers tout-compris, aux attraits, aux villages et aux beautés naturelles qui se trouvent, la plupart du temps, à l'est de la route, soit du côté de la mer. Ainsi si vous venez du nord, soyez prudent lors du virage à gauche. Du côté ouest, les quelques embranchements mènent surtout à des *cenotes* et à des parcs écologiques. Dans tous les cas, soyez très attentif et roulez à vitesse modérée, car il n'est pas toujours évident de repérer ces embranchements et la route est ponctuée de zones de ralentissement (petits dos-d'âne ou *topes*) et de sécurité (barrages militaires).

Sortir de Cancún

Vous sortirez du centre-ville de Cancún en suivant vers le sud l'Avenida Tulum, qui devient la route 307.

À partir de la zone hôtelière, prenez le Boulevard Kukulcán vers le sud jusqu'à la route 307. Le Boulevard Kukulcán mène à l'aéroport, et l'échangeur en trèfle mérite une attention particulière, car il est facile de se retrouver sur le chemin qui conduit vers le centre-ville. Il faut passer au-dessus de la route 307 et prendre la boucle de droite qui mène au sud (direction Playa del Carmen) par cette même route.

Depuis l'aéroport de Cancún, suivez les indications vers la sortie (quelque 300 m) jusqu'à la route 307, où vous tournerez à droite (direction sud).

Puerto Morelos

À 36 km de Cancún, le premier feu de circulation que vous croiserez est le point de rencontre du chemin qui mène à Puerto Morelos. Gardez la droite pour la station-service et la gauche pour Puerto Morelos.

Akumal

À 105 km de Cancún, vous trouverez le village d'Akumal sur la droite et les complexes résidentiels et hôteliers sur la gauche, vers la mer. Toutes nos adresses à Akumal concernent cette dernière zone.

Playa del Carmen

La ville de Playa del Carmen est située à 68 km de Cancún. Roulez cap au sud durant près de 45 min pour l'atteindre.

Location de voitures:

Alamo: Av. 5 angle Calle 6 Norte, 984-873-1118, www.alamo.com

National Car Rental
Calle 3 Sur entre Av. 30 et Av. 35, 984-873-0883, www.national.com.mx

Tulum

À quelque 130 km de Cancún se trouvent la zone archéologique de Tulum, le village de Tulum (Tulum Pueblo) et la zone hôtelière Tulum Playa (la *zona hotelera*). La route entre Tulum Playa et Punta Allen, appelée Carretera Tulum-Boca Paila ou Carretera Tulum-Punta Allen, est asphaltée jusqu'à l'entrée de la Reserva de la Biosfera Sian Ka'an. Elle devient ensuite une route de terre jusqu'au village de Punta Allen.

La circulation sur cette route étroite, où s'alignent un nombre effarant de boutiques, restaurants et hôtels en tout genre, est très dense, et il n'est pas rare d'y voir des bouchons de circulation (ou des touristes faisant la file pour s'attabler à un restaurant branché). Piétons, cyclistes et automobilistes doivent être constamment sur leurs gardes.

Site archéologique de Cobá

Légèrement au sud des ruines de Tulum, prenez à droite la route 109 (Carretera Tulum-Cobá) pour vous rendre, 47 km plus loin, à la zone archéologique de Cobá. Faites attention aux nombreux dos-d'âne non signalés. Il est préférable de faire le plein d'essence au village de Tulum.

Reserva de la Biosfera Sian Ka'an

En direction sud depuis Tulum Pueblo, la Carretera 307 permet d'accéder au bureau de **Community Tours Sian Ka'an** (voir p. 126), à la réserve de Sian Ka'an et au site archéologique de **Muyil** (voir p. 142).

La Carretera Tulum-Boca Paila, située au sud des hôtels bordant la plage de Tulum, mène également à la Reserva de la Biosfera Sian Ka'an, puis elle devient une route de terre cahoteuse et poussiéreuse jusqu'au petit village de Punta Allen.

Punta Allen

En voiture, prévoyez un peu plus de 4h pour rejoindre Punta Allen au départ de Cancún.

La route entre Cancún et Tulum ne pose pas de problème, mais, au sud de Tulum, la route se détériore et devient rocailleuse et poussiéreuse. Sans être indispensable, un 4x4 pourrait vous être utile ici.

> En autocar

Puerto Morelos

La gare routière de Puerto Morelos est située en bordure de l'autoroute près de l'embranchement qui mène au village (environ 3 km). De là, il est facile de prendre un taxi ou un *colectivo*.

Playa del Carmen

Il y a deux gares à *Playa*. Il faut vérifier à quelle gare est le départ si vous achetez votre billet à l'avance.

Desservie par l'entreprise **ADO** *(www.ado. com.mx)*, la gare routière principale de Playa del Carmen se trouve sur l'Avenida 5, à l'angle de l'Avenida Juárez. La plupart des autocars qui partent d'ici ou y vont parcourent la route 307 entre Cancún et Chetumal. Des panneaux d'information sur les trajets et les tarifs peuvent y être consultés 24 heures sur 24, et le site Internet d'ADO est des plus détaillés.

Les autocars qui sillonnent l'intérieur de la péninsule du Yucatán, ainsi que les autres États du Mexique, sont garés sur l'Avenida 20 entre la Calle 12 et la Calle 14, derrière l'hôtel ONE.

Tulum

La gare routière de Tulum est située sur le côté ouest de l'Avenida Tulum entre la Calle Jupiter et la Calle Alfa. Il y a un arrêt près de la zone archéologique. Une navette effectue le trajet entre Tulum Pueblo (devant l'auberge The Weary Traveller) et la plage.

Cobá

La compagnie d'autocars **ADO** *(www.ado. com.mx)* dessert régulièrement Cobá au départ de Playa del Carmen et Tulum.

> En bateau

Playa del Carmen–Isla Cozumel

Des traversées quotidiennes ont lieu entre Playa del Carmen et Cozumel à bord des navettes modernes des compagnies **Ultramar** *(environ 25$ aller-retour; plusieurs départs par jour; 998-881-5890, www. granpuerto.com.mx)* et **México Waterjets** *(environ 25$ aller-retour; 987-879-3112, www.mexicowaterjets.com)*. Si vous souhaitez garder ouvert votre horaire de retour, vous obtiendrez un aller-simple pour la moitié du prix. Le premier départ de *Playa* a lieu à 7h et le dernier à 22h, à des intervalles d'une ou deux heures. Le quai d'embarquement de Playa del Carmen se trouve à l'extrémité sud de la ville, au bout de l'Avenida Juárez. De Cozumel, le premier départ est à 6h et le dernier à 21h. Le quai de Cozumel est situé devant la Plaza Principal de San Miguel, au bout de l'Avenida Benito Juárez. Dans les deux cas, on se procure les billets à l'entrée du port. La traversée dure environ 45 min.

Si vous désirez vous rendre à Cozumel avec votre voiture, sachez que **Transcaribe** *(www.transcaribe.net)* offre un service de traversier au départ du port de Calica (au sud de Playa del Carmen, passé Playacar). À Cozumel, le bateau accoste au Terminal Féliz González Canto, situé un peu au sud de San Miguel sur l'Avenida Rafael E. Melgar. Il y a généralement quatre départs par jour de Calica comme de Cozumel. La traversée dure plus de 2h et coûte environ 120$ aller-retour. Notez que, pour des raisons d'assurance, les voitures de location ne sont pas toujours admises à bord des traversiers.

> En *colectivo*

Le coût du transport en *colectivo* varie bien sûr selon la distance parcourue mais demeure très bas, surtout lorsqu'on le compare au taxi. Dites au chauffeur votre destination et comptez de 5 pesos (en ville) à 50 pesos (de Playa del Carmen à Tulum) pour vos déplacements. Ils circulent fréquemment le long de la Carretera 307 et dans les villes.

Puerto Morelos

Le terminus de *colectivos* se trouve à l'angle de l'Avenida Niños Héroes et de la Carretera 307. Des *colectivos* circulent régulièrement entre la zone urbaine (arrêt du côté ouest de la Carretera 307) et la zone hôtelière (arrêt une rue à l'ouest du Parque Central).

Playa del Carmen

Le *Playa Express* pour Cancún part de la Calle 2 entre l'Avenida 10 et l'Avenida 15. Les *colectivos* pour Cancún et Tulum partent de l'Avenida 20 près de l'Avenida Juárez.

Tulum

Les *colectivos* pour Playa del Carmen partent du côté est de l'Avenida Tulum, entre la Calle Jupiter et la Calle Alfa, en face du terminus d'autocars ADO. D'autres *colectivos* en direction de Cobá attendent à l'angle nord-ouest de l'intersection des routes 307 (Carretera Cancún-Tulum) et 109 (Carretera Tulum-Cobá), et certains s'arrêtent sur la route 307, près du chemin d'entrée du site archéologique.

Boca Paila et Punta Allen

Il y a un départ par jour en camionnette (*colectivo*) de Tulum vers Boca Paila et Punta Allen.

➢ En taxi

Les taxis sont sécuritaires mais plutôt chers sur la Riviera Maya, surtout si vous montez à bord devant un hôtel tout-inclus. Vous en trouverez dans tous les villages et aux abords des sites touristiques. Même si, officiellement, les tarifs sont fixes, il est conseillé de toujours s'entendre avec le chauffeur sur le prix de la course (en pesos) avant de monter à bord. Demandez à voir la carte des tarifs, car les voitures n'ont pas de compteur.

Puerto Morelos

Vous trouverez facilement un taxi près du Parque Central. De là, comptez une centaine de pesos pour vous rendre dans la zone urbaine et 150 pesos pour atteindre le Croco Cun Zoo.

Playa del Carmen

Une course de taxi dans Playa del Carmen coûte environ 30 pesos.

Tulum

Comptez environ 30 pesos pour une course en ville et 100 pesos pour atteindre la zone hôtelière.

Renseignements utiles

➢ Argent et services financiers

Vous trouverez des bureaux de change dans certaines localités de la Riviera Maya. Les banques sont plus rares, mais les distributeurs de billets sont présents presque partout et souvent à l'intérieur des centres commerciaux. Cherchez les distributeurs affiliés à des banques, car les taux de change y sont meilleurs et les frais de transaction moins élevés.

Puerto Morelos

Vous trouverez plusieurs distributeurs de billets près du Parque Central, notamment dans le marché OXXO.

Playa del Carmen
HSBC : Av. 30 entre Calle 4 et Calle 6

Banamex : angle Calle 12 et Av. 10

Banorte : Av. 10 Norte, angle Calle 8

Tulum Pueblo
Scotiabank : Av. Tulum, angle Av. Satélite Sur

➢ Excursions organisées
Playa del Carmen

Alltournative *(devant l'entrée de Playacar, près du Centro Maya, 984-803-9999 ou 877-432-1569 du Canada, www.alltournative. com)*. Il existe plusieurs agences à Playa del Carmen, mais celle-ci est très fiable et se spécialise depuis 1999 dans le tourisme écologique, tout en intégrant la culture des communautés mayas locales dans leurs projets. Des excursions d'une journée sont proposées un peu partout sur la Riviera et jusqu'à Ek Balam.

En plus de la plongée, de la randonnée guidée, de la descente en rappel, des rituels mayas, de la baignade en *cenotes* fermés, de la tyrolienne (*zip-line*) au-dessus des *cenotes* et du canot, Alltournative organise des visites des sites archéologiques d'Ek Balam, de Tulum et de Cobá, ainsi que des villages mayas, incluant toujours un volet «plein air». Enfin, certains de ses tours proposent une excursion dans la jungle en véhicule tout-terrain.

Aventuras Mayas *(Carretera Playa del Carmen-Tulum, Km 2,5, Ejido Sur, Playa del Carmen, 984-803-2551, www. aventurasmayas.com.mx)* propose cinq excursions différentes qui durent de 4 à 6 heures. Au programme, tyrolienne au-dessus des arbres, visite du site archéo-logique de Tulum, plongée-tuba, club de plage ou encore exploration de *cenotes* où vous pouvez faire une descente en rappel.

H&L Tours *(Av. 10 Sur, Plaza Antigua, près de Playacar, www.h-ltours.com)* organise d'excellentes excursions personnalisées et animées par des guides francophones (Cobá, Sian Ka'an, Chichén Itzá, Isla Contoy, baignade avec les requins-baleines, journée de plein air avec tyroliennes, *cenotes*, plongée-tuba, etc.).

Paseo Tours *(984-137-8173, www. paseotours.com)*, une agence francophone spécialisée en écotourisme pour petits groupes, propose des sorties de découverte des sites archéologiques, de la nature et de la culture maya (Muyil et Boca Paila, Tulum et Cobá ou encore Chichén Itzá, Ek Balam et Valladolid).

Tulum

Community Tours Sian Ka'an *(Calle Osiris, angle Calle Sol de Oriente, 984-871-2202, www.siankaantours.org)* propose des excursions à échelle humaine et de grande qualité alliant culture, archéologie, nature et activités de plein air, en étroite collabo-ration avec les communautés mayas. Les guides sont dévoués et érudits, et certaines excursions offrent des thématiques diffé-rentes, comme l'excursion *The Chewing Gum – A Mayan Legacy*, où l'on assiste à la production de gomme à mâcher selon le procédé ancestral maya, de la récolte à la cuisson, avant de prendre part à une croi-sière et à une baignade dans les canaux limpides des lagunes. D'autres forfaits incluent la visite du site archéologique de Muyil, le kayak, l'observation des oiseaux, la pêche à la mouche et la croisière au cou-cher de soleil.

Le **Centro Ecológico Sian Ka'an (CESiaK)** *(Carretera Cancún-Tulum, Km 68, Tulum, 984-871-2499, www.cesiak.org)* organise diverses excursions en kayak ou en bateau sur les eaux des lacs, canaux et lagunes de la **Reserva de la Biosfera Sian Ka'an** (voir p. 141).

Affiliée à l'école de surf **OceanProKite** (voir p. 147), l'agence francophone **Mexico Kan Tours** *(www.mexicokantours.com)* organise des excursions qui allient plein air, archéo-logie et culture maya, dans la Reserva de la Biosfera Sian Ka'an ainsi que dans les sites archéologiques de Muyil, Chichén Itzá, Xlapak et Cobá.

> Internet et télécommunications

De nombreux établissements hôteliers, restaurants et cafés disposent d'un accès Internet sans fil gratuit. Sur les artères prin-cipales, plusieurs commerces proposent des services de télécommunications (poste Internet, télécopie, appels internationaux).

Il est possible d'activer votre téléphone cel-lulaire en vous procurant une carte «SIM» dans un centre de services de l'opérateur local **Telcel** (voir p. 66) et d'acheter des minutes dans les magasins OXXO que l'on retrouve partout dans la région.

> Police
Urgence : 066

Playa del Carmen
Police touristique : Av. Juárez entre Calle 15 et Calle 20, 984-873-3340

Tulum
Poste de police : 984-871-2055

> Poste
Playa del Carmen
Calle 2 entre Av. 20 et Av. 25, 984-873-0300

Tulum Pueblo
Av. Tulum entre Av. Satélite Norte et Calle Centauro Norte

> Renseignements touristiques

Puerto Morelos
Le meilleur endroit pour obtenir de l'infor-mation, un brin de conversation et une

bonne carte de la ville demeure la librairie **Alma Libre** (voir p. 171).

Playa del Carmen

En plus du bureau de tourisme officiel du centre-ville *(Calle Juárez, angle Av. 15, 984-873-2804)*, il existe aussi plusieurs kiosques d'information touristique qui déménagent d'une saison à l'autre.

Tulum

Le long de l'Avenida Tulum, dans le centre-ville, on trouve plusieurs kiosques d'information très utiles. On en retrouve également un à l'intersection de l'Avenida Tulum et de la route 109, du côté est.

> ### Santé

Puerto Morelos

Farmacia : Av. Javier Rojo Gómez, en face du Parque Central, 998-871-0053

Farmacia Yza : angle Carretera 307 et Calle 42, 998-871-0077

Playa del Carmen

Hospiten Riviera Maya
24h/24; route 307, au sud de Playa del Carmen, 984-803-1002, www.hospiten.com
Cet hôpital privé dispose de services modernes et de qualité. Médecins parlant l'anglais.

Centro de Salud : Av. Juárez, angle Av. 15, 984-872-1230

Farmacia Yza : plusieurs succursales dont celles de l'Avenida Constituyentes (angle Av. 30) et de la Calle 10 Sur (entre Av. 1 et Av. 3)

Tulum

Farmacie : Av. Tulum, angle Av. Satélite Norte

Chedraui : Carretera Tulum-Boca Paila (route de la plage, à quelques centaines de mètres de l'intersection avec l'Avenida Tulum)

Attraits touristiques

Puerto Morelos et ses environs ★

Voir carte p. 148.

À ne pas manquer
- Croco Cun Zoo p. 128
- Ya'ax' Che Jardín Botánico Dr Alfredo Barrera Marín p. 128
- Ruta de los Cenotes p. 128
- Little Mexican Cooking School p. 128
- Plongée dans le Parque Nacional Arrecife Puerto Morelos p. 146

Les bonnes adresses

Restaurants
- Playita p. 164
- El Merkadito p. 163
- T@cos.com p. 164
- Los Gauchos p. 164

Sorties
- Pangea p. 170

Puerto Morelos ★

À 36 km au sud de Cancún se trouve la ville de Puerto Morelos (9 200 hab.), qui, malgré son récent développement touristique, demeure plus authentique et décontractée que ses voisines. Le contraste avec Cancún est tel qu'on a peine à croire qu'on se trouve à moins de 30 min en voiture de la station balnéaire la plus développée de toute la côte caribéenne de la péninsule du Yucatán. On peut y acheter son poisson directement auprès des pêcheurs sur les quais et, le mercredi, un petit **marché de fruits et légumes** se tient au **Parque Central**. C'est une occasion unique de faire de belles rencontres avec les gens du pays et, pourquoi pas, de découvrir aussi de nouveaux fruits et légumes. Les vendredis et samedis de 18h à 21h y a lieu un marché d'artisanat.

Un autre événement qui mérite qu'on s'y attarde est le **Sunday Jungle Market** *(mi-déc à avr dim 10h à 22h; Ixchel Jungle Spa, Calle de Las Reinas, 998-208-9148, www. mayaecho.com)*, tenu du côté urbain de Puerto Morelos, où les voyageurs pourront à la fois trouver de l'artisanat local d'excellente qualité, déguster des spécialités mayas et s'amuser en famille.

En réalité, le centre de Puerto Morelos n'est pas particulièrement joli, et semble perpétuellement en chantier, mais son atmosphère paisible et l'amabilité de ses habitants lui confèrent un charme indéniable qui plaira à ceux qui veulent fuir quelque temps la frénésie touristique de la Riviera Maya. D'ailleurs, plusieurs travailleurs de Cancún ou de Playa del Carmen ont choisi d'y vivre pour cette raison. Faits notoires pour la région : le Parque Central est encore doté de jeux pour les enfants et les habitants vous diront que Puerto Morelos est l'endroit le plus sécuritaire de tous les environs.

Bien sûr, on trouve dans la petite ville plusieurs copropriétés de type *time sharing*, et plusieurs projets immobiliers sont en construction sur le bord de la mer, mais le développement reste contrôlé. La ville est établie entre la mer et la mangrove. Or, une interdiction gouvernementale de construire dans cette zone marécageuse indispensable pour l'équilibre biologique y est pour beaucoup. Et les habitants ne souhaitent pas que ça change. Les grands complexes hôteliers (très chics et très chers) ont donc été érigés aux abords du village. Pendant plusieurs années, les traversiers pour Cozumel partaient du quai de Puerto Morelos, mais ce service a transféré à Playa del Carmen pour les piétons et au port de Calica pour les voitures.

La plage, longue et large, est protégée par un récif corallien, idéal pour la plongée sous-marine et la plongée-tuba qu'il est possible de pratiquer en autonomie. Pour avoir le plus de chance d'apercevoir poissons et coraux, rendez-vous juste à la sortie du village, en direction de Cancún. En somme, avec ses quelques bons restaurants et petits hôtels sympathiques, tous les services nécessaires et la proximité des nombreuses attractions de la région, vous passerez certainement un séjour agréable et tranquille à Puerto Morelos.

Le **Ya'ax' Che Jardín Botánico Dr Alfredo Barrera Marín** ★★ *(100 pesos; lun-sam 8h à 16h; route 307, Km 33, ou 1 km au sud de Puerto Morelos, 998-206-9233, www.ecosur. mx/jb/Yaaxche)* est en fait un agréable sentier naturel qui permet de découvrir les richesses écologiques de la région, loin des hordes de touristes. Vous y verrez, en plus des plantes, arbres et fleurs de la région, des singes-araignées (atèles), des iguanes, environ 150 espèces d'oiseaux, un intéressant petit temple maya et un campement traditionnel de *chicleros*. Ce jardin possède aussi une jolie collection d'orchidées. Il est conseillé de s'y rendre le matin à l'ouverture et de porter des chaussures adaptées à la marche.

Au Km 31 se trouve le **Croco Cun Zoo** ★★★ *(adultes 30$, enfants de 6 à 12 ans 20$, pré-voyez environ 2$ pour un sac de nourriture pour les animaux et un pourboire pour le guide; tlj 9h à 17h; route 307, Km 31, 998-850-3719, www.crococunzoo.com)*, une ferme d'élevage de crocodiles et un zoo interactif voué à la conservation des animaux de la région. On peut y observer, lors de la visite guidée d'une heure, des spécimens de crocodiles de Morelet, de tous les âges et de toutes les tailles, des serpents et des iguanes, des singes, des perroquets et d'autres animaux encore. Les guides ouvrent souvent les cages et les visiteurs peuvent alors toucher à plusieurs animaux, dont des bébés crocodiles. Ce parc zoologique comprend en outre une petite boutique et des espaces de repos où vous pourrez vous procurer des rafraîchissements. De Cancún à Puerto Morelos en autocar, le trajet dure une demi-heure. Le chauffeur fera un arrêt spécial pour vous à Croco Cun si vous le lui demandez. Notez que le zoo n'accepte pas les cartes de crédit.

Parmi les activités les plus appréciées à Puerto Morelos, notez les cours de cuisine mexicaine proposés par **The Little Mexican Cooking School** ★★ *(110$; 10h à 15h30; Av. Javier Rojo Gómez n° 768, 998-251-8060, www.thelittlemexicancookingschool.com)*. On accueille les élèves avec des pâtisseries et du café, puis on y prépare plusieurs plats et boissons, en groupe d'au plus 18 personnes, et l'activité se termine par la dégustation du mets que vous aurez concocté! Les participants rapportent chez eux un livret de recettes et un tablier en souvenir.

Une autre école, de langue cette fois, le **Puerto Morelos Language Center** *(Av. Niños Héroes n° 46, 998-871-0162, http:// puertomorelospanishcenter.com)* propose des cours d'espagnol pour tous les niveaux en formule privée ou semi-privée. L'école organise les séjours dans des familles d'accueil de Puerto Morelos ou l'hébergement en hôtel, résidence, gîte ou appartement.

Ruta de los Cenotes ★★

Au Km 36,5, juste à la sortie de Puerto Morelos en direction de Playa del Carmen, une grande arche indique l'entrée de la **Ruta de los Cenotes**. Sur des dizaines de kilomètres, vous y trouverez plusieurs de

Les *cenotes*

La plateforme calcaire de la péninsule du Yucatán renferme le réseau de rivières et de grottes sous-marines le plus long au monde. Ces grottes peuvent atteindre plusieurs dizaines de mètres de profondeur et sont remplies d'une couche inférieure d'eau salée et d'une couche superficielle d'eau douce. En certains endroits, le phénomène de dissolution du calcaire a causé un effondrement de terrain et la création de puits naturels appelés *cenotes* (terme d'origine maya qui signifie une dépression karstique fermée occupée par un petit lac).

Les Mayas considéraient ces puits comme un moyen de communication avec les dieux et d'accès au *Xibalbá* (l'inframonde), le gouffre représentant une bouche. Utilisés jadis comme réserves d'eau douce, les *cenotes* servaient donc également de lieux de culte où des offrandes et des victimes sacrificielles étaient jetées. D'ailleurs, on a découvert des objets en or au fond du Cenote Sagrado de Chichén Itzá, entre autres.

Aujourd'hui les *cenotes* de la région font le bonheur des baigneurs, mais surtout des plongeurs de tous les niveaux. La clarté de leur eau permet en effet une grande visibilité pour observer la faune aquatique qu'ils abritent. Bien que de nombreux *cenotes* soient accessibles à partir de la route 307 (la plupart du temps moyennant un faible coût d'entrée), pour une expérience plus riche et mieux encadrée, il est conseillé de prendre part à une excursion organisée par l'un des nombreux centres de plongée de la région (voir p. 145).

ces fameux puits à l'état naturel ou aménagés avec des infrastructures touristiques. À noter que les *cenotes* ici sont souvent de petite taille.

Le **Parque Eco-Turístico Cenote Las Mojarras** ★ *(30$; tlj 10h à 17h; prendre à gauche au Km 12,5 de la Ruta de los Cenotes, 998-147-0195, http://parquecenotelasmojarras.com)* fait 65 m de diamètre et 14 m de profond. C'est un *cenote* ouvert qui s'apparente à un lac. Parmi les services et installations, on retrouve deux tyroliennes, des tours de plongeon, une aire de camping et de pique-nique dotée de hamacs et des toilettes.

Pour les amateurs de *cenotes* souterrains, le droit d'entrée au **Cenote Siete Bocas** ★ est plutôt cher, mais la visite est tout de même recommandée *(200 pesos; tlj 8h à 16h; Ruta de los Cenotes, Km 15,5)*. Les plongeurs apportent leur propre équipement. Il est également possible de plonger sans équipement (des vestes de flottaison sont disponibles) dans quelques-un des sept *cenotes* qu'abrite le site.

Bien que pas tout à fait écologique, le **Boca del Puma Eco Parque** *(à compter de 59$; tlj* 9h à 17h; Ruta de los Cenotes, Km 16, http://bocadelpuma.squarespace.com)* organise des excursions «tout inclus» alliant *cenotes*, tyroliennes et randonnées à cheval et en véhicule tout-terrain.

Pour ceux qui préfèrent les *cenotes* ouverts, se baigner dans le **Cenote Verde Lucero** *(droit d'entrée; tlj 9h à 17h; Ruta de los Cenotes, Km 18)* est une belle expérience. Tout y est si calme que, si vous restez immobile dans l'eau pendant quelques minutes, vous aurez parfois la chance de voir les tortues remonter à la surface.

Au Km 19 de la Ruta de los Cenotes, **Selvatica** ★ ★ *(à compter de 99$, transport, repas et rafraîchissements inclus; 998-898-4312 ou 866-552-8825, www.selvatica.com.mx)* fait figure d'exception. Ce parc d'aventures construit autour d'un *cenote* propose également un circuit de 12 tyroliennes et des excursions en véhicule tout-terrain dans la jungle.

Experiencias Xcaret (propriétaire de Xcaret, Xel-Há, Xplor et Xoximilco) a ajouté une nouvelle corde à son arc (déjà bien garni) et propose maintenant l'excursion **Xenotes Oasis Maya** ★ ★ ★ *(119$; 998-251-6560* *ou 888-922-7381, www.xenotes.com)*, une tournée de quatre types de *cenotes* (pour les quatre éléments) sur la Ruta de los Cenotes. Des activités différentes sont offertes à chacun des arrêts (45 min), entre autres le kayak, la plongée-tuba, la tyrolienne et la descente en rappel. Le repas, les collations, les boissons, l'équipement et le transport sont fournis.

Entre Puerto Morelos et Playa del Carmen

Punta Maroma

C'est à Punta Maroma que se trouve le **Rancho Baaxal** *(lun-sam 3 randonnées/ jour; 8 ans et plus; 984-145-8962, www. ranchobaaxal.com)*, un centre d'équitation bien tenu et respectueux des animaux qui organise des randonnées dans la jungle et sur la plage, de jour *(75$/pers.)* ou au clair de lune *(95$/pers.)*.

Punta Bete/Xcalacoco

À 65 km de Cancún, une route cahoteuse d'environ 3 km aboutit à Punta Bete/ Xcalacoco. Cet endroit relativement tranquille est populaire pour la baignade et la plongée. La jolie plage, longue de 3 km, est rocailleuse par endroits. On trouve à Punta Bete/Xcalacoco quelques petits restaurants et hôtels tout simples, ainsi que de plus en plus de complexes hôteliers tout-compris.

Playa del Carmen et ses environs ★★★

À ne pas manquer

- Quinta Avenida p. 131
- Les clubs de plage p. 131
- Parque Fundadores p. 131
- Parque La Ceiba p. 131
- Parque 28 de Julio p. 131

Les bonnes adresses

Restaurants
- La Fisheria p. 166
- Maíz de Mar p. 167
- María Carbón p. 165
- Aldea Corazón p. 165
- Carboncitos p. 166
- La Cueva del Chango p. 165

Sorties
- Diablito cha cha cha p. 166
- Zenzi Beach Club p. 171

Playa del Carmen ★★★

Voir carte p. 150-151.

Du temps des Mayas, Playa del Carmen s'appelait *Xaman Ha* (signifiant «les eaux du Nord»). Maintenant, les habitués disent tout simplement *Playa*. La plus animée et la plus touristique des villes entre Cancún et Chetumal ne cesse de se développer et compte aujourd'hui quelque 173 000 habitants. Par sa situation géographique, l'endroit est idéal comme point de départ pour visiter la région. Plusieurs bateaux font la traversée jusqu'à Cozumel chaque jour. Les paquebots de croisière jettent l'ancre fréquemment devant la ville, ce qui est très joli à voir le soir, quand ils brillent de tous leurs feux. Playa del Carmen est principalement fréquentée par une population d'épicuriens qui préfèrent éviter le faste surfait de Cancún et d'amoureux de plein air, du farniente et de la vie nocturne.

Parque Natural Tres Ríos

À 58 km au sud de Cancún sur la Carretera Cancún-Chetumal (et à moins de 10 km au nord de Playa del Carmen) se trouve le Parque Natural Tres Ríos, une réserve écologique réservée à l'usage exclusif des clients du luxueux complexe hôtelier **Hacienda Tres Ríos** (voir p. 149) et étonnamment bien intégrée à l'environnement fragile des mangroves. On y découvre en effet plusieurs types de mangroves, ainsi qu'une faune et une flore abondantes. L'équipe de la pépinière, que l'on peut visiter, s'affaire à produire des milliers de plantes indigènes pour la reforestation des zones dévastées par l'ouragan *Wilma*. Le parc abrite également un jardin d'orchidées (rescapées de l'ouragan et ici protégées) ainsi qu'un réseau de 10 *cenotes* dont plusieurs sont propices à la baignade. On peut se laisser flotter (ou pagayer à bord d'un kayak) sur la rivière qui prend sa source dans le Cenote Águila et mène jusqu'à la mer.

Il n'y a pas si longtemps Playa del Carmen n'était qu'un chouette petit village de pêcheurs avec ses maisons à demi construites et ses rues défoncées et poussiéreuses flanquées de quelques petits restaurants familiaux sans prétention. Parfois, une poule surgissait de nulle part et se baladait à travers le village en caquetant, alors que son propriétaire courait derrière elle sous les éclats de rire des enfants. La plage était vierge d'hôtels, et l'on pouvait tremper ses orteils dans l'eau ou fixer un hamac entre deux palmiers pour s'adonner aux plaisirs du farniente sans risque d'être dérangé.

Aujourd'hui, les propriétaires des nombreux commerces de la *Quinta Avenida* ★ ★ ★, la principale artère piétonne de la ville, courent plutôt après les touristes en leur promettant les meilleurs prix, et les rares espaces libres sur la plage sont immédiatement envahis par les chaises longues des nombreux hôtels qui la bordent. Le rythme de transformation de la ville depuis 30 ans est impressionnant. Hôtels, restaurants, agences de voyages et boutiques de tout acabit se multiplient sans cesse, principalement sur et autour de l'Avenida 5, la *Quinta Avenida*. Jadis rue cahoteuse et pleine de trous, elle est devenue le symbole déterminant de la ville et est désormais fermée à la circulation automobile entre la Calle 1 et la Calle 40.

Les amoureux de *Playa* vous diront pourtant que le développement de la ville se fait en respectant une certaine âme de village. Il est vrai qu'il est encore agréable de s'y promener à pied malgré le brouhaha touristique, contrairement à Cancún. Le **Parque 28 de Julio** ★ *(Av. 20 entre Calle 8 N. et Calle 10 N.)*, devant le Palacio Municipal, est un lieu de rassemblement souvent animé. On y organise de nombreuses activités telles que des spectacles et des fêtes foraines.

Idéal pour les familles, le **Parque La Ceiba** ★ ★ *(Calle 1a Diagonal, angle Av. 60)* abrite quant à lui une belle aire de jeux, des sentiers interprétatifs, un cinéma en plein air et un café.

Bordant une plage publique près du quai des traversiers pour Cozumel, le **Parque Fundadores** ★ ★ ★ *(angle Quinta Avenida et Av. Benito Juárez)* abrite l'impressionnant *Portal Maya*, œuvre du sculpteur José Arturo

Tavares. À travers les éléments et les personnages qu'elle illustre, l'arche de bronze représente la transition vers la nouvelle ère maya. Le parc dispose également d'un grand mât servant à la cérémonie rituelle de la danse des *voladores*. Au cours de cette cérémonie amusante *(dons appréciés, prestations fréquentes entre 14h et 22h)*, cinq danseurs grimpent au sommet du mât, puis quatre d'entre eux, attachés par les pieds, se laissent tomber, tête première, et tournoient autour du mât, tandis que le cinquième joue de la flûte. Le saisissant spectacle est annoncé au son de flûtes et de tambours. On trouve également au Parque Fundadores une charmante église d'un blanc immaculé. Le parc est un endroit agréable et animé en soirée, au moment où les kiosques de toutes sortes s'y installent.

La plage qui borde Playa del Carmen est superbe et l'accès en est gratuit. Pour ceux qui désirent une place avec parasol, chaise longue ou lit de plage (et ne résident pas dans un hôtel avec accès direct au sable), il suffit de s'installer devant l'un des nombreux **clubs de plage** (ou *beach clubs*) moyennant quelques dollars ou une consommation le plus souvent.

Parmi ces *beach clubs*, notons, du nord au sud, le retro-funk **Canibal Royal** ★ ★ *(accès par Calle 48, www.canibal-royal. com)*, qui affiche une déco remarquable, le **Mamita's** ★ *(www.mamitasbeachclub.com)* et le **Kool Beach** ★ *(www.koolbeachclub. com.mx)*, auxquels on accède par la Calle 28, ainsi que le **Fusion** ★ ★ *(accès par Calle 6, http://fusionhotelmexico.com)* et le **Wah Wah** ★ ★ *(www.wahwahbeach.com)*, qui présentent des spectacles de musique en soirée. Ces clubs de plage, populaires et souvent animés par une musique tonitruante, ciblent une clientèle de jeunes branchés. Les familles sont toutefois les bienvenues, et l'on y trouve des services complets de restauration et de bar (de même qu'une aire de jeux pour les enfants dans le cas du Kool Beach).

Playa Animal Rescue *(dons appréciés; le transport vers le refuge se fait depuis le stationnement du Mega Foods, Av. 30, angle Av. Constituyentes, tous les sam à 9h30; http:// playaanimalrescue.org)* invite les résidents et visiteurs à faire du bénévolat pendant la journée «Dog Spa & Play Day», durant laquelle les chiens du refuge sont dorlotés par les volontaires!

Playacar

Playacar, une zone touristique haut de gamme, est située au sud du centre-ville de Playa del Carmen, au-delà de l'aéroport. Ce développement de 354 ha comprend un parcours de golf à 18 trous de niveau international, un centre de tennis, plusieurs complexes hôteliers qui adoptent la formule «tout compris» et un centre commercial. Tout le complexe respire le luxe et le faste, et il est agréable de s'y balader à pied ou à vélo. En plus de la vingtaine de gros hôtels dispersés çà et là, la route est bordée de nombreuses résidences richissimes à l'architecture recherchée. On y trouve également quelques locations de maisons, condos et appartements à un coût abordable.

On peut admirer à Playacar quelques vestiges mayas datant de l'époque postclassique. À partir de l'entrée, le premier groupe se trouve à environ 300 m sur la droite, très visible de la route. C'est un petit bâtiment surélevé dont la façade est entourée de colonnes de pierre. Les deux autres groupes sont à quelques mètres de là sur cette même route.

L'**Aviario Xaman-Ha** *(23$; tlj 9h à 17h; Paseo Xaman-Ha, 984-873-0330)* est une réserve ornithologique pour les espèces que l'on retrouve dans la péninsule du Yucatán ou ailleurs au Mexique, telles que flamants roses, toucans, pélicans, perroquets, ainsi que pour certaines espèces de canards sauvages. Le site est divisé en six parties selon les groupes d'oiseaux. Des chercheurs étudient dans cette réserve la reproduction d'une trentaine d'espèces différentes. Le prix d'entrée est plutôt élevé compte tenu que le site est petit et se visite en 30 min environ.

Le superbe **golf de Playacar** *(200$; Paseo Xaman-Ha, 984-873-4990)* est aménagé dans un vaste espace vallonné. Dessiné par le réputé Robert von Hagge, il est un des mieux cotés du pays, et des tournois internationaux s'y déroulent fréquemment.

Entre Playa del Carmen et Tulum ★★

À ne pas manquer

- Río Secreto p. 133
- Kantun Chi p. 134
- Xcaret p. 133
- Hidden Worlds p. 137
- Dolphin Discovery p. 134
- Xel-Há p. 136
- LabnaHa Eco-Park p.137
- Cenote Sac Actún p. 137
- Jungle Place – Spider Monkey Conservancy p. 136

Les bonnes adresses

Restaurants
- La Cocina p. 167
- Al Cielo p. 167

Xplor ★★

Les amateurs d'aventure, tout comme les familles avec enfants, se retrouvent dans le parc «tout inclus», à la fine pointe de la technologie, **Xplor** *(119$ incluant l'accès à toutes les attractions, les repas et les boissons; 5 ans et plus; lun-sam 9h à 17h; 800-212-8951 du Mexique, 888-922-7381 du Canada, www.xplor.travel)*, qui propose entre autres la plus longue tyrolienne de toute la Riviera Maya au cœur d'un superbe parcours dans les arbres. Un itinéraire en véhicule tout-terrain, passant par des grottes et des rivières, est également proposé, ainsi qu'un circuit en rivière souterraine, à parcourir à la nage ou en radeau.

Le parc abrite deux réseaux de tyroliennes. Certaines des tyroliennes se terminent dans l'eau, d'autres s'explorent à bord de sièges-hamacs et d'autres encore peuvent être parcourues en tandem avec des enfants. Les enfants pourront essayer les harnais avant de payer l'entrée. Le site est idéal pour des adolescents.

Même si le parc respecte sa capacité maximale quotidienne de 2 000 visiteurs, il faut parfois être patient durant le parcours dans les arbres lorsque des groupes de voyageurs s'élancent avant vous le long des tyroliennes, surtout durant la haute saison, en semaine.

Ceux qui souhaitent encore plus de piquant n'hésiteront pas à s'y rendre le soir, lorsque que le site entier brille à la lueur des torches et des étoiles. **Xplor Fuego** *(99$; lun-sam 17h30 à 22h30; 7 ans et plus)* propose un parcours plus court que celui de jour, mais plus féerique et, bien sûr, en partie dans le noir. L'aventure se termine par un excellent repas.

Xcaret ★ ★ ★

Situé à 6 km au sud de Playa del Carmen, le parc de **Xcaret** *(99$, comprend l'accès à tout le site ainsi qu'à plusieurs activités dont le spectacle de soirée, mais les buffets et certaines autres activités sont en supplément; il est interdit d'entrer avec de la nourriture; tlj 8h30 à 21h30; 998-251-6560, www.xcaret. com)* est le parc écotouristique le plus visité au Mexique (plus d'un million de visiteurs par année). L'histoire de Xcaret (prononcer *Ich-ca-rét*) commence vers l'an 600. C'était alors une cité maya avec son centre cérémoniel, un grand marché et le principal port desservant Cozumel. Francisco de Montejo, le conquérant du Yucatán, y aurait perdu plusieurs hommes en 1528 au cours d'une bataille.

Xcaret (mot maya signifiant «petite crique») est maintenant un domaine de 80 ha où l'on peut pratiquer une foule d'activités (incluses ou en supplément) et visiter un nombre effarants d'attraits. Il y a tant à faire ici qu'on peut facilement y passer toute une journée et, idéalement, deux!

Parmi les activités et attraits inclus, notons la plongée-tuba dans les bassins naturels et les rivières souterraines, la croisière en radeau (Paradise River), l'accès aux aires de jeux et de détente avec hamacs et bains à remous, une tour panoramique, l'aquarium de corail avec bassins tactiles, plusieurs centres de protection et de reproduction de diverses espèces animales (tortues marines, aras, papillons) et des aires destinées aux animaux sauvages tels que le jaguar et les singes-araignées. Le site abrite aussi un site archéologique, un village et un cimetière mayas ainsi qu'une jolie chapelle. Le village maya propose de l'artisanat de qualité et des spectacles (cérémonies, danse et musique) en après-midi.

Du côté des activités en supplément se trouvent la nage avec les dauphins, les requins ou les raies, la dégustation de vins mexicains, le Snuba (mélange de plongée-tuba et de plongée sous-marine) et le Sea Trek (balade au fond de la mer avec un casque de type scaphandre), la sortie en bateau ultrarapide *(Adrenalina)*, le spa et le *temascal*.

Parmi les nombreux casse-croûte et restaurants que l'on retrouve sur le site, il faut absolument faire ripaille à **La Cocina** (voir p. 167), un impressionnant buffet de cuisine traditionnelle mexicaine, laquelle a été classée au patrimoine culturel immatériel de l'UNESCO!

Afin de protéger l'écosystème du parc, seules les crèmes solaires biologiques sont acceptées.

On présente chaque soir dans un superbe amphithéâtre la nouvelle mouture (2014) du spectacle *Xcaret México Espectacular* ★ ★ ★ *(le spectacle est inclus dans le tarif d'accès au site, un supplément est demandé pour y prendre le repas)*, une grande fresque historique et musicale. D'une qualité inouïe, tant sur le plan visuel que musical, la vingtaine de tableaux racontent l'histoire du pays avec moults effets spéciaux, des couleurs vibrantes et quelques surprises pour le public. Parmi les moments forts du spectacle, notons la vision de Moctezuma (*The Prophecy*), le jeu de la balle de feu (*uarukua*), l'apparition de la Vierge de Guadalupe et l'allégorie finale. Le repas servi tout au long du spectacle (en supplément) est délectable, mais les saveurs se font littéralement éclipser par l'intensité des scènes.

Río Secreto ★ ★ ★

Río Secreto *(79$; visites guidées tlj à 9h, 10h, 12h, 13h et 14h; 800-212-8897, www. riosecreto.com)* est un formidable parcours de *cenotes* encadré par un guide qui vous conduit en petits groupes dans les dédales de ces grottes sous-marines (durée totale de l'activité 3h30, incluant les déplacements, les explications et une cérémonie maya).

Bien que la Riviera Maya regorge maintenant de parcours souterrains, l'expérience à Río Secreto demeure unique. C'est un lieu authentique en comparaison des autres parcs dans le même secteur. Après un transfert en camionnette, une courte randonnée dans la jungle et une cérémonie maya, les visiteurs pénètrent dans un réseau de grottes magnifiques, sans installations d'éclairage artificiel (mis à part quelques lampes de poche). Les guides s'efforcent de créer une atmosphère de symbiose et d'harmonie avec la nature. Même si tous les enfants à l'aise

Riviera Maya – **Attraits touristiques** – Entre Playa del Carmen et Tulum

dans l'eau (et n'ayant pas peur du noir) sont les bienvenus, nous conseillons davantage cette activité aux familles ayant des enfants de plus de 6 ans.

Paamul ★★

Paamul, une très jolie petite plage bien à l'abri dans une baie, est parsemée de quelques coquillages et éclats de corail. Pas encore de gros complexe hôtelier ici, mais un petit centre de villégiature à l'aspect convivial (voir **Paamul Hotel & Cabañas**, p. 155). L'endroit accueille aussi les amateurs de camping et les véhicules récréatifs. Les amoureux de Paamul y vont surtout pour la plongée sous-marine, car la mer est transparente, le récif n'est pas loin et une grande variété de poissons tropicaux peut y être observée. Le centre de plongée **Scuba-Mex** *(www.scubamex.com)* y organise plusieurs excursions tous les jours. L'endroit comprend un restaurant, une piscine et un petit supermarché. Si vous êtes en voiture, sachez que c'est une halte agréable et tranquille pour simplement casser la croûte (voir p. 167).

Chaque année, des tortues géantes viennent nidifier la nuit sur la plage en juillet et en août. Il ne faut surtout pas toucher aux œufs ni faire de la lumière, car cela effraie les tortues qui voient déjà la moitié de leur progéniture dévorée par les prédateurs.

Puerto Aventuras

Située à 20 km au sud de Playa del Carmen, la baie de Puerto Aventuras, anciennement déserte, sert de cadre, depuis 1987, à un ambitieux complexe de plus de 900 ha construit de toutes pièces pour les riches touristes et les Mexicains nantis. Hormis les quelques complexes hôteliers tout-compris, le village est une succession de copropriétés sans âme de couleur rose-ocre, exigence des promoteurs, ce qui confère à l'endroit une atmosphère surfaite et éminemment touristique. Ses principaux attraits sont un port de plaisance, un parcours de golf à 18 trous et la nage avec les dauphins. Puerto Aventuras comprend en outre des boutiques et des restaurants. La formule «à temps partagé» *(time sharing)* y est très populaire.

Dans des bassins d'eau de mer, **Dolphin Discovery** ★★ *(à partir de 89$; 998-193-3360, www.dolphindiscovery.com)* propose à toute la famille des programmes d'interaction avec les dauphins et les lamantins. Les entraîneurs font des pieds et des mains pour permettre à tous et chacun de toucher les dauphins et de profiter de cette rencontre fantastique… et pour vous faire sourire à pleines dents afin de vous repartiez avec l'une des photos *($)* prises par leur équipe!

Kantun Chi ★★★

À 22 km au sud de Playa del Carmen se trouve **Kantun Chi** *(59$, incluant l'accès à tout le site et l'équipement, un repas au restaurant et les boissons; il faut avoir 5 ans et plus pour accéder à la grotte; tlj 9h à 17h; 984-803-0143, www.kantunchi.com)*, un parc écologique qui abrite quatre *cenotes* propices à la baignade et accessibles par des sentiers dans la jungle ponctués de vestiges mayas et fréquentés par des singes hurleurs. L'endroit est paisible et les infrastructures sont modestes mais des plus agréables. On y trouve une aire de repos avec hamacs, un restaurant, ainsi que des chaises et des kayaks près des *cenotes*. Idéal pour ceux qui recherchent la quiétude («pédicure aux poissons» en prime!). De plus, on propose une visite de la rivière souterraine formée par deux *cenotes*. La grotte est dotée d'un éclairage permanent et de quelques sculptures représentant le dieu maya du *Xibalbá* (l'inframonde). On peut donc s'y balader, y nager et même y faire de la plongée-tuba ou encore du kayak.

Xpu-Ha ★

À quelque 5 km au sud de Puerto Aventuras se cache la jolie plage de Xpu-Ha. On y accède par **La Playa Xpu-Ha Restaurant & Beach Club** *(www.laplayaxpuha.com)*, un club de plage animé où l'on trouve un restaurant et un bar. Le club loue entre autres des kayaks, de l'équipement de plongée-tuba et des motomarines. Prestations musicales les fins de semaine. À proximité, le centre de plongée Bahia Divers organise des excursions de plongée sous-marine.

Tout près se trouve le petit complexe **Al Cielo** (hôtel et restaurant, voir p. 156 et 167). C'est un endroit magnifique et très paisible pour s'offrir un excellent repas.

Akumal ★★

La plage d'Akumal, qui fait 15 km de long, est bordée d'un côté par la mer et de l'autre par un chapelet d'immeubles en copropriété (condos), d'hôtels tout-compris et de villas. On y trouve un centre de villégiature et une zone résidentielle à l'atmosphère agréable et au caractère authentique, contrairement à d'autres villages touristiques sans âme tels que Puerto Aventuras. Un stationnement à l'entrée vous coûtera quelques pesos, mais cet argent permet de financer le centre écologique.

Akumal (mot maya signifiant «l'endroit des tortues») faisait autrefois partie d'une grande plantation de cocotiers. Elle a d'abord été aménagée en 1958 par des plongeurs qui exploraient l'épave immergée d'un galion espagnol. La superbe plage d'Akumal est protégée du large par une barrière de corail que les plongeurs du monde entier la fréquentent depuis de nombreuses années. Au nord du secteur commercial, la tranquille Bahía de Media Luna, d'environ 500 m de long, est parfaite pour la voile, le surf et la plongée-tuba. Plusieurs s'y rendent aussi pour la sérénité qui y règne. Le développement s'y est effectué en harmonie. On a toujours l'impression d'avoir beaucoup d'espace autour de soi. De plus, Akumal compte quelques bons restaurants et bars sur la plage, quelques boutiques sympathiques et d'autres services utiles.

À l'entrée d'Akumal, vous verrez le monument dédié à Gonzalo Guerrero, à la princesse maya Zazil Há et à leurs enfants. Le monument à Gonzalo Guerrero rend hommage aux premiers Métis (Mayas-Européens) du pays.

La **Laguna Yal-Ku** ★★ est située juste au nord de la Bahía de Media Luna. Jadis peu visité, l'endroit est de plus en plus populaire auprès des plongeurs. L'abondance de poissons ainsi que les eaux peu profondes et sécuritaires font de la lagune Yal-Ku un site idéal pour initier les enfants à la plongée. N'oubliez pas que la crème solaire y est interdite. Nous vous conseillons donc de porter un chandail, même durant la plongée, pour vous protéger du soleil. Il y a un droit d'entrée *(180 pesos)* pour accéder à la lagune, ouverte de 8h à 17h.

Le **Centro Ecológico Akumal** *(entrée libre; sur la droite à l'entrée du village, www.ceakumal.org)* sensibilise les visiteurs à la protection et à la conservation des sites naturels de la région, tels que les *cenotes*, les plages, la mangrove, etc. Le centre est aussi promoteur d'un programme de protection des récifs de corail et des tortues marines, et gère un programme de compostage des déchets. De mai à octobre, il organise des sorties éducatives, les **Turtle Walks** ★★ *(dons appréciés; lun-ven soir, sans réservation, maximum 10 pers./soir)*.

Ne manquez pas d'aller bouquiner à la **Hekab Be Biblioteca Akumal** *(dons appréciés; lun-ven 9h à 13h et 14h à 17h, sam 9h à 13h; accessible par la voie d'accès à la route 307, www.hekabbe.com)*, une bibliothèque à vocation sociale, entièrement gérée par des bénévoles. On y retrouve une foule de livres et de magazines pour enfants et adultes. Il y a une aire de jeux pour les enfants à l'extérieur.

Aktun Chen ★★

Reconnu pour son parcours à pied qui emprunte un véritable labyrinthe souterrain, **Aktun Chen** *(33$ à 44$ par activité; lun-sam 9h à 17h; 998-881-9413, www.aktunchen.com)* propose entre autres une plongée-tuba guidée dans un *cenote* couvert aux fonds exceptionnels, ainsi qu'un réseau de 10 tyroliennes, des ponts suspendus et un petit zoo. Moins cher que d'autres grands parcs, il s'agit d'une belle sortie en famille.

Xcacel et Xcacelito ★

Entre le village de Chemuyil et le site de Xel-Há, au bout d'une route de terre se dévoilent la jolie plage de Xcacel et le **Santuario de la Tortuga Marina Xcacel/Xcacelito**. La **plage** *(droit d'entrée sous forme de don d'environ 50 pesos; tlj 9h à 17h; toilettes et douches, mais pas de service de restauration ni de palapas)* est considérée comme le lieu de nidification de tortues marines le plus important du Mexique. Notez qu'afin de ne pas nuire à la reproduction des tortues marines, l'accès est parfois limité du début mai à la fin octobre. De plus, durant cette même période, des volontaires des quatre coins du monde y séjournent pour étudier les tortues et participer au programme de conservation.

La plage est plutôt sauvage, et il faut apporter son propre équipement de plongée-tuba pour admirer le récif de corail qui fait face à son extrémité nord. Xcacel est idéale pour la plongée en apnée, car ses eaux sont transparentes et souvent calmes.

Du côté sud de la plage se trouve Xcacelito, une plus petite baie. En marchant vers Xcacelito, vous apercevrez un sentier menant à un petit *cenote*. N'hésitez pas à l'explorer, mais apportez votre répulsif à moustiques! Les amateurs d'ornithologie passeront un bon moment avec les perroquets et les mot-mots (ainsi nommés à cause de leur cri) qui habitent les parages. Le meilleur moment pour aller à la rencontre de ces petites créatures est tôt le matin.

Chemuyil

Une expérience familiale à ne pas manquer est la visite interactive du **Jungle Place – Spider Monkey Conservancy** ★ ★ ★ *(environ 80$; enfants de 8 ans et plus; visites sur réservation, durée 1h; 984-116-9777, www.thejungleplace.com)*, un centre d'hébergement et de protection des singes-araignées (atèles) situé entre Playa del Carmen et Tulum. Avec une approche pédagogique et respectueuse des animaux, il invite les visiteurs à interagir et à jouer avec les singes ou encore à les nourrir. Il faut absolument réserver puisque qu'on y organise seulement quelques visites par semaine. Bien que le tarif d'entrée soit élevé, il s'agit d'une occasion unique de côtoyer de près ces animaux attachants. Et attachants, ils le sont littéralement puisqu'ils sont dotés d'une queue préhensile qu'ils enrouleront autour de votre bras! Les fonds amassés grâce au prix d'entrée sont entièrement investis dans la protection et les soins des animaux.

Xel-Há ★ ★ ★

Xel-Há *(prix et horaire plus loin; 984-147-6560 ou 998-251-6560, www.xelha.com)* vaut résolument le détour. Ce site naturel situé du côté est de la route 307 est magnifique et plus sauvage que le parc Xcaret. Les amateurs de plongée-tuba seront littéralement comblés. La faune aquatique y est représentée par plus de 90 espèces dont d'énormes poissons-perroquets colorés bleu,

jaune et orange, qui s'offriront en spectacle durant votre escapade aquatique.

Plus grand «aquarium naturel» du monde et vieux de 125 000 ans, Xel-Há (qui veut dire «où naît l'eau»; prononcer *Chel-Ha*) fut notamment le port de commerce de la cité maya de Cobá pendant la période classique. Au total, cinq rivières souterraines s'y rejoignent pour se jeter dans la mer. Le parc fait en tout 84 ha, dont 14 ha d'eau. Les aménagements touristiques couvrent quant à eux lagunes exotiques, anses et criques creusées naturellement dans le calcaire friable, caractéristique de la région. Certaines criques ont toutefois été remodelées par la main de l'homme pour les besoins du parc afin d'accueillir les milliers de visiteurs quotidiens, mais toujours dans un grand respect de la nature. De vastes plans d'eau transparente (un peu brouillée là où l'eau douce rencontre l'eau salée) et calme regorgent de poissons multicolores. Paradis des amateurs de plongée, Xel-Há est aussi propice aux essais timides des débutants. Ceux qui ne se baignent pas pourront tout de même admirer la faune et la flore marines du haut de la promenade surplombant les rives, tellement l'eau est limpide. Sur place, on trouve des douches et des boutiques, ainsi que quelques restaurants, dont un servant un excellent buffet mexicain.

Le site est ouvert tous les jours de 8h30 à 18h. Le droit d'entrée pour les adultes est un forfait «tout compris» *(99$)* qui inclut l'équipement de plongée-tuba *(dépôt de 20$ requis)*, une serviette, un casier et sa clé, les repas et les boissons. Il est interdit d'entrer sur le site avec des aliments ou des boissons. Il est aussi interdit d'utiliser de la crème solaire régulière, car elle contient des produits dangereux pour la faune marine. On vous fournira un sachet de crème biologique.

En plus de la plongée-tuba, notons, parmi les installations et activités incluses dans le prix d'entrée, l'accès aux superbes sentiers dans la jungle (praticables en poussette), ponctués de poèmes inscrits sur des pierres et de panneaux d'information sur la flore et la faune. Les sentiers permettent d'admirer des *cenotes* (on ne s'y baigne pas, ils sont protégés), quelques grottes et des ruines mayas. Ils mènent aussi à une belle aire de jeux (pont suspendu et pataugeoire) et à quelques aires de repos avec hamacs. La descente de rivière sur tube le long des mangroves, la randonnée à vélo pendant laquelle on peut parfois observer des agoutis et des coatis et les tyroliennes sont aussi très appréciées des visiteurs.

Moyennant des frais supplémentaires, il vous sera loisible d'interagir avec des lamantins *(79$)*, des dauphins *(à partir de 89$)*, ou des raies *(49$)*, d'expérimenter divers types de plongée comme le Snuba *(49$; hybride entre la plongée-tuba et la plongée sous-marine)* et le Sea Trek *(49$ ou 149$ en compagnie de dauphins; permet de marcher au fond de l'eau)*, d'essayer le Zip Bike *(29$; tyrolienne à pédales)* ou encore de vous faire dorloter au temascal *(35$; sauna traditionnel et rituel maya)* ou au spa *(à partir de 49$)*.

Si l'archéologie vous intéresse, sachez que la **Zona Arqueológica de Xelhá** ★★ *(43 pesos; tlj 8h à 17h)* est située du côté ouest de la route 307, à quelques centaines de mètres de l'entrée du parc de Xel-Há. Le site est paisible et charmant. La visite est libre et des panneaux explicatifs se trouvent près de tous les édifices. Comptez environ 45 min pour la visite complète. L'occupation humaine de ce territoire date d'entre 100 et 300 av. J.-C., même si très peu de vestiges ont été mis en valeur, la visite est enrichissante. On y trouve plusieurs temples, un centre cérémoniel, une place de marché et un tronçon du *sacbé* (la «route blanche» maya – à l'origine, elle était recouverte de calcaire). Les Mayas ont su exploiter toutes les ressources naturelles, entre autres les *cenotes* que l'on peut visiter. Apportez votre maillot, car on peut s'y baigner. Un des temples, que l'on aperçoit de la route 307, conserve des fresques abîmées datant de l'époque classique mais que l'on peut toujours voir, ce qui n'est plus le cas à Tulum.

Hidden Worlds ★★

Idéal pour les familles, le parc **Hidden Worlds** *(35$ à 80$ selon les activités; tlj de 9h à la tombée du jour; 800-681-6755 du Mexique ou 888-339-8001 du Canada, www.rainforestadventure.com/hidden_*

worlds_mexico) est situé juste au sud de Xel-Há, à 4 km dans l'arrière-pays. En plus d'un excitant réseau de tyroliennes de toutes sortes (12 ans et plus; à pédales, dans la jungle, dans le *cenote* et de type montagnes russes), il propose des sorties au *cenote* Takbelum, parmi les plus beaux *cenotes* où l'on peut faire de la plongée-tuba et glisser en tyrolienne dans des grottes aux stalactites impressionnantes (et parfaitement naturelles). Vous atteindrez le *cenote* à la fin d'une balade en véhicule tout-terrain. Sur réservation, il est aussi possible de faire de la plongée sous-marine *(130$)* à l'intérieur des *cenotes* Takbelum et Takbeha. Sur place se trouvent un petit restaurant et une boutique d'artisanat local.

Cenote Dos Ojos ★★

Relié au plus vaste réseau de *cenotes* souterrains de la péninsule du Yucatán, ce site de plongée sous-marine très populaire comprend deux *cenotes* partiellement couverts. On y pratique également la plongée-tuba, qui permet d'observer des poissons et des formations rocheuses. La beauté du **Cenote Dos Ojos** *(environ 100 pesos pour l'accès au site; 1 km au sud de Xel-Há, prendre l'embranchement à partir de la route 307, www.cenotedosojos.com)* est immortalisée dans le film IMAX *Journey into Amazing Caves*, paru en 2001.

Cenote Sac Actún ★★★

Cenote Sac Actún *(350 pesos incluant l'équipement de plongée-tuba; tlj 8h à 16h; l'entrée se trouve environ 6 km derrière le Cenote Dos Ojos, accessible par le même embranchement que le Cenote Dos Ojos à partir de la route 307, 998-734-9728, http://cenotessacactun.com)* est l'un des *cenotes* les plus appréciés des visiteurs et des plongeurs. Il est possible de s'aventurer dans les cavernes en nageant dans une eau limpide sous les stalactites. L'endroit est calme et peu fréquenté.

LabnaHa Eco-Park ★★★

En face de la Bahía Soliman, un peu au sud du restaurant **Oscar Y Lalo** (voir p. 168) se trouve le **LabnaHa Eco-Park** *(105$, équipement, repas léger et eau inclus; 984-806-6040, www.labnaha.com)*, aussi dénommé **A Magic Mayan World**. Il s'agit d'un «écoparc» dans le sens propre du terme : un nombre limité de visiteurs, des profits qui sont investis dans la protection de la faune et la flore, le souci concret d'être authentique et de préserver la beauté des lieux. On y propose des excursions en petits groupes pour la plongée sous-marine en *cenote*, mais la visite classique du parc inclut deux tyroliennes, une sortie en canoë, la plongée-tuba dans le *cenote* LabnaHa et la visite du fascinant réseau souterrain qui relie les *cenotes*.

Tan-Kah

La baie de Tan-Kah se pare d'une longue plage sauvage de sable blanc, préservée de l'industrie touristique de masse. Ici la plupart des constructions sont des maisons à louer et les hôtels se comptent sur les doigts d'une main. On y trouve quelques restaurants. L'endroit est excellent pour pratiquer la plongée-tuba, que ce soit en bord de mer ou dans le grand ensemble de *cenotes* voisin, dénommé le **Cenote Manatí** (voir p. 145).

Tulum ★★

Voir cartes p. 159 et 161.

À ne pas manquer

- Zone archéologique p. 138
- Tulum Monkey Sanctuary p. 141
- Gran Cenote p. 145
- Tulum Playa p. 141

Les bonnes adresses

Restaurants	Sorties
• El Pez p. 168	• La Zebra p. 171
• Restaurare p. 168	• Mezzanine p. 171
• Kinich Tulum p. 169	• Teetotum p. 162
• La Malquerida p. 169	
• Cetli p. 170	

L'ancienne cité de Tulum (mot maya signifiant «mur») a connu son apogée entre l'an 900 et l'an 1540 environ, soit au moment du déclin des grandes villes de l'intérieur. Ses temples et édifices, beaucoup plus petits que ceux de Chichén Itzá, témoignent du style d'architecture que l'on retrouve partout sur la côte caribéenne du Mexique. C'est la seule cité portuaire maya entourée d'une muraille sur trois côtés, et c'était l'un des seuls centres cérémoniels encore en activité quand les Espagnols arrivèrent au Mexique au XVIᵉ siècle. L'expédition navale de Juan de Grijalva, le long de la côte du Yucatán en 1518, fut très impressionnée par cette majestueuse cité surplombant une falaise de 12 m de hauteur. Les murs des temples de Tulum étaient alors peints de couleurs vives et contrastées, dont il ne reste que peu de traces aujourd'hui.

Tulum était à l'origine peuplée de plusieurs milliers de personnes. C'était aussi un marché important relié à plusieurs cités mayas environnantes, entre autres Cobá et Xelhá. Bien que Tulum fût abandonnée au XVIᵉ siècle, elle servit de refuge aux Mayas de Chan Santa Cruz lors du conflit armé avec les Blancs durant la guerre des Castes. Les habitants de Tulum Pueblo (un peu plus au sud que le site archéologique) sont d'ailleurs en grande partie des descendants de ce peuple fier et indépendant.

En 1993, le gouvernement a lancé un vaste programme de restauration et de conservation des édifices de Tulum, reconnaissant ainsi son intérêt historique.

Aujourd'hui, la région de Tulum se divise en trois zones distinctes, la zone archéologique (la *zona arqueológica* de Tulum), la ville (Tulum Pueblo) et la plage (Tulum Playa ou *zona hotelera*). Cette dernière ne cesse de se développer, pour le meilleur et pour le pire! Aussi, au nord de la zone archéologique commencent à s'ériger de gros complexes hôteliers comme on en retrouve à Cancún ou Playa del Carmen.

Le **Parque Nacional Tulum**, qui abrite la zone archéologique, est une aire naturelle protégée de 664 ha, délimitée à l'ouest par la route 307, à l'est par la côte, au nord par la **Casa Cenote** (voir p. 157) et au sud par Tulum Pueblo. La réserve abrite entre autres des tortues de mer, des pélicans, des mangroves et des *cenotes*.

La zone archéologique ★★★

Le site compte deux entrées. On accède à l'entrée principale et au stationnement par la route 307, 1 km avant El Crucero, la jonction dont une des voies mène à Tulum Playa. L'autre entrée est un accès piéton au bout de la Carretera Tulum-Boca Paila qui longe la plage. Vous pouvez aussi vous y rendre par la plage, mais sachez que vous devrez grimper un peu et passer près du phare. À l'entrée principale se trouvent un marché

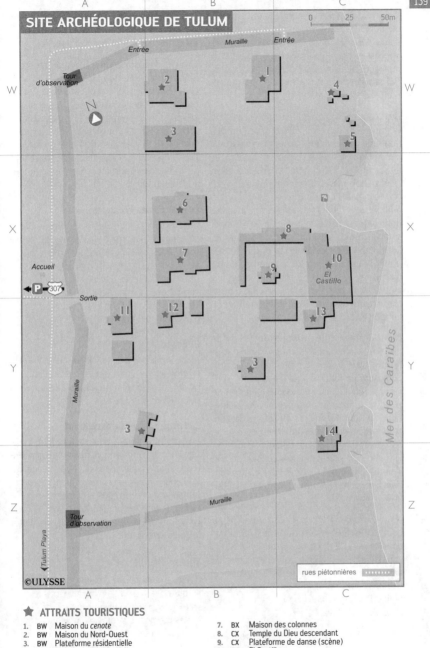

SITE ARCHÉOLOGIQUE DE TULUM

★ **ATTRAITS TOURISTIQUES**

1. BW Maison du *cenote*
2. BW Maison du Nord-Ouest
3. BW Plateforme résidentielle
   BY Plateforme résidentielle
   AY Plateforme résidentielle
4. CW Autels (*santuarios*)
5. CW Temple du vent
6. BX Maison du Halach Uinic
7. BX Maison des colonnes
8. CX Temple du Dieu descendant
9. CX Plateforme de danse (scène)
10. CX El Castillo
11. AY Maison du Chultún/plateforme funéraire
12. BY Temple des fresques
13. CY Temple des séries initiales
14. CY Temple de la mer

recouvert qui abrite des boutiques d'artisanat et quelques casse-croûte, et l'on peut parfois y voir des *voladores*: c'est un spectacle très impressionnant qui marie l'acrobatie et la musique. Des dons sont demandés aux gens qui assistent à leurs prouesses ou qui en prennent des photos.

Beaucoup de touristes logeant à Cancún ou Cozumel découvrent Tulum avec l'un des nombreux tours guidés en autocar organisés par presque toutes les agences de voyages de la région. Sur la côte, c'est l'excursion la plus populaire, souvent combinée avec celle de Xel-Há. Tulum recevrait plus d'un million de visiteurs par année. On imagine donc à quel point l'endroit peut être bondé, surtout durant la haute saison touristique. Le moment de la journée le plus agréable pour visiter Tulum est tôt le matin ou en fin d'après-midi, quand les touristes venus en autocar sont partis et que le soleil n'est pas trop chaud. La visite dure environ 2h et se fait de préférence avec un guide.

Afin de protéger les vestiges de Tulum, la plupart des structures intéressantes sont fermées au public en raison de l'afflux démesuré de touristes qui envahissent quotidiennement le site. Par conséquent, on ne peut pas grimper les marches ni visiter l'intérieur de l'attrait principal du site, le Castillo. Les visiteurs doivent en effet se contenter de l'observer d'une certaine distance. Toutefois, la beauté du site compense cet état de fait. Tulum étant érigé sur une falaise surplombant la mer, vous pourrez admirer de magnifiques paysages.

N'oubliez pas d'apporter votre maillot de bain et une serviette pour vous rafraîchir dans la mer. En effet, une petite crique servant jadis de lieu d'embarquement pour les bateaux invite à la baignade. Les places à l'ombre y sont très disputées. Bien que toute petite, il s'agit d'une des plus belles plages de la Riviera Maya.

La zone archéologique est ouverte tous les jours de 8h à 17h, et le droit d'entrée est de 59 pesos. L'accès, jadis situé près des ruines, donne maintenant sur un stationnement payant, juste à côté de la route 307, ce qui oblige les visiteurs à faire environ 500 m à pied ou à monter à bord d'un petit train baladeur *(20 pesos)*. Les services d'un guide peuvent être loués à l'entrée du site. L'utilisation d'une caméra vidéo est possible moyennant des frais supplémentaires.

L'entrée donnant accès à la partie intérieure de la muraille se fait par un étroit passage dans le mur de pierres qui entoure la cité. Le premier bâtiment qui se présente alors aux visiteurs est le temple des Fresques. Face à la mer, au point le plus élevé, vous verrez le Castillo. Tout à côté se trouve le temple du Dieu descendant. Quelques autres structures de moindre importance sont disséminées aux alentours.

Le temple des Fresques

Ce temple à deux étages se compose d'une base large, avec quatre colonnes de pierre sur un des côtés. On ne peut pas y pénétrer, mais on distingue fort bien des fresques colorées à l'intérieur; elles représentent l'univers tel que l'imaginaient les Mayas. On peut aussi y voir l'empreinte de mains trempées dans de la peinture rouge.

El Castillo

Juché sur le bord de la falaise, ce temple est fermé aux visiteurs. Son entrée est flanquée de deux colonnes représentant des serpents et un «dieu descendant».

Le temple du Dieu descendant

On pénètre sous cette structure à deux étages par une petite porte surmontée d'une figure taillée dans le roc représentant le «Dieu descendant», c'est-à-dire une forme humaine dont les pieds sont tournés vers le ciel et la tête vers le sol. On ne sait pas si cette forme représente une abeille ou plutôt le soleil couchant.

Tulum Pueblo ★★

Il règne toujours une ambiance décontractée à Tulum Pueblo, et l'on y trouve tous les services nécessaires aux voyageurs, des lieux d'hébergement à petits prix, une artère commerciale dotée de belles boutiques d'artisanat et de plus en plus de bons restaurants. Le village est maintenant relié à la plage par une agréable **voie cyclable** (et pédestre) en retrait de la route. Cette voie de 2 km, qui n'est malheureusement pas éclairée le soir, débute à l'intersection de l'Avenida Tulum et de la route 109, qu'elle suit jusqu'à Tulum Playa.

Tulum Pueblo est une base idéale pour faire des excursions aux sites archéologiques de Cobá et Muyil, dans de nombreux *cenotes* et dans la Reserva de la Biosfera Sian Ka'an.

D'ailleurs, sur la route menant à Cobá, ne manquez pas de visiter le **Tulum Monkey Sanctuary** ★ ★ *(45$; route Tulum-Cobá, Km 6, 984-115-4296, www. tulummonkeysanctuary.com)*, qui, en plus d'abriter une population de singes-araignées (certains en liberté dans une aire d'un hectare et d'autres en captivité), offre un agréable sentier de randonnée dans la jungle. Il est entre autres possible d'y apercevoir des cerfs, des canards, des dindons, des chevaux et des ânes. Le sentier mène jusqu'à un pont suspendu ainsi qu'à des grottes et des *cenotes* que les visiteurs peuvent explorer. Deux *cenotes* sont propices à la baignade et à la plongée-tuba.

Tulum Playa ★ ★

Facilement accessible par vélo depuis la zone urbaine, Tulum Playa (la *zona hotelera*) est située entre les ruines et l'entrée de la Reserva de la Biosfera Sian Ka'an. Elle présente, dans une ambiance bohème, un chapelet continu de restaurants, boutiques, *cabañas* et hôtels, petits ou moyens (pas de tout-inclus ni de méga-complexes), donnant sur la magnifique plage ou sur la jungle. Cette plage, entourée de palmiers, est plus sauvage en direction sud, vers la Reserva de la Biosfera Sian Ka'an.

La route Tulum-Boca Paila, qui traverse Tulum Playa, est cependant soumise à une circulation très intense, qui rompt quelque peu avec l'atmosphère détendue de l'endroit... Piétons, cyclistes et automobilistes doivent être constamment sur leurs gardes.

Autre bémol digne de mention, la venue de restaurants et bars qui se veulent branchés (ultra-chers et au service approximatif, voire expéditif), se parent quotidiennement d'une imposante file de clients et qui tranchent clairement avec l'ambiance bon enfant qui caractérise Tulum Playa.

Reserva de la Biosfera Sian Ka'an ★ ★

À ne pas manquer

- Le site archéologique de Muyil et sa plate-forme d'observation p. 142
- Une excursion avec Community Tours Sian Ka'an p. 126

Le nom maya de Sian Ka'an signifie grosso modo «le lieu où le ciel naît». Cette réserve couvre 652 000 ha le long de la côte au sud de Tulum. La Reserva de la Biosfera Sian Ka'an est formée de forêts tropicales, ponctuée de *cenotes*, parsemée de savanes, bordée de dunes et de lagunes, et se blottit en face d'une barrière de corail qui s'allonge sur un peu plus de 100 m dans la mer. Quelque 60% de la superficie du parc se retrouve sous l'eau pendant la saison des pluies.

Aujourd'hui la réserve abrite trois villages mayas, une école et une clinique médicale, pour une population totale d'environ 1 000 habitants. En outre, de nombreuses petites ruines mayas émergent çà et là de ce tapis de verdure. Le site de Muyil en regroupe le plus. Ce fascinant mélange d'exubérance végétale, marine et minérale, sert d'habitat naturel à une faune et à une flore des plus variées. En effet, à titre d'exemple, plus de 350 espèces d'oiseaux y virevoltent et gazouillent à leur guise. Parmi les espèces les plus connues, mentionnons le toucan, le colibri, la spatule et le pélican.

Tendez l'oreille au bruissement des feuilles dans le vent qui caresse doucement les arbres, parfois enjolivés par une légion d'oiseaux colorés juchés sur leurs branches. Même si les animaux de grande taille fuient généralement à la moindre alerte, vous aurez peut-être le privilège d'apercevoir un puma, un ocelot ou un jaguar gambader silencieusement pour aussitôt disparaître dans la végétation. Votre regard captera peut-être aussi la présence des singes qui s'élancent et se pourchassent de branche en branche, des crocodiles qui glissent doucement sur l'eau à l'affût d'une proie dans les brumes matinales qui s'effilochent ou des tortues marines qui batifolent dans l'eau des lagunes.

Sur la plage, il vous arrivera peut-être d'apercevoir de nombreux déchets ramenés depuis le large par les courants marins. Ces déchets proviennent entre autres des paquebots de croisière et même d'autres continents! Des groupes de protection de la réserve, tels que **Community Tours Sian Ka'an** (voir p. 126) et les **Amigos de Sian Ka'an** *(www. amigosdesiankaan.org)*, organisent ponctuellement des collectes de déchets et des campagnes de sensibilisation.

Bien qu'il soit intéressant de voyager sans aucune structure préétablie ou contrainte de temps, vous devrez recourir à une agence qui organise des excursions pour visiter la réserve. Basés à Tulum, l'agence **Community Tours Sian Ka'an** (voir p. 126) et le **Centro Ecológico Sian Ka'an (CESiaK)** (voir p. 126) sont très impliqués dans la protection et la conservation de Sian Ka'an et organisent plusieurs excursions, notamment des tours de bateau ou des balades en kayak sur les eaux de la lagune et des randonnées dans la jungle. Community Tours Sian Ka'an propose aussi la visite des ruines mayas de Muyil, une intéressante visite thématique sur la fabrication traditionnelle de la gomme à mâcher, une partie de pêche et de la descente de rivière en veste de flottaison. Les excursions, majoritairement guidées par des gens de la communauté maya, comprennent le transport depuis Tulum et un repas maya.

Le CESiaK gère pour sa part un restaurant (voir p. 170) offrant une vue spectaculaire sur les alentours et loue une maison et quelques jolies tentes-*cabañas* (voir p. 163) installées sur la plage.

Facilement accessible, le site archéologique de **Muyil** ★ ★ ★ *(36 pesos; tlj 8h à 16h30)*, aussi dénommé **Chunyaxche**, est situé à 22 km au sud de Tulum sur la Carretera Tulum-Chetumal (route 307). Plus important site du genre dans la réserve de Sian Ka'an, l'endroit était occupé par les Mayas dès 300 av J.-C. On estime qu'à son apogée sa population s'élevait à 50 000 habitants et que l'on y comptait plus de temples qu'à Tulum. Aujourd'hui, même si un seul groupe de bâtiments sur les trois que compte le site est ouvert au public, la visite du lieu et de la nature environnante demeure des plus fascinantes. On y observe entre autres des temples, des plateformes, des bases de pyramides, des autels et des murets de pierres d'anciennes maisons.

Muyil s'est développée, jusqu'à l'arrivée des Espagnols, grâce à un vaste réseau de liens culturels (de nombreuses cérémonies y avaient lieu) et commerciaux avec des communautés mayas du Petén (Guatemala), du Belize, de Chichén Itzá, d'Uxmal et, plus près, de Cobá. On a d'ailleurs trouvé dans le Castillo (voir ci-dessous) près de 200 objets faits de jade et d'or, probablement des offrandes, provenant d'autres régions.

Probablement dédié à la déesse Ixchel, l'impressionnant **Castillo**, l'une des plus hautes structures (17 m) de la côte est de la péninsule du Yucatán, est érigé sur cinq étages. Son architecture rappelle celle des temples de la région du Petén. Au sommet du temple se trouvent les restes d'une structure en pierre de forme cylindrique. Certains croient qu'il s'agit d'un observatoire astronomique, et d'autres, de la représentation de l'arbre sacré des Mayas qu'est le *ceiba*. Derrière le temple, une ouverture en hauteur permet de voir deux hérons sculptés en relief.

Très bien restauré, le **temple 8** (aussi dénommé le «temple rose»), peut-être dédié au dieu de la Pluie, est entouré de petites plateformes et délimitations d'anciennes demeures. Le temple domine une base pyramidale dont il est possible d'observer l'intérieur (qui abritait des salles) par une ouverture sur le côté. Devant le temple se trouve un petit autel où le prêtre ou le chaman s'agenouillait avant de faire sa cérémonie.

Du site archéologique, un sentier bien entretenu d'un kilomètre, parallèle au *sacbé* (voir p. 144), mène, à travers la jungle, les mangroves et les *cenotes*, à une plateforme d'observation d'où les visiteurs ont une superbe vue panoramique sur la lagune qu'on atteint en poursuivant sa marche dans le sentier. On trouve aux abords de la lagune une aire de pique-nique et un quai auquel sont amarrés quelques bateaux. Les visiteurs peuvent négocier le prix pour faire un tour de bateau sur la lagune.

Notez qu'à l'entrée du site archéologique, de l'autre côté de la route 307, se trouve un petit restaurant familial sous une *palapa*, pratique et convivial, parfait pour savourer un bon *pibil* après la visite!

Punta Allen et ses environs

Punta Allen est situé à l'extrémité d'une longue péninsule, à l'intérieur de la Reserva de la Biosfera Sian Ka'an. Les habitants vivent de la pêche et du tourisme. L'électricité y est produite par générateur, mais l'essentiel des infrastructures est adapté au monde moderne. Fondé au milieu du XXᵉ siècle, en raison de la prolifération de langoustes, le mignon petit village de pêcheurs de Punta Allen borde la Bahía de La Ascención et compte quelques centaines d'habitants. Plus au sud se trouve la Bahía del Espíritu Santo, deuxième réserve de langoustes du Mexique, laquelle s'étend sur 120 000 ha. En plus de la pêche, les visiteurs peuvent faire du kayak de mer ou de la plongée-tuba, ou tout simplement paresser sur la plage avec un livre.

Si les infrastructures sont sommaires, les petits restaurants servent toujours la prise du jour. Les petites plages qui contournent la pointe sont étroites et un peu rocailleuses. Les hôtels offrent un confort correct, et le camping est permis sur le terrain de quelques propriétés.

La route qui mène à Punta Allen passe par **Boca Paila** (à 25 km du village), traversé par un petit pont. D'un côté, vous pouvez voir la lagune Boca Paila, et de l'autre, la mer. Les mordus de la pêche trouveront, de l'autre côté du pont, le **Boca Paila Fishing Lodge** *(www.bocapaila.com)*, un hôtel tout-compris qui courtise les pêcheurs du monde entier. Des guides professionnels accompagnent ces derniers en bateau et leur indiquent les meilleurs endroits où pêcher.

Cobá ★ ★

À ne pas manquer

- Admirer la lagune et ses crocodiles depuis la terrasse p. 143
- Visiter les ruines à vélo ou en *tricitaxi* p. 143
- S'arrêter boire une eau de coco sur la route entre Tulum et Cobá p. 170

Cobá («eaux boueuses» en langue maya) est un petit village pittoresque situé à 44 km de Tulum, éparpillé sur les rives de la **Laguna Cobá** ★, tout près de la zone archéologique qui porte son nom. Les infrastructures touristiques y sont plutôt limitées, car la majorité des visiteurs s'y rendent lors d'une excursion d'une journée pour visiter le site archéologique.

Près de l'entrée du site archéologique, au bord de la lagune, une vaste **terrasse** ★ de bois, pourvue de tables et de bancs, invite à prendre une pause et à pique-niquer. Vous pourrez y observer l'un des crocodiles résidents en toute sécurité! Tout juste derrière la terrasse, une petite entreprise met en service une tyrolienne *(130 pesos)* qui traverse la lagune. En poursuivant le long de la lagune en direction du village, vous trouverez quelques restaurants et un hôtel.

La zone archéologique ★ ★

Témoin muet de l'élégance intemporelle de la glorieuse époque maya, à jamais disparue mais pas tout à fait oubliée, l'**ancienne ville de Cobá** *(59 pesos, visite guidée en supplément; tlj 8h à 16h30)* se dresse solennellement à 44 km à l'ouest de Tulum, au sein d'une végétation luxuriante brûlée par un soleil de plomb. Les archéologues affirment que seulement un faible pourcentage des édifices est visible et que, si le gouvernement décide un jour de débloquer assez de fonds pour restaurer le site au complet, Cobá constituera l'une des plus grandes cités mayas de la péninsule du Yucatán. On estime que quelque 22 000 bâtiments sont dissimulés dans la jungle environnante.

On suppose qu'entre 800 et 1100 apr. J.-C. Cobá, alors à son apogée, comptait environ 55 000 habitants et rivalisait de prestige avec la splendide cité de Tikal, au Guatemala. D'ailleurs, contrairement à Chichén Itzá, où prime un mélange d'architectures maya et toltèque, l'architecture de Cobá est du style Petén qui caractérise Tikal. Les bâtiments de Cobá n'ont cependant pas la splendeur de Tikal, de Chichén Itzá ou de Palenque.

Comme les structures mises au jour sont relativement peu nombreuses et très éloignées les unes des autres, nous vous suggérons de faire le trajet en bicyclette ou encore en *tricitaxi* (vous serez confortablement installé sur un siège à l'avant d'un vélo à trois roues). Vous trouverez un comptoir de location près de l'entrée, à l'intérieur du site *(35 pesos pour la bicyclette ou 100 pesos/h pour un tricitaxi avec chauffeur sans compter le pourboire)*. Il est impératif de vous couvrir la tête et d'apporter de l'eau ainsi que de l'insectifuge. Pour ceux qui ne se contentent pas de jeter un coup d'œil rapide et qui veulent comprendre davantage l'architecture des lieux, il est préférable de louer les services d'un guide à l'entrée du site.

Un premier groupe de bâtiments, appelé le groupe Cobá, se dresse à près de 100 m de l'entrée sur la droite. S'y trouve la deuxième plus haute pyramide (22 m) du site, l'**Iglesia**. Non loin de là, près de la pyramide, un petit *juego de pelota* (terrain de pelote) bien restauré s'étend aussi.

Un peu plus loin se dresse un deuxième ensemble appelé **Las Pinturas**, ainsi nommé en raison des fresques colorées qui garnissent la façade du temple du dieu Maïs (Maya). De facture postclassique (après les années 1100), ses colonnes rondes et ses autels carrés rappellent ici l'influence toltèque. Devant ce temple, sur la gauche, se trouve un deuxième bâtiment. Il s'agit d'un palais dont les façades ornées d'un rectangle affichent une certaine ressemblance avec les ruines de Teotihuacán, près de México.

Puis, un peu plus loin encore, on peut apercevoir un second *juego de pelota* sur la gauche (avec une stèle récemment découverte) et le *sacbé* («route blanche») sur la droite. Le *sacbé*, ce chemin construit par les Mayas, sillonne la région. Il se rend, entre autres, de Cobá à Yaxuná (près de Chichén Itzá), 100 km plus à l'est. On en retrouve des tronçons pratiquement partout où il y a des vestiges mayas et des *cenotes*. À Cobá, pour éviter de vous perdre, revenez sur le chemin balisé si vous empruntez brièvement l'un des nombreux tronçons du *sacbé* qui traversent la route. Ceux-ci croisent des structures en ruine émergeant partiellement çà et là, enveloppés d'une quiétude séculaire au beau milieu de l'exubérance végétale, et dégageant un charme certain. De là, vous n'aurez pas trop de mal à croire que cet héritage d'une ère de prospérité inégalée devait, il y a bien longtemps, être encore plus spectaculaire que ce qui s'étend sous vos yeux aujourd'hui.

Plus loin, vous pourrez admirer le bâtiment **Xay-be**, dont le nom maya signifie «à la croisée des chemins». De forme circulaire, cette pyramide fait environ 12 m de haut sur trois niveaux. Il semble que c'était un ancien lieu stratégique où se croisaient quatre chemins mayas, et que la structure érigée en ce lieu était utilisée comme observatoire astronomique et poste de guet. La stèle érigée devant la pyramide est une ardoise sur laquelle les Mayas écrivaient des informations factuelles sur la fréquentation du poste.

L'attrait principal de l'ancienne ville, **Nohoch Mul** (temple du Dieu descendant), est situé à environ 2 km de l'entrée du site et détient le titre de la plus haute pyramide de la péninsule du Yucatán. On n'en atteint le sommet, à 42 m, qu'après avoir gravi 120 marches. Au sommet, vous pourrez admirer une fresque représentant le Dieu descendant. Une corde en guise de rampe aide les visiteurs qui ont le vertige à redescendre plus aisément. À côté de la pyramide se trouve une stèle haute de 4 m et pesant quatre tonnes où sont gravés des hiéroglyphes qui indiquent la date du 30 novembre de l'an 780 de notre ère. Elle porte l'illustration des classes sociales mayas. Un peu l'écart de la pyramide, un petit kiosque vend des boissons et des collations.

Le boisé devant Nohoch Mul revêt une importance singulière. Ces arbres étaient utilisés par les Mayas dans l'élaboration des couleurs servant à réaliser leurs fresques. Si vous frottez avec un doigt mouillé la partie blanchâtre de l'écorce, vous verrez une teinte orange vive apparaître (attention aux taches!), tandis que si vous frottez la zone grisâtre, vous obtiendrez du vert!

Activités de plein air

La presque totalité des sports nautiques se pratiquent le long de la Riviera Maya. Les grands hôtels de la Riviera Maya louent habituellement l'équipement nécessaire à la pratique de ces sports. On y offre des journées de familiarisation à la plongée sous-marine, des excursions de tout acabit et le service de navette pour les divers clubs de golf de la région. Vous trouverez aussi des boutiques de location d'équipement affiliées aux hôtels et dans les agglomérations urbaines ainsi que sur toutes les grandes plages de la Riviera Maya.

Les amateurs de sports d'aventure, comme la randonnée en véhicule tout-terrain, les tyroliennes, la plongée-tuba dans les *cenotes*, la randonnée pédestre sur les sentiers de la forêt tropicale ou les excursions en bateau dans les mangroves, trouveront un nombre surprenant d'agences spécialisées qui sauront satisfaire toutes leurs exigences. De nombreux parcs écologiques (écoparcs) ont été aménagés et font aujourd'hui partie des attraits touristiques de la région.

> Cenotes

Parmi les dizaines de *cenotes* accessibles au public depuis la route 307 pour la baignade ou la plongée, les plus courus exigent un droit d'entrée, mais disposent d'installations et de services tels que toilettes, restaurant et location d'équipement. En voici quelques-uns que vous pourrez visiter, en plus de ceux de la **Ruta de los Cenotes** (voir p. 128), près de Puerto Morelos.

À quelque 2 km au sud de Puerto Aventuras, du côté ouest de la route 307, plusieurs *cenotes* intéressants se succèdent, entre autres **Cristalino**, **El Eden** et **Azul**, tous populaires auprès de la population locale et plutôt tranquilles en semaine. Le **Cenote Cristalino** comporte une grotte et des eaux cristallines, d'où son nom, regorge de poissons et est surplombé d'une petite falaise d'où l'on peut aisément plonger. Les *cenotes* El Eden et Azul offrent sensiblement le même environnement.

Tout près de Xcaret se trouvent les réseaux de *cenotes* souterrains de **Xplor** (voir p. 132) et de **Río Secreto** (voir p. 133).

Situé au sud d'Akumal, le parc d'**Aktun Chen** (voir p. 135), le **LabnaHa Eco-Park** (voir p. 137) et le **Cenote Sac Actún** (voir p. 137) constituent d'autres ensembles de cavernes et de *cenotes* fort impressionnants.

À environ 6 km au nord de Tulum, dans la baie de Tan-Kah, le **Cenote Manatí**, aussi connu sous le nom de **Casa Cenote** *(40 pesos; kayaks et équipement de plongée-tuba en location sur place)*, du nom de l'hôtel-restaurant qui gère le site, se compose d'un vaste plan d'eau à ciel ouvert, entouré de part et d'autre de mangrove. Allez-y de bon matin, les poissons y sont très nombreux et la plongée-tuba excellente. On y accède par l'hôtel-restaurant **Casa Cenote** (voir p. 157). Profitez-en pour prendre une bouchée ou un rafraîchissement.

À quelques kilomètres de Tulum, sur la route de Cobá, se trouvent le **Cenote Calavera** (plongée sous-marine seulement), le **Cenote Carwash** et le **Gran Cenote** *(120 pesos)*. L'un des sites les plus populaires de la région, le Gran Cenote, bien entretenu, est propice à la plongée-tuba, à la plongée sous-marine ou à la baignade, et dispose d'une cafétéria ainsi que d'un comptoir de location de vestes de flottaison et d'équipement de plongée-tuba.

À 4 km au sud de Tulum, les *cenotes* **Cristal** (côté ouest de la route) et **Escondido** (côté est de la route) sont surtout visités par les gens de la région. Comptez 120 pesos pour l'accès aux deux sites.

> *Équitation et excursions en véhicule tout-terrain*

Puerto Morelos

Selvatica (voir p. 129) propose de parcourir en véhicule tout-terrain des sentiers sauvages dans la jungle. Les tarifs varient selon les excursions. Assurez-vous qu'ils incluent une assurance accident avant de payer.

Punta Venado

Jungle, plage déserte, barrière de corail, *cenotes*, cavernes... Le **Punta Venado Caribbean EcoPark** *(route 307, 11 km au sud de Playa del Carmen, 984-158-8912, www.puntavenado.com)* organise des sorties de plongée-tuba *(60$)*, des excursions à cheval avec baignade en *cenote (85$)* et des promenades en véhicule tout-terrain *(83$; il faut être âgé de 16 ans et plus)* dans un cadre champêtre.

Le **Bonanza Rancho Ecoturístico** *(50$ transport, boissons et collation inclus; lun-sam, 3 départs par jour; 7 ans et plus; route 307, au sud de Puerto Morelos, www.ranchobonanzacancun.com)* propose des randonnées à cheval dans la jungle, avec visite de grotte et baignade dans un *cenote*.

> Golf

Vous trouverez plusieurs terrains de golf le long de la Riviera Maya.

Situé près de Cancún, le **Moon Palace Golf & Spa Resort** *(998-881-6000, www.*

palaceresorts.com) porte la signature de Jack Nicklaus.

Jack Nicklaus a aussi participé à la conception du terrain de golf du Mayan Palace Riviera Maya Resort, **El Manglar Golf Course** (*www.mayanpalace.com*), situé entre Puerto Morelos et Playa del Carmen, à 48 km de Cancún.

> ### Plongée sous-marine et plongée-tuba

Puerto Morelos

À environ 500 m de la côte de Puerto Morelos se trouve un récif de corail très prisé des plongeurs. En 1998, le ministère de l'Environnement du Mexique a classé ce récif «zone protégée» en créant le **Parque Nacional Arrecife Puerto Morelos**. C'est le plus long récif de tout l'hémisphère Nord. De nombreux navires se sont échoués dans les environs depuis le début de la colonisation espagnole, entre autres un galion espagnol qui attire beaucoup d'amateurs. On y accède en prenant part à une excursion de plongée, notamment par le biais de la **Sociedad Cooperativa de Servicios Turísticos de Puerto Morelos** (*35$ pour une sortie guidée de plongée-tuba de 2h avec équipement; lun-sam 8h30 à 15h; au bout de l'Avenida José María Morelos, angle Av. Rafael E. Melgar*).

Le propriétaire du centre de plongée **Dive Puerto Morelos** (*Av. Javier Rojo Gómez n° 14, 998-206-9084, www.divepuertomorelos.com*) tentera de vous convaincre qu'il y au large de son village plus de poissons qu'à Cozumel! Que ce soit vrai ou faux, les excursions qu'il organise dans les alentours ne vous décevront pas.

Les entreprises **Wet Set Diving Adventures** (*Hotel Ojo de Agua, Av. Javier Rojo Gómez, angle Ejército Mexicano, deux rues au nord du Parque Central, 998-206-9204, http://wetset.com*) et **Aquanauts Dive Adventures** (*Av. Rafael E. Melgar n° 123, 984-138-8463, www.aquanautsdiveadventures.com*) proposent également des excursions de grande qualité dans la région.

Playa del Carmen

Plusieurs entreprises de Playa del Carmen louent du matériel de plongée-tuba ou de plongée sous-marine et organisent des excursions en mer ou dans les nombreux *cenotes*. En voici quelques-unes:

Yucatek Divers : Av. 15 Norte entre Calle 2 et Calle 4, 984-803-2836, www.yucatek-divers.com

Phocea México : Calle 10 entre Av. 1 et Av. 5, 984-873-1210, www.phoceamexico.com (services en français)

Puerto Aventuras

Dive Aventuras : Marina de Puerto Aventuras, 984-873-5031, www.diveaventuras.com

Akumal

Blue Experience Diving : complexe hôtelier du Grand Sirenis Riviera Maya, route 307, Km 256, 984-116-3185, www.blueexperiencediving.com

Tulum

Il y a autour de Tulum de nombreux *cenotes* magnifiques mais difficiles d'accès. Les centres de plongée suivants sont de bonnes références pour des excursions organisées en *cenote* et dans la mer.

Diving Cenotes Tulum : Tulum Pueblo, Calle Polar, angle Calle Acuario, 984-140-6813, http://divingcenotestulum.com

La Calypso Dive Center : Calle Sagitario, angle Calle Osiris, 984-106-8002, www.lacalypsodivecenter.com (services en français)

> ### Surf cerf-volant (kitesurf ou kiteboard) et planche à rame (stand-up paddle ou paddleboard)

Playa del Carmen

Dans la zone de Playacar, l'école **PDC Kiteboarding & SUP Adventures** (*www.pdckiteboarding.com*) propose des cours de *kitesurf* et de *stand-up paddle* et loue l'équipement nécessaire.

Tulum

Extreme Control (*dans la partie nord de Tulum Playa, près de Playa Paraíso, 984-745-4555, www.extremecontrol.net*) et

OceanProKite *(Tulum Playa, Carretera Tulum-Boca Paila, Km 6,5, Hotel Villa Las Estrellas, 984-119-0328, www.oceanprokite. com)* proposent des cours de *kitesurf* et de *stand-up paddle*.

> **Vélo**

À **Playa del Carmen**, une piste cyclable a été aménagée sur l'Avenida 10 à partir de Playacar jusqu'à la Calle 8.

À **Tulum**, une agréable piste cyclable d'environ 2 km relie la ville à la plage (voir p. 140).

Hébergement

Puerto Morelos

Hotel Posada el Moro $$
Av. Javier Rojo Gómez, à une rue au nord du Parque Central, 998-871-0159, www.posadaelmoro.com
Cet établissement charmant se démarque par la qualité de ses services et installations. L'accueil y est chaleureux et la vingtaine de chambres simples et bien entretenues. La majorité des chambres ont l'air conditionné, un futon et un balcon. L'une d'entre elles compte entre autres une cuisine complète. L'établissement offre l'Internet sans fil, une terrasse sur le toit, une jolie piscine dans une cour invitante, le stationnement et de précieux conseils de voyage. Le restaurant de l'hôtel est ouvert de 7h à 21h.

Rancho Sak Ol $$-$$$
Prolongación Rafael E. Melgar, au sud du port, 998-871-0181, www.ranchosakol.com
Le Rancho Sak Ol est un petit lieu de quiétude où l'on se sent comme à la maison. La salle commune est une grande *palapa* donnant sur la mer, et qui est d'ailleurs bien propice aux conversations. Aménagées dans de charmants petits bâtiments couverts de chaux, les chambres sont propres, simples et confortables, et la plupart sont munies de lits suspendus. Toutes sont équipées d'eau potable et de hamacs sur le balcon. Une cuisine, bien équipée, est accessible à tous. Le matin, on sert un petit déjeuner de type buffet. La plage est jolie, et l'on peut emprunter gratuitement des vélos et l'équipement de plongée-tuba. Isolé du village de Puerto Morelos (à environ 2 km au sud) déjà bien calme, cet endroit vise une clientèle adulte et appelle définitivement au repos.

Hacienda Morelos $$-$$$
Av. Rafael E. Melgar, à quelques mètres au sud du port, 998-871-0448, www.haciendamorelos.com
Voilà une bonne adresse pour les voyageurs qui veulent loger dans un hôtel directement au bord de la mer mais qui ne cherchent pas le luxe. Très bien située près du Parque Central et de tous les services, l'Hacienda Morelos propose une trentaine de chambres propres, sans artifices et aérées, faisant toutes face à la mer et à la piscine. Parmi les services et installations, notez l'accès Internet sans fil dans le hall et l'air conditionné dans les chambres.

Condo Hotel Marviya $$$$
angle Av. Niños Héroes et Calle Lázaro Cárdenas, 998-871-0049 ou 514-484-7759 du Canada, www.marviya.com
Le Condo Hotel Marviya est un ensemble de 10 unités à l'architecture et au décor joliment inspirés des haciendas, regroupées autour d'une paisible cour intérieure dotée d'une piscine et ponctuée de tables et de chaises. Idéals pour les familles, les condos disposent d'une ou deux chambres fermées, d'une cuisinette tout équipée, d'un coin terrasse, de l'air conditionné et de l'accès Internet sans fil. On loue les chambres à la nuitée, à la semaine ou au mois. Québécoise d'origine, établie depuis longtemps à Puerto Morelos, la propriétaire est une mine d'informations.

Casita Blanca $$$$
Av. Javier Rojo Gómez 801, 998-206-9001 ou 866-457-8686 du Canada, www.puertomorelosbeachrental.com
La Casita Blanca est un complexe de copropriétés en location à la nuitée, à la semaine ou au mois. Les unités, directement au bord de la plage, comptent une ou deux chambres et sont toutes équipés de cuisines complètes. L'endroit est bien géré et méticuleusement entretenu. Le complexe est situé à

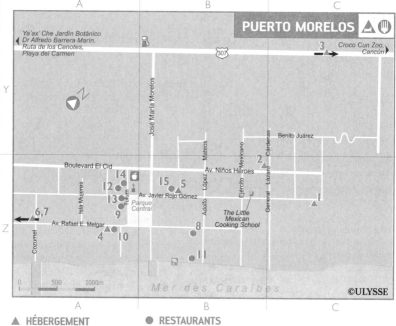

PUERTO MORELOS

▲ HÉBERGEMENT

1. CZ Casita Blanca
2. BZ Condo Hotel Marviya
3. CY Excellence Riviera Cancun
4. AZ Hacienda Morelos
5. BZ Hotel Posada el Moro
6. AZ Now Jade
7. AZ Rancho Sak Ol

● RESTAURANTS

8. BZ El Merkadito
9. AZ El Nicho
10. AZ La Panza es Primero
11. BZ La Playita
12. AZ La Terraza
13. AZ Le Café d'Amancia
14. AZ Los Gauchos
15. BZ T@cos.com

distance de marche du village (par la plage ou par la route) et dispose d'une piscine. Il s'agit d'une bonne formule d'hébergement pour les familles.

Now Jade $$$$$

environ 3 km au sud de Puerto Morelos,
998-872-8888, www.nowresorts.com

Le Now Jade est un luxueux complexe tout-inclus qui accueille les familles (club pour enfants avec activités toute la journée et avec cinéma en plein air en soirée), mais qui charmera surtout les couples (ambiance branchée, spectacles de musique et prestations de DJ). Jolies, spacieuses et bien aménagées, les suites sont toutes pourvues d'un salon, d'un bain à remous (intérieur ou extérieur) et d'un balcon. En plus du buffet, les restaurants à la carte, sans réservation, offrent un bon choix de cuisines internationale et mexicaine. L'aire de la piscine est superbe et la musique omniprésente. La plage, quant à elle, est impeccable et on y loue entre autres de l'équipement de plongée-tuba et des kayaks. Détail appréciable, les résidents ne portent pas le bracelet de plastique typique des tout-inclus! Accès Internet sans fil (en supplément).

Parmi les hôtels tout-compris les plus appréciés de Puerto Morelos et de ses environs, figure aussi l'**Excellence Riviera Cancun** (*$$$$$; adultes seulement; route 307, Km 30, tout juste avant le Croco Cun Zoo, 998-872-8500, www.excellence-resorts. com*).

Entre Puerto Morelos et Playa del Carmen

Punta Maroma

Belmond Maroma Resort and Spa $$$$$

Carretera Cancún-Chetumal, Km 51, 998-872-8200, www.maromahotel.com

Le Maroma Resort and Spa est situé directement sur la magnifique Playa Maroma, une plage de sable blanc de 3 km de long qui se trouve au sud de Puerto Morelos, à environ 15 min en voiture de Playa del Carmen. Le Maroma est exceptionnel et compte parmi les complexes hôteliers les plus intéressants de la Riviera Maya. Il offre une cinquan- taine de chambres ou villas campées dans un décor paradisiaque de forte inspiration mexicaine. Chaque soir, plus de 1 000 bougies illuminent les allées et créent un décor particulièrement romantique. Même s'il accueille les familles, l'hôtel est surtout prisé pour les lunes de miel. Les amateurs des nouvelles disciplines comme l'aroma- thérapie et la réflexologie, ou du *temascal* (sauna traditionnel maya), seront pris en main par des spécialistes qui leur feront découvrir des muscles qu'ils ignoraient pos- séder…

Parque Natural Tres Ríos

Hacienda Tres Ríos $$$$$
Carretera Cancún-Chetumal, Km 58, 984-877-2400 ou 800-494-9173, www.haciendatresrios.com
Pensée sur le modèle d'un véritable paradis, l'Hacienda Tres Ríos est un complexe luxueux niché dans la réserve écologique privée du même nom. La plage, atypique, est l'une des plus sauvages de toute la côte. La rivière qui s'y jette dans la mer est propice à la baignade et offre un paysage sublime avec ses eaux de couleurs et de textures différentes. Les chambres sont simples, spa- cieuses et décorées de manière sobre. De nombreuses activités sont proposées pour les enfants, et le service est avenant.

L'hôtel est en pleine évolution, et l'on pré- voit y construire, à long terme, d'autres bâtiments dont des *cabañas* et des condos, une marina et même des tyroliennes! Le complexe, malgré ses ambitions, demeure en harmonie avec son environnement (voir l'encadré p. 130).

Au sud du Parque Natural Tres Ríos

Rosewood Mayakoba $$$$$
Carretera Cancún-Chetumal, Km 60, 984-875-8000, www.rosewoodhotels.com
Summum des complexes tout-compris, le Rosewood Mayakoba se distingue par son environnement et sa centaine de suites spectaculaires dont certaines sont situées sur des îles. Véritable écrin de luxe au cœur d'une mangrove, l'établissement est sillonné de canaux aux eaux limpides reliés par de jolies passerelles ou d'agréables navettes lacustres. On propose également des unités donnant directement sur la superbe plage. L'établissement abrite un terrain de golf et un spa, et offre un service inégalé pour les familles avec son club pour enfants.

Punta Bete/Xcalacoco

Coco's Cabañas $$-$$$
entre le Petit Lafitte et le Viceroy, 998-185-7798, www.cocoscabanas.com
À ceux qui fuient les grand complexes hôteliers, ce petit bijou d'établissement pro- pose six *cabañas* simples mais bien entre- nues qui peuvent accueillir des familles. Certaines sont équipées d'une cuisinette et toutes ont l'air conditionné, un réfrigérateur, un téléviseur et une terrasse. L'accueil y est chaleureux et personnalisé et le site coloré et charmant. En plus d'une piscine et d'un aménagement paysagé soigné, on y trouve un excellent restaurant spécialisé dans les pizzas cuites au four à bois. La plage, située à proximité, est accessible à pied.

Petit Lafitte Hotel $$$$-$$$$$
Carretera Cancún-Chetumal, Km 296, 984-877-4000, www.petitlafitte.com
Construit sur le magnifique site de Punta Bete, le Petit Lafitte Hotel, dont le nom évoque le descendant direct de l'ancien Capitaine Lafitte, était jadis la destination vacances préférée de nombreuses familles. Le bâtiment principal, tout blanc, abrite le restaurant, et les chambres, confortables, offrent toutes les commodités. Les balcons donnent sur le jardin ou la mer. Les bunga- lows, côté jardin ou côté mer, comprennent chacun une ou deux chambres et une ter- rasse. L'hôtel propose une foule d'activités, qui vont de l'équitation à la plongée, abrite un petit zoo servant de refuge aux animaux et organise même différentes excursions.

Parmi les établissements tout-inclus qui se démarquent dans ce secteur, tout juste au nord de Playa del Carmen, on retrouve le **Grand Velas Riviera Maya** *($$$$$;*

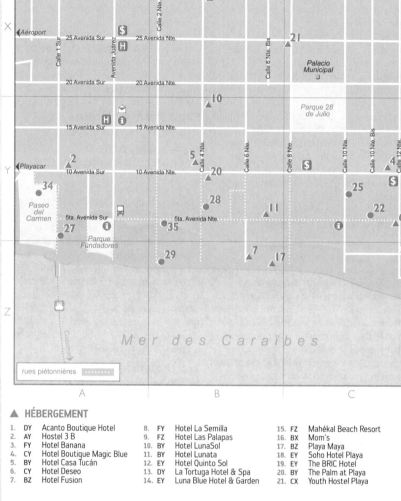

PLAYA DEL CARMEN ▲ 🍽

▲ HÉBERGEMENT

1.	**DY**	Acanto Boutique Hotel
2.	**AY**	Hostel 3 B
3.	**FY**	Hotel Banana
4.	**CY**	Hotel Boutique Magic Blue
5.	**BY**	Hotel Casa Tucán
6.	**CY**	Hotel Deseo
7.	**BZ**	Hotel Fusion
8.	**FY**	Hotel La Semilla
9.	**FZ**	Hotel Las Palapas
10.	**BY**	Hotel LunaSol
11.	**BY**	Hotel Lunata
12.	**EY**	Hotel Quinto Sol
13.	**DY**	La Tortuga Hotel & Spa
14.	**EY**	Luna Blue Hotel & Garden
15.	**FZ**	Mahékal Beach Resort
16.	**BX**	Mom's
17.	**BZ**	Playa Maya
18.	**EY**	Soho Hotel Playa
19.	**EY**	The BRIC Hotel
20.	**BY**	The Palm at Playa
21.	**CX**	Youth Hostel Playa

http://rivieramaya.grandvelas.com), un superbe complexe familial qui regorge d'activités et dont le restaurant Cocina de Autor propose de la cuisine moléculaire! Plus tranquille, le **Viceroy** *($$$$$; www. viceroyhotelsandresorts.com)* brille quant à lui d'un luxe langoureux et s'adresse aux adultes seulement.

Playa del Carmen et ses environs

Playa del Carmen

La quantité d'hôtels à Playa del Carmen est impressionnante. Il y en a pour tous les goûts et tous les budgets: complexes tout-compris, petits hôtels de charme, hôtels design, auberges de jeunesse, sur la plage, au cœur du village ou aux extrémités… Et pourtant, en haute saison, on ne saurait que trop vous conseiller de réserver! Toujours

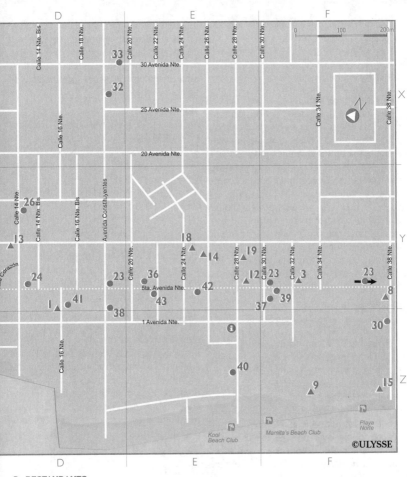

● RESTAURANTS

22.	CY	100% Natural
23.	DY	Ah Cacao Chocolate Café
	FY	Ah Cacao Chocolate Café
	FY	Ah Cacao Chocolate Café
24.	DY	Aldea Corazón
25.	CY	Babe's Noodles & Bar
26.	DY	Byblos
27.	AY	Cafe Antoinette
28.	BY	Carboncitos

29.	BZ	Club Náutico Tarraya
30.	FZ	Cueva del Chango
31.	CZ	Diablito cha cha cha
32.	DX	El Fogón
33.	DX	El Nativo
34.	AY	La Bodeguita del Medio
35.	BY	La Casa del Agua
36.	EY	La Fisheria

37.	FY	La Peñita del Jaltemba/ María Carbón
38.	DY	Los Aguachiles
39.	FY	Maíz de Mar
40.	EZ	Pizza Bella Vita
41.	DY	Plank
42.	EY	Renzo's Pizza
43.	EY	Yaxche

en haute saison, prenez note que plusieurs hôtels ne louent qu'à la semaine. Finalement, beaucoup d'hôtels ont pignon sur rue sur la fameuse *Quinta Avenida* (Avenida 5), la rue piétonne de Playa del Carmen à l'activité incessante. Si le bruit vous incommode, il est préférable de choisir un hôtel un peu en retrait.

Hostel 3 B $ ☙

Av. 10, angle Calle 1, 984-803-2901, http://hostel3b.com/ing/

La devise *Chic & Cheap* est parfaitement adaptée à cet endroit. Très bien située, il s'agit d'une auberge de jeunesse bien aménagée (cuisine commune, air conditionné, accès Internet sans fil gratuit, cinq dortoirs avec lits à moins de 20$ et une chambre privée), avec un superbe terrasse sur le toit où l'on organise des événements quotidiens allant des barbecues aux fêtes au bord de la petite piscine.

Youth Hostel Playa $ 🐾
Av. 25, angle Calle 8, 984-803-3277, www.hostelplaya.com.mx

Cette auberge de jeunesse située non loin du centre-ville et de la plage ravira les voyageurs à petit budget. Les dortoirs unisexes à 180 pesos ou les chambres privées à 440 pesos sont propres, équipés de draps et de moustiquaires. Une grande cuisine commune bien équipée est à la disposition des voyageurs. La salle de séjour est toujours animée et favorise les rencontres. En son centre, un escalier en colimaçon mène à une terrasse sur le toit où les couche-tard peuvent bavarder toute la nuit sous les étoiles. Un excellent choix dans son genre. Accès Internet sans fil dans l'aire commune.

Hotel Casa Tucán $-$$$
Calle 4 Norte entre Av. 10 et Av. 15, 984-873-0283, www.casatucan.de/fr

À deux pas de la trépidante Avenida 5, la Casa Tucán invite au calme et au repos. On y pénètre à travers un petit jardin exotique. Des cabanes rustiques ainsi que des appartements un peu plus confortables sont proposés. Les uns comme les autres peuvent accueillir jusqu'à cinq personnes et sont décorés de fresques murales naïves représentant la jungle, la plongée en *cenote* ou encore la vie nocturne de Playa del Carmen. Accès Internet sans fil. On trouve aussi sur place un restaurant, un cybercafé, une piscine et une école de plongée.

Hotel Banana $$
Av. 5, angle Calle 32, 984-803-0201, www.hotelbanana.net

Ce petit hôtel de 23 jolies chambres à l'architecture et à la décoration mexicaines est bien tenu. Situé dans la Petite Italie de Playa del Carmen, l'endroit est calme, propre et confortable. La piscine est toute petite. Internet sans fil disponible. Excellent rapport qualité/prix.

Luna Blue Hotel & Garden $$-$$$ 🐾
Calle 26 Norte entre Av. 5 et Av. 10, 984-873-0990, www.lunabluehotel.com

Cet hôtel compte une vingtaine de chambres mignonnes et parfois surprenantes! C'est le cas de la chambre avec terrasse sur le toit, dont les grandes fenêtres donnent sur le jardin luxuriant et la piscine. Une autre chambre dispose d'une cuisinette tout équipée. L'hôtel comprend un bar convivial avec balançoires, ouvert jusqu'à 23h. Pour adultes seulement. Accès Internet sans fil gratuit.

Mom's $$-$$$
Av. 30, angle Calle 4, 984-873-0315, www.momshotel.com

L'hôtel Mom's, construit un peu comme une hacienda avec cour centrale et petite piscine, est un peu retiré, à environ 5 min à pied de la rue piétonnière, mais le rapport qualité/prix est excellent. Ses chambres sont confortables et propres, avec salle de bain privée. Certaines offrent l'air conditionné. Le propriétaire possède une bibliothèque très intéressante et se fera un plaisir de vous prêter quelques bouquins que vous pourrez lire sur la terrasse située à l'étage. Les clients ont accès à l'Internet sans fil.

Hotel Fusion $$$ 🐾
sur la plage, angle Calle 6 Norte, 984-873-0374, http://fusionhotelmexico.com

Petit hôtel festif en bord de mer, le Fusion s'attire la faveur des vacanciers grâce à des chambres coquettes (mais tout de même modestes), à un service avenant et à une vraie ambiance de farniente. Bar, musique, restaurant et hamacs sur la plage. Bon rapport qualité/prix.

The BRIC Hotel $$$ 🐾
Calle 28 Norte entre Av. 5 et Av. 10, 984-873-2005, www.thebrichotel.com

Ce bijou de petit hôtel compte une trentaine de chambres installées autour d'une cour intérieure paisible, dotée d'une piscine. Les chambres, pourvues de balcons, sont impeccables et décorées simplement mais avec goût. Toutes sont équipées d'air conditionné et de réfrigérateurs et offrent l'accès Internet sans fil.

Hotel LunaSol $$$
Calle 4 entre Av. 15 et Av. 20, 984-873-3933, www.lunasolhotel.com

Ce petit hôtel chaleureux, administré par une famille québécoise, est situé à proximité de la plage et de la fébrile 5ᵉ Avenue. L'établissement est pourtant paisible avec son jardin tropical et sa jolie piscine avec bain à remous. Les chambres, équipées d'air conditionné et de réfrigérateurs, sont confortables et bien entretenues. Les clients ont accès à l'Internet sans fil, à une cuisine commune et à des rabais pour le club de plage affilié.

Hotel Lunata $$$
Av. 5 entre Calle 6 et Calle 8, 984-873-0884, http://lunata.com

Cet hôtel a été construit dans le style d'une vieille hacienda mexicaine. Le résultat est réussi, et l'ambiance qui s'en dégage est chaude et paisible. Le jardin arbore une belle végétation, et la terrasse sur le toit offre une très belle vue sur la mer. Préférez les chambres avec vue sur le jardin, car l'hôtel est en plein dans le secteur effervescent de la 5e Avenue.

Hotel Boutique Magic Blue $$$-$$$$$ 🐚
Av. 10 entre Calle 10 et Calle 12 N., 984-873-2016 www.hotelmagicblue.com

Vous serez agréablement surpris par le Boutique Hotel Magic Blue. Il occupe un bel espace entre l'Avenida 10 et l'Avenida 15. Les chambres modernes, simples mais très fonctionnelles, nichent dans de superbes bungalows en bois, au toit de *palapa*, avec terrasse, air conditionné et téléviseur. Préférez une chambre au rez-de-chaussée. Un jardin tropical, meublé de chaises longues, d'un lit à baldaquin pour massage et d'un bar discret, entoure la belle piscine.

Hotel Deseo $$$-$$$$$
Av. 5 entre Calle 10 et Calle 12, 984-879-3620, www.hoteldeseo.com

L'hôtel Deseo s'adresse aux amateurs d'architecture urbaine et aux fêtards branchés. La terrasse-bar-piscine constitue le cœur de l'hôtel où, chaque soir à la nuit tombée, la musique électro bat son plein. Tout autour, une poignée de chambres au design ultra-épuré et minimaliste profitent de cette localisation imbattable. Internet sans fil dans les aires communes.

Hotel La Semilla $$$$ 🐚
Calle 38 Norte entre Av. 5 et la mer, 984-147-3234, www.hotellasemilla.com

À l'image de son nom, le propriétaire de La Semilla souhaite faire germer en vous les valeurs qui lui sont chères: la simplicité, la convivialité ainsi que l'amour de l'histoire et de la culture mexicaines. Cet engouement s'observe jusque dans les matériaux utilisés pour construire l'hôtel, dans le mobilier et,

surtout, dans les accessoires fantastiques chinés avec un flair étonnant à travers le pays et pour lesquels un livre décrivant leur provenance est mis à la disposition des clients. Destiné aux adultes, cet établissement paisible, qui s'inscrit clairement dans le mouvement rustico-chic, abrite neuf chambres lumineuses et uniques en leur genre, offrant toutes l'air conditionné et l'accès Internet sans fil. Une superbe cour avec espace déjeuner et une agréable terrasse où prendre le thé sont, le soir venu, éclairées par des dizaines de bougies. Terrasse sur le toit, prêt de vélos et carnet de bonnes adresses à découvrir sur place.

La Tortuga Hotel & Spa $$$$ 🐚
Av. 10 entre Calle 12 et Calle 14, 984-873-1484, www.hotellatortuga.com

L'hôtel La Tortuga est situé à deux rues de la plage et un peu en retrait de l'animation de la *Quinta Avenida*. Les chambres sont tranquilles et bien décorées. La piscine et le bar (avec table de billard) attenant sont très agréables. Certaines chambres disposent d'un petit balcon donnant directement sur la piscine. L'hôtel est réservé aux adultes.

Playa Maya $$$$ 🐚
sur la plage, près de Calle 8 Norte, 984-803-2022 ou 984-803-2023, www.playamaya.com

Installé directement sur la plage, le chaleureux Playa Maya est un complexe hôtelier à échelle humaine. Ce petit coin de paradis, paisible tout en étant à proximité des services de la ville, offre plusieurs types de chambres, avec air conditionné et accès Internet sans fil, dont plusieurs sont dotées d'un balcon donnant sur la mer. Elles sont vastes, aérées et d'une propreté irréprochable. Le service est efficace et sympathique. On y privilégie les séjours d'au moins une semaine, mais il est parfois possible d'obtenir des prix à la nuitée. L'établissement pratique des tarifs dégressifs pour les plus longs séjours. Les clients ont accès à la plage, aux chaises et aux *palapas*.

Soho Playa Hotel $$$$ 🐚
Av. 10, angle Calle 24, 984-267-3207, www.sohoplayahotel.com

Le raffinement du Soho Playa Hotel se retrouve dans une foule de détails: l'omniprésence d'œuvres d'art, la literie et les coussins cousus à la main, les hamacs de fabrication artisanale, les petits déjeuners concoctés avec des aliments bios... L'établissement compte une superbe terrasse sur le toit avec piscine, bain à remous (eau froide), lits de plage et chaises longues. On y propose des cours de yoga, de Pilates et de Zumba (en supplément). Les 23 chambres peuvent accueillir des familles et disposent de l'accès Internet sans fil, d'un balcon et d'air conditionné. Le restaurant de l'hôtel est ouvert de 7h à 18h et sert des plats légers dont quelques-uns végétariens.

The Palm at Playa $$$$
Calle 8 entre Av. 5 et Av. 10, 984-206-4120, www.thepalmplaya.com

Voilà un bel hôtel-boutique sympathique et fort bien situé qui s'adresse principalement à une clientèle adulte (seuls les enfants de 14 ans et plus sont admis). Les chambres, avec ou sans balcon, donnent sur la cour intérieure ou sur la rue et sont dotées de fenestration anti-bruit, d'air conditionné et de l'accès Internet sans fil. Certaines ont un salon; d'autres, une chambre fermée. Le petit déjeuner de style buffet est offert au restaurant du rez-de-chaussée. Sur le toit se trouvent la piscine, le bain à remous, le spa et le petit gym. Un bar-terrasse est ouvert au public de 9h à 1h.

Hotel Quinto Sol $$$$
Av. 5, angle Calle 28, 984-873-3292, www.hotelquintosol.com

Le Quinto Sol est un petit hôtel sympathique dont le principal avantage est d'être situé dans une partie relativement tranquille de la *Quinta Avenida* et à seulement 200 m d'une très belle plage. Les chambres sont charmantes, mais un peu sombres. Le bain à remous sur le toit et le *lounge* avec sa bibliothèque et ses jeux sauront allier contemplation et détente.

Hotel Las Palapas $$$$-$$$$$
Av. 34 Norte, 984-873-4260, www.laspalapas.com

Situé au nord de Playa del Carmen, sur la plage, l'hôtel Las Palapas est peut-être en retrait du brouhaha de la ville, mais il demeure tout de même animé... Après tout, il est voisin du club de plage **Mamita's** (voir p. 131)! Les unités, sans téléviseur ni téléphone, comptent tout de même l'air conditionné et l'accès Internet sans fil. Elles consistent entre autres en des bungalows circulaires et des villas sous *palapa* ainsi qu'en des studios, toujours flanqués d'un hamac. Parsemé d'une végétation luxuriante, le complexe dispose également d'un bar avec une table de billard, d'un spa et de deux restaurants.

Mahékal Beach Resort $$$$$ ½p
Calle 38 entre Av. 5a et la plage, 984-873-0611, www.mahekalbeachresort.com

Le Mahékal Beach Resort est un bon endroit pour ceux qui désirent s'éloigner quelque peu du centre-ville de Playa del Carmen sans pour autant être isolés. On y propose l'hébergement en plan américain modifié (petit déjeuner et dîner inclus). Ce charmant complexe hôtelier, tout en *cabañas* et en *palapas*, bénéficie d'un cadre propice à la détente. Les *cabañas* sont spacieuses, équipées de lits confortables, dotées d'un balcon avec hamac, et sont disséminées entre les palmiers à deux pas d'une grande plage sablonneuse, tantôt paisible, tantôt animée à proximité du Mamita's Beach Club.

Acanto Boutique Hotel $$$$$
Calle 16 Norte entre Av. 1 et Av. 5, 984-873-1252, www.acantohotels.com

Ce petit bijou d'hôtel est d'une étonnante tranquillité, à deux pas de la plage et de la bouillonnante 5e Avenue. Les unités (une à trois chambres) sont réparties autour d'une petite piscine avec patio privé, table, chaises et hamac. La décoration est un heureux mélange d'hacienda mexicaine et d'influences asiatiques. Chaque chambre est un petit appartement en soi, avec tout le nécessaire pour faire la cuisine. L'établissement est entièrement non-fumeurs et accueille les familles.

Playacar

Playacar est un village construit de toutes pièces pour le tourisme de luxe. Vous n'y trouverez donc que de grands complexes hôteliers tout-compris. En voici quelques-uns:

Occidental Allegro Playacar $$$$ tc
Lote Hotelero N° 7, 984-877-2700, www.occidentalhotels.com

L'hôtel Occidental Allegro Playacar compte quelque 300 chambres bien équipées, coiffées d'un toit de *palapa* et disséminées sur une pente qui dévale doucement jusqu'à la mer. L'établissement convient autant aux couples à la recherche d'un séjour romantique qu'à des vacanciers venus en famille. Un club avec activités supervisées et une aire de jeux sont en effet réservés aux gamins qui cherchent à s'ébattre, tandis qu'une piscine est réservée uniquement à ceux qui recherchent la quiétude. On prête des kayaks et l'équipement de plongée-tuba, de surf horizontal (*bodyboard*) et de voile.

Hotel Riu Palace Mexico $$$$$ tc
Av. Xaman-Ha, Manzana 3, Lote 4, 984-877-4200, www.riu.com

Complètement revampé et gaiement ponctué de tons violet, le magnifique complexe du Riu Palace Mexico est un établissement tout-inclus qui se démarque par la qualité de ses services et installations, dont l'accès Internet sans fil et un *lounge* coquet avec des boissons (jus et alcool) et des collations disponibles 24h sur 24. Les chambres et suites ont aussi été remodelées et offrent un confort supérieur. Il est à noter que l'espace de salle de bain est partiellement ouvert. L'établissement compte cinq restaurants à la carte avec réservations et un buffet. L'aire de la piscine est élégante et comprend plusieurs bassins (activités aquatiques, cours de plongée, bar, club pour enfants). La plage est animée (volley-ball, barbecues) et bien entretenue. On prête de l'équipement pour les sports nautiques (plongée-tuba, kayak et planche de surf horizontal, ou *bodyboard*. Il y a une discothèque sur place.

Occidental Royal Hideaway Playacar $$$$$ tc
Lote Hotelero 6, 984-873-4500 ou 800-999-9182 du Canada, www.royalhideaway.com

Le Royal Hideaway Playacar propose une formule «tout compris» pour adultes seulement. Les chambres sont regroupées dans de petites villas à la facture coloniale où l'on ne demande qu'à répondre à vos moindres caprices. Les salles de bain sont dallées de marbre. Salle de spectacle, piscine avec cascades, plusieurs bars, courts de tennis, spa et toute la gamme habituelle de services et d'activités aquatiques complètent les services offerts dans cet établissement luxueux. Les menus des différents restaurants de l'hôtel font toute la renommée de l'établissement et sont dignes des meilleures tables du pays.

Playacar Palace $$$$$ tc
Av. Espíritu Santo, 984-873-4960, www.palaceresorts.com

Le Playacar Palace est un très bel hôtel à la décoration mexicaine soignée et épurée. La plupart des quelque 200 chambres comprennent un balcon privé et une baignoire à remous. L'hôtel est situé devant l'une des plus jolies plages du secteur, et pas très loin à pied du centre-ville de Playa del Carmen. Cet hôtel est associé au très beau Moon Palace Golf & Spa Resort et propose donc plusieurs forfaits aux amateurs de golf. On accueille les couples comme les familles, qui bénéficient d'un club pour enfants et de diverses animations.

Entre Playa del Carmen et Tulum

Paamul
Paamul Hotel & Cabañas $$$ 🌴
Carretera Cancún-Tulum, Km 85, 984-875-1053, www.paamul.com

Ce petit hôtel, simple mais moderne, tenu par une sympathique famille mexicaine, propose des suites et des *cabañas* à prix très abordables. Chaque chambre dispose de son balcon donnant sur la mer. Le confort est basique dans les 10 *cabañas* un peu vieillottes, mais tout y est propre et elles disposent d'air conditionné. Les 12 suites avec cuisinette et deux grands lits offrent une option agréable. Cette même famille gère aussi un camping et un parc pouvant accueillir tentes et véhicules récréatifs. Vous trouverez sur le site un bon restaurant (voir p. 167), une piscine, une petite épicerie, l'accès Internet sans fil, un centre de plongée bien équipé et une laverie.

Puerto Aventuras et ses environs
Barceló Maya Beach Resort $$$$$ tc
Carretera Cancún-Tulum, Km 94,5, entre Puerto Aventuras et Xpu-Ha, 984-875-1500, www.barcelo.com

Le Barceló Maya Beach Resort est situé directement sur une plage isolée à 5 min au sud de Puerto Aventuras. Ce grand complexe de catégorie supérieure propose de grandes chambres réparties dans plusieurs bâtiments de trois étages avec ascenseurs ou dans le pavillon principal. Le *Kid's Club*, l'aire de jeux, le minigolf, le Dolphinaris (baignade avec les dauphins), la piscine avec toboggans et les nombreuses activités offertes en font un excellent choix pour les familles.

Hard Rock Hotel Riviera Maya $$$$$ tc
Carretera Cancún-Tulum, Km 72, tout juste au nord de Puerto Aventuras, 984-875-1130, www.hrhrivieramaya.com

Séparé en deux sections distinctes, Heaven (adultes) et Hacienda (familles), le complexe du Hard Rock compte plus de 1 200 chambres et a certainement tout pour plaire aux fans de la chaîne, notamment le caractère distinctif de la décoration moderne et éclatée. Entre sa splendide plage, sa terrasse ascendante dénommée Stairway to Heaven, ses spectacles de musique, son lagon pour ados, son club pour enfants (piscines avec toboggans) et ses suites familiales de deux chambres avec console Xbox, il y a amplement matière à s'amuser. Plusieurs restaurants à la carte proposent ici une cuisine internationale. En plus de l'accès Internet sans fil, on met à la disposition des clients l'équipement de plongée-tuba.

Xpu-Ha

Catalonia Royal Tulum $$$$$ tc
Carretera Cancún-Tulum, Km 95, 984-875-1800, www.hoteles-catalonia.com

S'adressant à une clientèle strictement adulte, l'hôtel Catalonia Royal Tulum, situé sur la plage de Xpu-Ha, est un immense complexe construit dans un magnifique jardin qui s'étend de la route principale jusqu'à la plage. Les chambres possèdent tous les attributs de leur catégorie. Ce village autosuffisant compte plusieurs services et installations tels que boutiques, location de voitures, bureau de change, laverie et nettoyage à sec, salon de massage, en plus de tout l'équipement pour les différents sports nautiques.

Hotel Al Cielo $$$$$
Carretera Cancún-Tulum, Km 118, Bahía de Xpu-Ha, 984-840-9012, www.alcielohotel.com

L'hôtel Al Cielo est constitué de cinq suites de style rustico-chic qui font face à la mer et de trois superbes villas en adobe dotées d'une ou deux chambres fermées, piscine et terrasse (lit de plage inclus!), toutes avec air conditionné. Très jolies et confortables, les chambres sont sobres, mais aménagées avec goût. On y retrouve un hamac à l'intérieur et un autre sur le balcon. Ici, la plage et la mer sont littéralement paradisiaques. Ouvert de 7h à 21h, le restaurant de l'hôtel (voir p. 156) sert une délicieuse cuisine et offre une superbe vue depuis sa terrasse.

Entre Xpu-Ha et Kantenah

Grand Palladium Riviera Resort & Spa $$$$$ tc
Carretera Cancún-Tulum entre Xpu-Ha et Kantenah, 305-774-0040, www.grandpalladiumkantenah.com

Le Grand Palladium abrite cinq «complexes» distincts, bien intégrés à la flore environnante et situés devant une magnifique plage. Sans être luxueux, l'établissement se démarque par ses nombreux services, qui plairont certainement à une clientèle familiale. Les villas procurent un environnement calme, et les passerelles en pleine jungle qui relient les complexes permettent d'observer des coatis, des agoutis et des iguanes. Les aires de jeux, le minigolf ainsi que les sections pour enfants des piscines (avec toboggans) sont conviviales et pratiques. Notez que, chaque soir, un restaurant différent est réservé aux adultes. Accès Internet sans fil (en supplément). Le service est attentif, malgré le nombre impressionnant de clients!

Kantenah

El Dorado Seaside Suites by Karisma $$$$$ tc
Carretera Cancún-Tulum, Km 95, 984-875-1910, www.karismahotels.com

L'El Dorado Seaside Suites occupe une grande partie de la plage de Kantenah. Complexe hôtelier pour adultes seulement comptant près de 400 grandes suites avec baignoire à remous au décor chic, il abrite trois piscines, plusieurs restaurants à la carte et bars et de grands jardins. La clientèle bénéficie entre autres de cours de yoga et du prêt de kayaks et d'équipement de plongée-tuba. L'accès Internet sans fil est en supplément.

Akumal

Grand Bahia Principe Akumal *$$$$ tc*

Carretera Cancún-Tulum, Km 107, juste au sud du village d'Akumal, 984-875-5000, www.bahia-principe.com

Le Grand Bahia Principe Akumal est situé sur une longue plage de sable blanc au sud du village d'Akumal. Cet immense complexe est un village en soi et dispose d'installations qui plairont aux familles (dont une belle piscine avec toboggans). Construit sur un vaste terrain paysager, il recèle des chambres de catégorie supérieure réparties dans plusieurs bâtiments de trois étages.

Hotel Akumal Caribe *$$$$* 🐚

Carretera Cancún-Tulum, Km 104, sur la plage de la Bahía Akumal, entrée aux arches, 915-584-3552 ou 800-343-1440, www.hotelakumalcaribe.com

Recommandé pour les familles et les amateurs de plongée, le petit complexe de l'Hotel Club Akumal Caribe propose différents types d'hébergement, qui vont du bungalow tout confort à la petite chambre d'hôtel, en passant par l'appartement de deux ou trois chambres. On peut y pratiquer le tennis et le basket-ball, mais surtout la plongée sous-marine car il abrite l'Akumal Dive Center.

Hacienda de la Tortuga *$$$$*

Carretera Cancún-Tulum, Km 105, Camino Yalku, sur la plage de la Bahía de Media Luna, 984-875-9068, www.haciendatortuga.com

La Hacienda de la Tortuga est un charmant établissement situé sur la plage; il comprend 16 suites propres et bien aménagées, avec une chambre ou deux, un salon, une cuisinette à aire ouverte bien équipée et une grande salle de bain. Préférez le bâtiment de construction plus récente.

Tan-Kah

Casa Cenote *$$$-$$$$*

de l'autre côté de la route qui mène au Cenote Manatí, 521-984-6996, www.casacenote.com

En plus de la belle villa à cinq chambres à louer à la semaine, la Casa Cenote propose des bungalows (petit déjeuner inclus) aménagés le long de la plage. Tous les bungalows comptent une salle de bain, une baignoire à remous et l'air conditionné. Des unités rustiques dénommées «Eco Accommodations» offrent pour leur part un confort basique avec salle de bain partagée. Pour tous, l'équipement de plongée-tuba est à disposition. Un bon restaurant de fruits de mer se trouve juste à côté, en bord de mer, sous un immense toit de *palapa*.

Entre Tan-Kah et Tulum

Dreams Tulum Resort & Spa *$$$$$ tc*

Carretera Cancún-Tulum entre Tan-Kah et Tulum, 984-871-3333, www.dreamsresorts.com

Rare complexe tout-inclus à Tulum, le Dreams Tulum se drape d'une aura de luxe, mais garde un cœur bien populaire. Ainsi, du hall élégant avec portiers et concierges empressés jusqu'aux jardins et allées manucurés et baignés de musique doucereuse, l'endroit respire le raffinement, mais peut aussi surprendre par son service approximatif et le manque d'entretien de certaines chambres. Parmi les points forts du complexe, notons les chambres bien aménagées et spacieuses, les nombreuses activités et les spectacles en soirée, l'efficacité de la connexion Internet sans fil et la qualité du buffet. L'omniprésence des iguanes ravira les enfants! Notez que le club pour enfants (3 à 12 ans) se trouve en retrait de l'action et que les parents n'y ont pas accès. De plus, la piscine commune est agréable, mais il n'y a aucun jeu. Les enfants, comme les grands, seront cependant ravis d'y trouver une plage impeccable et pourront batifoler en toute sécurité en eau peu profonde.

Tulum

Tulum Playa

Au sud de la zone archéologique, sur le chemin qui mène à Punta Allen, un chapelet d'hôtels, de *cabañas*, de boutiques et de restaurants s'étale sur la longue plage bordée de palmiers. Sachez que les lieux d'hébergement proposent un niveau de confort très varié et s'adressent davantage à une clientèle bohème qui ne craint ni les moustiques (et autres insectes) ni la simplicité volontaire. La plupart produisent individuellement leur électricité au moyen de génératrices, de panneaux solaires, voire de petites éoliennes. Aujourd'hui la plupart peuvent en fournir 24h sur 24. Prévoyez donc, en plus de votre crème solaire biologique, une lampe de poche (dans le cas où votre établissement hôtelier compte parmi ceux qui n'ont pas l'électricité 24h sur 24) et du répulsif à moustiques!

Yoga Shala Tulum $-$$
Carretera Tulum-Boca Paila, Km 7,5, 984-141-8116, www.yogashalatulum.com

Les adeptes du yoga trouveront près de 20 classes de yoga par semaine au Yoga Shala Tulum. Les autres y découvriront des chambres propres, agréables, avec ou sans salle de bain, à partir de 49$. En effet, les propriétaires misent sur la simplicité et la bonne humeur pour faire fonctionner cet établissement chaleureux. L'ambiance est plutôt jeune et décontractée. Il faut traverser la rue pour rejoindre la plage. Un petit coin repas est à disposition (pas de cuisson possible). Comptez environ 15$ par classe de yoga (tarif réduit à la semaine). Location de vélos, bons petit déjeuners, accès Internet sans fil gratuit, service de massothérapie et jolie boutique de vêtements.

Papaya Playa Project $-$$$$
Carretera Tulum-Boca Paila, Km 4,5, 984-116-3774, www.papayaplayaproject.com

Depuis 2011, Cabanas Copal et Playa Papaya sont fusionnées dans ce projet singulier d'hôtel design et abordable. On a retapé les *cabañas*, ajouté des *casitas* et remodelé l'accueil avec une touche insolite, jeune et conviviale. Le tout forme un vaste complexe offrant de l'hébergement dans des unités plus ou moins rustiques. L'ensemble abrite un club de plage avec bar et restaurant, un spa et un *temascal* (sauna et rituel de purification mayas). Accès Internet sans fil dans le hall et le restaurant.

Posada Dos Ceibas $$-$$$$
Carretera Tulum-Boca Paila, Km 10, 984-877-6024, www.dosceibas.com

La Posada Dos Ceibas est un établissement de ressourcement prisé des yogis californiens et des amateurs de méditation. Le cadre est agréable, et vous logerez dans l'une des chaleureuses maisonnettes colorées installées dans un environnement luxuriant et invitant à la détente. Le restaurant sert une cuisine variée alliant classiques mexicains, poissons, pâtes et pizzas.

Las Palmas Maya $$$
Carretera Tulum-Boca Paila, Km 9,5, 984-807-4509, www.laspalmasmaya.com

Au sud de la zone hôtelière, côté jungle, se trouve le très sympathique Las Palmas Maya. On y accueille les voyageurs dans un environnement simple, au confort basique, mais qui demeure joli et indéniablement pratique. Parmi les nombreux services inclus qui font la réputation de l'établissement, on retrouve la cuisine commune, l'espace *lounge* avec hamacs, l'eau purifiée, le café à volonté et l'accès Internet sans fil. Les enfants et les animaux de compagnie sont les bienvenus. Il faut traverser la rue pour accéder à la plage. Les clients du Las Palmas Maya qui souhaitent s'installer sous une *palapa* peuvent utiliser celles de l'hôtel OM moyennant une consommation au restaurant.

Cabañas La Conchita $$$$ ☜
Carretera Tulum-Boca Paila, Km 5

Une effusion de couleurs invite les voyageurs à se poser dans cette enceinte parsemée de jolis *cabañas* à un ou deux étages, au traditionnel toit de *palapa* et aux balcons flanqués de hamacs. Les huit unités, dotées de moustiquaires, se trouvent à quelques pas de la splendide plage, qui forme une petite enclave particulièrement intime.

El Paraíso Hotel $$$$
Carretera Tulum-Ruinas, Km 1 (vers les ruines de Tulum), 984-113-7089, www.elparaisohoteltulum.com

En empruntant la route vers le nord, on trouve l'El Paraiso Hotel et son club de plage, Playa Paraiso. Les chambres de type motel ne font pas face à la mer, mais elles en sont séparées par seulement quelques pas. Elles comptent entre autres deux grands lits, l'air conditionné, l'accès Internet sans fil, une salle de bain privée et une véranda. L'établissement abrite un restaurant, et la plage est magnifique.

Zamas $$$$
Carretera Tulum-Boca Paila, Km 5, 984-877-8523, www.zamas.com

Le Zamas, qui veut dire «futur» en langue maya, est situé aux abords de Punta Piedra, cette petite pointe rocheuse qui coupe en deux la plage de Tulum. Le site est superbe, et les installations aérées sont d'un «chic rus-

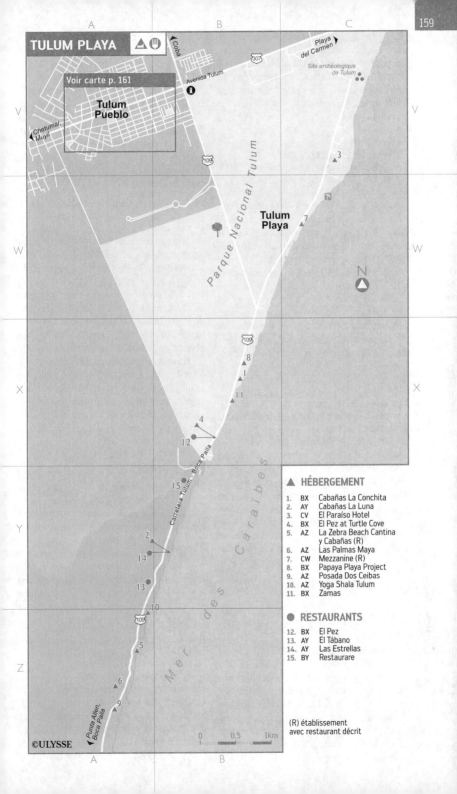

TULUM PLAYA

Voir carte p. 161

Tulum Pueblo

Chetumal, Muyil

Avenida Tulum

307

Coba

Playa del Carmen

Site archéologique de Tulum

Parque Nacional Tulum

Tulum Playa

109

N

109

307

Carretera Tulum - Boca Paila

Mer des Caraïbes

Punta Allen, Boca Paila

▲ HÉBERGEMENT

1.	BX	Cabañas La Conchita
2.	AY	Cabañas La Luna
3.	CV	El Paraíso Hotel
4.	BX	El Pez at Turtle Cove
5.	AZ	La Zebra Beach Cantina y Cabañas (R)
6.	AZ	Las Palmas Maya
7.	CW	Mezzanine (R)
8.	BX	Papaya Playa Project
9.	AZ	Posada Dos Ceibas
10.	AZ	Yoga Shala Tulum
11.	BX	Zamas

● RESTAURANTS

12.	BX	El Pez
13.	AY	El Tábano
14.	AY	Las Estrellas
15.	BY	Restaurare

(R) établissement
avec restaurant décrit

0   0,5   1km

©ULYSSE

tique» très agréable. Les *cabañas* offrent un confort convenable, qu'elles soient en face de la mer ou dans le jardin. Le restaurant est coloré et sert d'excellentes pizzas. Le service est attentionné, et les familles sont bienvenues. Accès Internet sans fil dans les aires communes.

Cabañas La Luna $$$$-$$$$$
Carretera Tulum-Boca Paila, Km 6,5, 310-984-5484 ou 984-146-7737, www.cabanaslaluna.com

Une poignée de charmantes cabanes rustiques et uniques s'étire le long de la plage. Chacune a été décorée avec beaucoup de goût et la plupart profitent d'une jolie vue sur la mer. Une villa de quatre chambres, avec cuisine complète et piscine privée, et une autre, qui fait face à la mer et dispose d'une plage privée, sont aussi en location. Il suffit d'un seul pas pour se retrouver sur la plage et se laisser bercer dans les hamacs tendus entre deux cocotiers. Le restaurant de l'hôtel mérite un détour (voir p. 168). Accès Internet sans fil disponible partout sur le site.

Mezzanine $$$$-$$$$$
Carretera Tulum-Boca Paila, Km 1,5, 984-115-4728, www.mezzaninetulum.com

Le très sélect Mezzanine abrite neuf jolies chambres et suites à la décoration épurée, avec mezzanine et terrasse privée. On y prête l'équipement de plongée-tuba et les kayaks. Malgré les prix élevés, les unités sont souvent toutes occupées : il est donc impératif de réserver longtemps à l'avance. Notez que, dans certaines chambres, la salle de bain est à aire ouverte. Accès Internet sans fil disponible dans les aires communes. Pour adultes seulement.

El Pez at Turtle Cove $$$$$
Carretera Tulum-Boca Paila, Km 5,5, 984-116-3357, www.tulumhotelpez.com

Considérant la quantité phénoménale de lieux d'hébergement à Tulum Playa, ce sont les prestations qui propulsent certains établissements tout en haut du palmarès. Ici, dès l'arrivée, on accueille avec chaleur les voyageurs, et le service demeurera personnalisé, empressé et souriant pour toute la durée du séjour. L'emplacement, isolé et pai-

sible, offre un panorama à couper le souffle. Les chambres, au décor chic rustique, bénéficient de la brise marine, de l'électricité 24h sur 24 et d'une vue splendide. Le restaurant (voir p. 168) se trouve sous une grande *palapa* au décor recherché mais convivial. Dans cette aire commune (où l'Internet sans fil est accessible) se trouvent un joli bar, un *lounge* invitant et un salon confortable avec quelques livres et jeux. Les familles sont les bienvenues. Le site abrite également une petite piscine.

La Zebra Beach Cantina y Cabañas $$$$$
Carretera Tulum-Boca Paila, Km 8,2, 984-115-4728, www.lazebratulum.com

La Zebra est en transformation et concentre maintenant ses activités en front de mer. L'accueil est à la hauteur de ce superbe site où la plage partage la vedette avec l'animation bien dosée : cours de salsa, spectacles de musique, barbecue et danse sur la plage deux ou trois soirs par semaine («couvre-feu» à 23h). Les unités, réparties sur la plage et dans les jardins, offrent différents niveaux de confort, mais toujours la même qualité pour le style et l'entretien sans faille. Les familles sont bienvenues et l'on retrouve une petite aire de jeux pour les enfants. Électricité et Internet sans fil disponibles 24h sur 24. Le restaurant vous comblera de satisfaction (voir p. 168).

Tulum Pueblo

Vous trouverez des lieux d'hébergement de toutes les catégories dans le village qu'est Tulum Pueblo, mais la plupart sont généralement moins chers que les établissements situés sur la plage. Bien sûr, si vous n'avez pas de voiture, vous devrez débourser le coût du transport pour vous rendre à la plage, à quelque 2 km de la route. En taxi, le prix de la course varie selon la distance; comptez toutefois une centaine de pesos pour atteindre la zone hôtelière.

Hostal Chalupa $
Carretera Tulum-Boca Paila, près de l'intersection avec l'Avenida Tulum, 984-871-2116, www.chalupatulum.com.mx

Avis aux voyageurs à petit budget qui ne craignent pas les décors ornés des traditionnels crânes mexicains sous toutes leurs déclinaisons : cette auberge de jeunesse vaut le détour! Avec ses lits en dortoir et sa

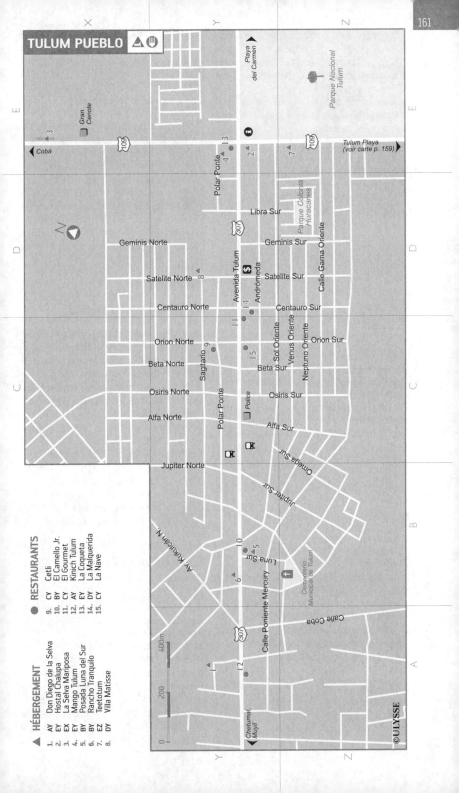

TULUM PUEBLO

Parque Nacional Tulum

Playa del Carmen

Gran Cenote

◀ Cobá

Tulum Playa (voir carte p. 159) ▶

Polar Ponte

Libra Sur

Geminis Norte   Geminis Sur

Satelite Norte   Satelite Sur

Calle Gama Oriente

Centauro Norte   Centauro Sur

Avenida Tulum

Andrómeda

Orion Norte   Orion Sur

Sagitario

Beta Norte   Beta Sur

Sol Oriente

Venus Oriente

Neptuno Oriente

Osiris Norte   Osiris Sur

Alfa Norte   Alfa Sur

Police

Polar Ponte

Omega Sur

Jupiter Norte

Jupiter Sur

Av. Kukulcán N.

Luna Sur

Cementerio Municipal de Tulum

Calle Poniente Mercury

Calle Coba

▼ Chetumal Muyil

200   400m

© ULYSSE

▲ HÉBERGEMENT

1. AY   Don Diego de la Selva
2. EY   Hostal Chalupa
3. EX   La Selva Mariposa
4. EY   Mango Tulum
5. BY   Posada Luna del Sur
6. BY   Rancho Tranquilo
7. EZ   Teetotum
8. DY   Villa Matisse

● RESTAURANTS

9. CY   Cetli
10. BY   El Camello Jr.
11. CY   El Gourmet
12. AY   Kinich Tulum
13. EY   La Coqueta
14. DY   La Malquerida
15. CY   La Nave

chambre privée à petit prix et avec air conditionné, il s'agit d'une bonne affaire à Tulum. Récente et bien tenue, l'auberge est dotée d'une piscine flanquée de hamacs, ainsi que d'une cuisine commune (on ne cuit pas de viande ou de poisson). Notez qu'un bar a récemment été aménagé sur le toit et qu'il est possible de louer de vélos.

Rancho Tranquilo $-$$
Av. Tulum entre Calle Luna et Calle Saturno, 984-871-2784, www.ranchotranquilotulum.com

À la fois une auberge de jeunesse et un gîte touristique, pour une nuit ou une semaine, le Rancho Tranquilo est situé au sud du pont, à 300 pas de la gare routière. Il offre un bon rapport qualité/prix à Tulum Pueblo. Un magnifique jardin planté de fleurs et d'arbres fruitiers entoure de petits bungalows. La maison principale, la grande cuisine bien équipée (les clients concoctent leur propre petit déjeuner), la bibliothèque et la navette pour la plage sont entre autres mises à la disposition des clients.

Mango Tulum $-$$
Calle Polar Oriente entre Av. Cobá et Calle Escorpión Norte, 984-169-9097, www.mangotulum.com

Le flambant neuf Mango Tulum compte des chambres privées et des dortoirs abritant deux lits superposés. Toutes les unités, impeccables, avec salle de bain, sont lumineuses et aérées. On y trouve une cour avec jardin et piscine, l'accès Internet sans fil, du café et de l'eau purifiée à volonté et des stationnements gratuits.

Posada Luna del Sur $$
Calle Luna Sur n° 5, 984-871-2984, http://posadalunadelsur.com

L'un des meilleurs choix à moins de 100$ par nuitée, l'hôtel Posada Luna del Sur abrite des chambres lumineuses et bien équipées (réfrigérateur, accès Internet, cuisinette, air conditionné, petit salon, balcon). L'établissement est propre et bien tenu, et le service s'avère des plus attentifs. Belle terrasse sur le toit. Réservé aux 16 ans et plus.

Villa Matisse $$
Av. Satélite Norte n° 19, 984-871-2636 ou 984-876-2854

À ceux qui aiment les nuits de qualité à bon marché, la Villa Matisse propose des chambres à la décoration soignée, une cuisinette pour préparer leurs repas et des vélos en libre accès pour se rendre à la plage.

Don Diego de la Selva $$-$$$$
Av. Tulum, 984-114-9744, www.dtulum.com

Ce charmant et paisible gîte touristique, situé un peu à l'écart de l'activité du village, se trouve à quelque 900 m à l'ouest de la gare routière. Les 11 chambres et deux bungalows, vastes et confortables, donnent sur un joli patio avec piscine, chaises et hamacs qui invitent à la détente. Petit déjeuner délicieux (servi au restaurant du gîte) et hôtes fort sympathiques. Un excellent choix si vous êtes motorisé. Accès Internet sans fil gratuit.

Teetotum $$$
Carretera Tulum-Boca Paila, près de l'intersection avec l'Avenida Tulum, 984-143-8956, www.teetotumhotel.com

Minimaliste mais parfaitement fonctionnel, Teetotum est un petit hôtel de quatre chambres au charme rétro bien assumé. Les chambres simples et vastes, aux planchers de béton, sont entre autres équipées d'air conditionné, d'un réfrigérateur, d'une station pour iPod et de l'accès Internet sans fil. Dans cet établissement situé près d'un supermarché entre la ville et la plage, on prête aux clients des vélos et de l'équipement de plongée-tuba en excellent état. Le Teetotum compte un joli restaurant, une agréable terrasse sur le toit et une toute petite piscine dans l'invitante cour intérieure. La musique est toujours dans le bon ton et cesse à la fermeture du bar, vers 22h.

Entre Tulum et Cobá

La Selva Mariposa $$$-$$$$$
dans le village de Macario Gómez, sur la route Tulum-Cobá, 984-133-3695 ou 984-133-3696, www.laselvamariposa.com

Au cœur de la jungle tropicale, Mari et Louis vous accueillent à bras ouverts dans leurs quatre petites maisonnettes au confort délicieux. Chaleureuses et impeccables, elles sont équipées d'air conditionné, d'électricité, de l'accès Internet sans fil, de terrasses avec hamac et de douches avec puits de lumière. L'une d'entre elles comporte même une petite piscine privée! Tout a été pensé (et construit par Louis) pour votre confort et votre détente. Mari et Louis confectionnent un petit déjeuner copieux et sont là pour répondre à vos questions sur les alentours. Dans le jardin, magnifiquement paysagé, on se promène entre les bananiers, les ananas et les fleurs. L'eau est aussi omniprésente : on y trouve des cascades, des piscines et des bassins. L'établissement abrite un spa maya.

Reserva de la Biosfera Sian Ka'an

Sian Ka'an Boca Paila Camps (CESiaK)
$$$
Carretera Tulum-Punta Allen, 2 km après l'entrée de la réserve, 984-877-8573 ou 984-871-2499, www.cesiak.org

Ici les *cabañas* sont en réalité des tentes de 10 m² qui, bien que coquettes, offrent un confort sommaire. C'est un lieu plutôt isolé mais où débarquent parfois des biologistes ou des groupes scolaires venus étudier la faune et la flore de la réserve. On y trouve aussi un restaurant de spécialités mexicaines avec une jolie terrasse sur le toit, d'où l'on voit à la fois la mer et la lagune. Il n'y a pas d'électricité et les salles de bain sont communes. Le service est limité et parfois expéditif.

Punta Allen et ses environs

Avant d'arriver à Punta Allen, vous croiserez le **Sol Caribe** (*$$$$-$$$$$; Carretera Tulum-Punta Allen, tout juste avant Punta Allen, 984-139-3839, http://solcaribemexico.com*), qui abrite des *cabañas* et des suites donnant sur une magnifique plage isolée. S'y trouve aussi un restaurant qui fera la joie des gastronomes. On y pratique des tarifs pour la chambre seule ou avec pension complète.

Cobá

Hotelito Sacbe $
au centre du village, rue principale
Ce petit hôtel familial, situé en plein cœur du village et à distance de marche des ruines, est propre et bien tenu. Les chambres de deux ou trois lits sont équipées d'une salle de bain et d'air conditionné. On trouve sur place une petite épicerie (Minisuper) et un sympathique restaurant mexicain (*$*) qui offre une belle vue sur le village.

Restaurants

Puerto Morelos

Voir carte p. 148.

Puerto Morelos compte plus d'une trentaine de restaurants qui vont de la simple *tacotería* au restaurant avec vue sur la mer. Plusieurs font face au Parque Central; d'autres se trouvent dans des lieux d'hébergement, mais sont ouverts à tous.

Le Café d'Amancia $
angle nord-ouest du Parque Central
Ce petit café est très agréable et sert des sandwichs, des *bagels*, des croissants et des jus de fruits et de légumes frais. Les mordus de l'ordinateur peuvent y profiter d'une zone d'accès sans fil à Internet.

El Merkadito $-$$
Av. Rafael E. Melgar, à l'est du Parque Central
Ne manquez pas de faire une halte à ce mignon et bien sympathique restaurant qui donne sur la plage. Attablé à l'agréable terrasse entre les touristes et les résidents, on y déguste poissons et fruits de mer à la mexicaine (*tosdadas, tacos*) ainsi que quelques plats à saveur internationale (hamburgers, spaghettis, moules au vin blanc) servis dans une jolie vaisselle rétro qui rappelle les vacances en camping. El Merkadito dispose également d'un club de plage.

El Nicho $-$$
Av. Tulum, angle Av. Javier Rojo Gómez, en face du Parque Central, 998-201-0992, www.elnicho.com.mx
Dans un cadre chaleureux, El Nicho propose des petits déjeuners et des déjeuners extraordinaires. Le secret de son succès (car, oui, le restaurant est populaire): une joie de vivre et de créer des mets de qualité bien apprêtés, des spécialités mexicaines renversantes et des œufs bénédictine en cinq déclinaisons qui raviront les amateurs! Une mention aussi pour le vrai sirop d'érable!

La Panza es Primero $-$$
tlj 9h à 23h; Av. Rafael E. Melgar, à l'ouest du Parque Central, 998-252-0776, www.lapanzaesprimero.com
Sous une immense *palapa* surplombant la mer, se livre ici chaque jour le combat de

l'estomac contre l'appétit. «L'estomac est vainqueur», tel est le nom étrange de ce restaurant qui a choisi de faire référence à la *lucha libre*, la lutte mexicaine, dans sa décoration comme dans ses menus. On y dévore de généreuses portions de cuisine mexicaine, servies en *round 1* (entrées) puis *round 2* (plat principal). Accès Internet sans fil.

La Playita *$-$$*
sur la plage, près du phare

Sans aucun artifice, les pieds dans le sable, La Playita sert d'excellents plats de poisson frais, des fruits de mer et des spécialités yucatèques à très bon prix.

T@cos.com *$-$$*
Av. Javier Rojo Gómez, au nord du Parque Central

Les amateurs de *tacos* se donnent rendez-vous dans ce tout petit local aux airs de salle à manger familiale et coiffé d'une *palapa*, afin de se régaler des meilleurs *tacos* en ville... et certains vous diront même de toute la région!

La Terraza *$-$$$*
Boulevard José María Morelos, 998-166-5860

Envie d'un samosa? La Terraza est un charmant restaurant offrant un menu végétarien et végétalien s'inspirant largement de la cuisine indienne. On y retrouve aussi plusieurs plats de poisson et de fruits de mer, toujours frais et bien apprêtés. On apprécie également son décor aux touches asiatiques des plus réussis!

Los Gauchos *$-$$$*
Av. Tulum, près de l'Avenida Javier Rojo Gómez, 998-166-5879

Le restaurant argentin Los Gauchos compte parmi les meilleures adresses de la ville. Ce tout petit établissement offre un service attentionné et un menu concis composé des célèbres grillades argentines, de pizzas et de pâtes. Surtout, ne manquez pas de goûter aux *empanadas*! Les vendredis soir y sont souvent animés par des spectacles de musique et de tango.

Playa del Carmen et ses environs

Playa del Carmen
Voir carte p. 150.

Prenez note que la grande majorité des restaurants de Playa del Carmen gravitent autour de la *Quinta Avenida*. Vérifiez votre facture, car certains restaurants y incluent le service (15%). L'un des plaisirs qu'offre Playa del Carmen aux passants est de s'arrêter à l'une des roulottes de restauration qui se trouvent à de nombreux coins de rues pour savourer, à petit prix, un *taco*, un *tamal* ou une autre gourmandise typiquement mexicaine. Ces roulottes sont habituellement propres et utilisent des produits frais.

Ah Cacao Chocolate Café *$*
Av. 5 entre Calle 38 et Calle 40;
Av. 5, angle Calle 30, 984-879-4179;
Av. 5, angle Av. Constituyentes, 984-803-5748;
www.ahcacao.com

Les amateurs de café et de chocolat seront ravis de se retrouver dans cet établissement où tout le menu est consacré au chocolat. En plus des *brownies*, vous y trouverez des glaces, des pâtisseries et des boissons préparées avec du chocolat mexicain, riche et épicé. On peut s'y procurer d'excellents produits chocolatés pour emporter. La succursale située entre les *calles* 38 et 40 abrite également un petit musée du chocolat. Accès Internet sans fil disponible.

Café Antoinette *$*
Calle 1 Sur entre Av. 5 et Av. 1, près du terminal Ultramar, 984-803-2373, www.cafe-antoinette.com

Avant d'embarquer sur le ferry pour Cozumel, offrez-vous un délicieux croissant et un espresso au Café Antoinette. On y prépare aussi des sandwichs sur pain baguette, des pâtisseries et des macarons.

El Fogón *$*
Av. 30, angle Calle 6;
Av. Constituyentes entre Av. 30 et Av. 25;
Av. 30, angle Calle 30, 984-806-7824

Trois adresses pour ce populaire restaurant où l'on découvre la cuisine locale et notamment des viandes et des fromages cuits sur des charbons de bois. Exquis et généreux!

El Nativo $
Av. 30 entre Av. Constituyentes et Calle 20 Norte

Ce restaurant propose des plats mexicains sains et d'excellents jus de fruits, le tout à petit prix.

Renzo's Pizza $
Av. 5 entre Calle 24 et Calle 26

Une bonne adresse pratique, ouverte jusque tard dans la soirée, pour ceux qui souhaitent manger un peu en sortant des bars et boîtes de nuit tout proches.

Club Náutico Tarraya $-$$
Calle 2, au bord de la plage, 984-873-2040

Ce restaurant familial aux allures de cabane de pêcheur est idéalement situé en bordure de la plage. Depuis sa fondation en 1968, il se spécialise dans tout ce que la mer produit. Il est très apprécié des nombreuses familles mexicaines qui le fréquentent surtout la fin de semaine. Prenez note que la cuisine ferme ses portes à 20h30.

La Cueva del Chango $-$$
Calle 38 entre l'Avenida 5 et la mer, 984-147-0271, www.lacuevadelchango.com

La cuisine de La Cueva del Chango (la caverne du singe) vaut le détour, ne serait-ce que pour son jardin luxuriant et son toit en forme de champignon. Les spécialités de la maison vous feront découvrir une nouvelle cuisine mexicaine et une bonne sélection de vins nationaux. L'endroit est difficile à repérer : de la *Quinta Avenida* tournez à droite, le restaurant se trouve à mi-chemin avant d'arriver à la mer, sur la droite.

Los Aguachiles $-$$
Calle 34, angle Av. 25;
Av. Constituyentes, à l'est de l'Avenida 5

Cantine et *cevichería*, Los Aguachiles a fait des fruits de mer sa spécialité. Il s'agit d'un excellent endroit pour s'initier au *ceviche*, croquer dans une *tostada* au thon ou un *taco* de poisson. Les aliments sont d'une fraîcheur absolue et les prix sont doux.

Pizza Bella Vita $-$$
Calle 28 Norte entre Av. 1 et le Mamitas Beach Club, 984-879-4229

Cette pizzeria offre un excellent rapport qualité/prix. On peut y déguster des pointes de croustillantes pizzas fraîchement sorties du four. Elle prépare également des sandwichs et de la lasagne.

La Peñita de Jaltemba/María Carbón
$-$$$
Calle 30 entre Av. 1 et Av. 5, 984-803-4210 ou 984-803-5580

Tout comme la pétillante propriétaire des lieux, le nom de la Peñita vient d'une ville de la côte ouest mexicaine. Les deux restaurants voisins proposent donc un menu reflétant le style culinaire du Pacifique, faisant la part belle aux produits de la mer et aux grillades. Si le local de la Peñita frappe l'imaginaire avec son mur de bois flotté coloré et sa longue table de bois coiffée d'un immense canot d'allure tribale, le María Carbón est plus sobre, mais aussi visuellement intrigant. Cependant, l'expérience va bien au-delà de la décoration recherchée, et les cuistots concoctent ici de savoureux plats, dont de nombreuses entrées ou des mets légers à partager. Une mention spéciale pour l'artichaut grillé, le plat signature *Montaditos de atún*, les *Tacos de jamaica* (hibiscus) et le décadent gâteau aux bananes maison... On y vient également pour prendre un verre en soirée et se détendre sur leurs terrasses, des plus invitantes.

Aldea Corazón $-$$$$
Av. 5 entre Calle 14 et Calle 16, 984-803-1942

Ouvert de 8h à minuit, Aldea Corazón mérite une visite d'abord pour son emplacement extraordinaire. Dans la cour, les tables sont installées près d'un arbre majestueux et d'une romantique chute. Devant, la belle terrasse permet de déguster son repas en observant le va-et-vient dans la *Quinta Avenida*. On y prépare de savoureux plats mexicains (beaucoup de poissons et de fruits de mer) dont quelques belles trouvailles telles que les *Tacos de jicama* (crevettes panées enroulées dans une *tortilla de jícama*, sorte de pomme de terre, et nappées d'une sauce au tamarin), le *Queso fundido al mezcal* (trois fromages fondus avec champignons et mescal flambé), le *Pechuga Chinampa* (poulet farci au fromage et aux fleurs de courges) et le *Pastel azteca* (l'exquise version mexicaine de la lasagne).

100% Natural $$

Av. 5 entre Calle 10 et Calle 12, 984-873-2242, www.100natural.com

Un classique de la cuisine santé mexicaine, cette succursale de la chaîne de restaurants 100% Natural est aménagée dans une splendide cour intérieure ombragée par des arbres géants et est couverte d'un toit de *palapa*. On y sert d'excellents assortiments de jus de fruits et des plats diététiques pour ceux qui surveillent leur alimentation. Accès Internet sans fil.

Carboncitos $$

Calle 4 entre Av. 5 et Av. 10, 984-873-1382

Le Carboncitos, restaurant de l'hôtel Cielo, sert certainement parmi les meilleurs *tacos* en ville, et ce, dans une ambiance décontractée et conviviale. Au menu figurent aussi d'autres délicieuses spécialités mexicaines et internationales aux portions généreuses.

Babe's Noodles & Bar $$-$$$

Calle 10 entre Av. 5 et Av. 10, 984-879-3569, www.babesnoodlesandbar.com

Restaurant éclectique de style rétro, Babe's Noodles & Bar sert à la fois de délicieux mets asiatiques et des boulettes de viande à la suédoise! Le menu affiche aussi un bon choix de salades-repas végétariennes. Excellents cocktails et jus de fruits fraîchement pressés.

La Bodeguita del Medio $$-$$$

Av. 5, angle Calle 34, 984-803-3951, http://labodeguitadelmedio.com.mx

Les connaisseurs de la cuisine cubaine seront ravis de trouver une succursale de La Bodegita del Medio à Playa del Carmen. Si le menu diffère de celui du restaurant original de La Havane, la musique, les danseuses, les photos, les murs autographiés et les *mojitos* sont toujours à l'honneur.

Diablito cha cha cha $$$-$$$$

Calle 12 entre Av. 1 et Av. 5, 984-803-3695, www.diablitochachacha.com

Prisé des résidents de *Playa* pour son cadre décontracté style «cantine cubaine à Miami dans les années 1950-1960» et son bar qui sert de succulents cocktails maison, le Diablito cha cha cha est aussi un étonnant restaurant de cuisine fusion mexicano-asiatique. Le mélange des épices et des saveurs est bien orchestré et procure de belles jouis-

sances gustatives. Des DJ ajoutent à l'ambiance du mercredi au samedi.

La Casa del Agua $$$-$$$$

Av. 5, angle Calle 2, 984-873-1216 ou 984-803-0232

L'atmosphère est chic et romantique dans la grande salle de ce restaurant qui offre une belle carte de poissons et de fruits de mer, de pâtes et risottos, ainsi que de grillades. Les poissons sont plutôt bien apprêtés, et la carte des vins saura sûrement vous contenter. Cuisine ouverte jusqu'à minuit!

La Fishería $$$-$$$$

Av. 5 entre Calle 20 et Calle 22, 984-147-2543

Après son pied-à-terre à Houston, le sympathique chef mexicain à la moustache daliesque, Aquiles Chávez, a ouvert une succursale de La Fishería directement sur la *Quinta Avenida*. Dans cet espace lumineux au thème marin, la carte affiche des plats de poisson et de fruits mer à la mexicaine, servis dans la bonne humeur et avec une touche vintage. Le menu est dense, mais les saveurs sont parfois inégales. Nous recommandons donc, parmi les valeurs sûres, la rafraîchissante *Tostada de jícama*, la divine *Sopa de tortilla de camarón* (qui serait en fait la recette de sa mère), le plat signature *Pesca del día con yuca* et, pour terminer en beauté, la *Panetela de coco con horchata*, un classique revisité pour le plus grand plaisir des papilles!

Yaxche $$$-$$$$

angle Av. 5 et Calle 22, 984-873-3011, www.mayacuisine.com

Un cadre agréable et un service souriant s'offrent ici pour découvrir la cuisine actuelle des Mayas de la péninsule du Yucatán. Plus d'une vingtaine de plats portant des noms mayas qui d'un dieu, qui d'un souverain ancien, qui d'un lieu, y sont proposés. Cette cuisine yucatèque se rencontre rarement sur la côte est de la péninsule. Sur les murs intérieurs, des fresques à base de peinture végétale représentent différentes cités anciennes, aujourd'hui abandonnées.

Byblos $$$$

Av. 10, angle Calle 24, 984-803-1790

Dans ce sympathique et romantique bistro français qui fait aussi office de bar à vins, le menu affiche des classiques de la cuisine de l'Hexagone, agrémentés bien sûr d'une touche mexicaine. Une valeur sûre..

Maíz de Mar $$$$

Av. 5 entre Calle 30 et Calle 32, 984-803-1808,
http://maizdemar.com

Le nouvel établissement du chef mexicain
Enrique Olvera, dont le restaurant Pujol à
México est considéré par certains comme
l'un des meilleurs au monde, offre une
expérience gastronomique de haute vol-
tige. La décoration muséale, soignée et
des plus attrayantes, s'appuie ici sur une
cuisine mexicaine recherchée où les produits locaux, dont le maïs, sont à l'honneur.
N'hésitez pas à suivre les recommandations
des serveurs et d'oser la découverte. Les
foodies seront probablement tentés de com-
mander plusieurs entrées en guise de repas.
Bonne sélection de vins au verre, de mescals
et de bières artisanales mexicaines. Essayez
aussi leurs eaux de maïs (menthe, cacao,
lime et cannelle).

Plank $$$$

Calle 16 entre Av. 1 et Av. 5, 984-168-7025,
www.plank.mx

Le magnifique restaurant Plank présente un
décor opulent, mais une carte toute simple
qui plaira aux palais nord-américains. Le
nom de l'établissement fait écho à son
concept: la cuisson sur planche de cèdre
pour les viandes et sur bloc de sel himalayen
pour les poissons et fruits de mer. Après
une délicieuse entrée de *focaccia* servie
avec condiments d'hoummos, de tomate et
d'artichaut (gracieuseté de la maison), on
choisit sa planche et ses accompagnements.
Notez que la cuisson des plats principaux
se veut naturelle et peut pécher par excès
de sobriété. Le savoureux choix d'entrées
compte entre autres des pétoncles enroulés
de bacon, du gravlax de saumon et des
huîtres Rockefeller.

Entre Playa del Carmen et Tulum

Xcaret

La Cocina

dès midi; le repas est inclus dans l'achat du forfait
Xcaret Plus

Lors de votre visite à Xcaret, prévoyez vous
attabler sous la vaste *palapa* du restaurant

La Cocina. La cuisine traditionnelle mexicaine faisant partie du patrimoine immatériel mondial de l'UNESCO, on y retrouve un
buffet incroyablement varié et savoureux
comprenant deux spécialités de chacune
des régions du pays, apprêtées d'une main
de maître. Le service y est chaleureux et, il
s'agit d'une expérience culinaire inégalée sur
la Riviera Maya.

Paamul

Restaurante Paamul $$-$$$

Carretera Cancún-Tulum, Km 85, 984-875-1053,
www.paamul.com

Le restaurant de plage de l'hôtel Paamul
sert d'excellents *ceviches*, des poissons frais
grillés, de délicieuses *fajitas* et d'autres bons
petits plats à déguster les yeux rivés sur la
mer. Le soir, la salle à manger propose des
menus plus élaborés. Une petite piscine
permet aux enfants de se défouler tandis
que les parents profitent du spectacle de
la mer.

Puerto Aventuras

Cafe Ole International $-$$$

marina de Puerto Aventuras, 984-873-5125

Au Cafe Ole International, on propose des
spécialités mexicaines et internationales à
prix raisonnables, et le repas se termine
avec un bon café. Spectacles de musique
plusieurs soirs par semaine.

Xpu-Ha

Restaurant Al Cielo $$$$

Carretera Cancún-Tulum, Km 95, 984-840-9012

Sous une *palapa* installée devant la mer et
la plage magnifique, ce restaurant se compose d'un bar élégant et d'une dizaine de
tables bien mises. La décoration est sobre
mais élégante et le menu délicieux, avec ses
plats gastronomiques de nouvelle cuisine
mexicaine qui font accourir les fins palais
de toute la région. Ouvert dès 18h, réservations requises.

Akumal

Dîner à Akumal se révèle être une aventure
agréable, car y règne une ambiance chaleureuse dans un cadre enchanteur. On y
déguste des mets locaux et internationaux.

Près de l'entrée principale d'Akumal, vous trouverez le magasin général **Super Chomak**. Attenant à ce marché, un petit casse-croûte du nom de **Lonchería Akumalito** propose de bons *tacos* à petit prix.

La Buena Vida *$-$$*

au nord du village, sur la route de la plage, 984-875-9061, http://labuenavidarestaurant.com

L'éclectique resto-bar La Buena Vida offre une très belle vue sur la baie, surtout depuis ses deux belvédères. On y consomme paresseusement un cocktail et des fruits de mer, les orteils dans le sable ou assis sur l'une des balançoires au bar. Entre les excellents *quesadillas*, la *cochinita pibil*, le poisson à la *tikinxic* et les bons petits déjeuners, vous ne serez pas déçu!

La Lunita *$-$$$*

Hacienda de la Tortuga, sur la plage de la Bahía de Media Luna, 984-875-9070, www.lalunita-akumal.com

On peut s'attabler à l'intérieur ou sur la plage à La Lunita. Dans un cadre paisible et raffiné, vous y trouverez des mets mexicains contemporains et créatifs, une grande variété de desserts et du bon café.

Turtle Bay Cafe & Bakery *$-$$$*

7h à 21h; Plaza Ukana 1, 984-875-9138, www.turtlebaycafe.com

On s'installe dans cet accueillant et coloré restaurant familial pour savourer des plats mexicains et internationaux, tous délicieusement apprêtés. Le matin, essayez les brioches, et le soir, gardez de la place pour le dessert!

Bahía Soliman

Oscar y Lalo *$$$-$$$$*

Carretera Cancún-Tulum au nord de Tulum, du côté ouest de la route en face de la Bahía Soliman, près de Tan-Kah, 984-115-9965, http://oscarandlalo.com

On n'arrive pas chez Oscar y Lalo par hasard… et surtout, on n'y passe pas inaperçu! De l'accueil au dessert, le service est personnalisé. L'histoire singulière du restaurant, la personnalité pétillante de l'hôtesse, le jardin tropical enveloppant et les grandes tables rondes et conviviales font de ce restaurant une destination en soi, surtout entre amis ou en famille (aire de jeux dans le jardin!). Sans lésiner sur la qualité et la fraîcheur des produits, dont plusieurs proviennent de leur jardin, ils proposent

une généreuse cuisine mexicaine traditionnelle et revisitée. Nous vous suggérons les cocktails *Chaya Margarita* ou le *Chemuyil especial* et le grand plat de fruits de mer à partager : l'*Especial de Lalo*.

Tulum

Voir cartes p. 159 et 161.

Tulum Playa

Las Estrellas *$$-$$$*

Cabanas La Luna, Carretera Tulum-Boca Paila, Km 6,5, http://cabanaslaluna.com

On s'attable avec joie dans cet exotique restaurant de bord de mer qui propose une exquise et rafraîchissante cuisine mexicano-arabe. Les sourires sont avenants, les portions généreuses et les prix fort convenables. Ouvert du matin au soir, il s'agit d'une valeur sûre!

La Zebra Beach Cantina y Cabañas *$$-$$$*

Carretera Tulum-Boca Paila, Km 8, 984-115-4726, www.lazebratulum.com

Le restaurant de La Zebra est installé sur une plage splendide où vous pourrez paresser tranquillement au soleil en dégustant une nourriture préparée avec soin à partir de produits locaux. Le vaste menu se compose de plats mexicains, dont un bon choix de *ceviches*, et présente aussi des options végétariennes et végétaliennes.

Restaurare *$$-$$$*

Carretera Tulum-Boca Paila, Km 6, 984-168-1282

Les *foodies* qui apprécient autant les découvertes culinaires que la chaleur du service se retrouvent dans ce beau restaurant atypique où l'on sert une savoureuse cuisine végétarienne et végétalienne. Les plats à la présentation soignée, préparés avec des produits locaux d'une fraîcheur irréprochable, sont exquis et surprenants. Au Restaurare, on fait attention tant à la qualité des mets qu'à l'accueil, chose de plus en plus rare à Tulum Playa…

El Pez *$$-$$$$*

El Pez at Turtle Cove, Carretera Tulum-Boca Paila, Km 5,5

Le restaurant d'**El Pez at Turtle Cove** (voir p. 160) est l'étoile montante de la scène gastronomique de Tulum Playa. D'abord son emplacement, sous une grande *palapa* au décor chic rustique et enveloppant, a de quoi faire rêver. Une attention particulière est portée à l'accueil et à la qualité du service. On y accueille aisément les familles et les gens à la diète restrictive. Les plats, de l'entrée au dessert, sont préparés avec savoir-faire et présentés avec audace et élégance. Mais surtout, dans l'assiette, les saveurs explosent, se répondent, s'harmonisent... Outre les *ceviches*, la pieuvre grillée et le tartare de thon, qui sont des classiques de la maison, nous vous conseillons fortement la salade Tulum, les croquettes de haricots noirs et le poisson au lait de coco, particulièrement réussis. Les petits déjeuners, avec leurs jus vitaminés, sont aussi délectables.

El Tábano $$$-$$$$
Carretera Tulum-Boca Paila, Km 7, 984-134-8725
La formule du succès de ce restaurant tient à peu de chose: quelques tables en bois éparpillées dans un jardin éclairé à la bougie le soir venu et un grand tableau noir où le menu affiche les plats de cuisine mexicaine traditionnelle et créative. Les portions sont généreuses, et la carte des vins est à la hauteur. Ne soyez pas pressé: le service peut être lent et même parfois désagréable… et attention aux moustiques!

Mezzanine $$$-$$$$
Carretera Tulum-Boca Paila, Km 1,5, 984-131-1596, www.mezzaninetulum.com
Le restaurant Mezzanine est beau, bon et branché. On y sert une cuisine fusion aux accents thaïs et des vins fort acceptables, dans un cadre tout à fait agréable. Vous y passerez une bonne soirée, mais prenez la peine de réserver car l'endroit est couru. Le restaurant est aussi ouvert pour le petit déjeuner et le déjeuner.

Tulum Pueblo

Plusieurs des hôtels de Tulum Pueblo ont leur propre restaurant. Le long de la rue principale qu'est l'Avenida Tulum, et dans les rues à proximité, vous trouverez de nombreux établissements, dont de grandes tables, proposant de délicieux mets d'ici et d'ailleurs, dans toute la gamme des prix.

El Camello Jr. $-$$
Av. Tulum, angle Calle Luna Sur
Si vous misez davantage sur la qualité des repas que sur le décor, n'hésitez pas à vous attabler au restaurant El Camello Jr., grand favori de la population locale pour ses excellents plats de poisson et de fruits de mer. Simplement délicieux, authentique et sans prétention.

El Gourmet $-$$
Av. Tulum, angle Calle Centauro Sur
Cet établissement fait office de sandwicherie (excellents paninis), de pâtisserie et d'épicerie à l'européenne, avec ses comptoirs remplis de fromages et de charcuteries alléchantes. Le petit patio à l'arrière est des plus agréables!

La Coqueta $-$$
Av. Cobá, 998-201-9436
La Coqueta bénéficie d'une réputation sans faille auprès des vacanciers à Tulum. On y propose une copieuse (et savoureuse) cuisine mexicaine et un accueil des plus amicaux.

La Malquerida $-$$
Calle Centauro Sur, 984-111-4136
Réputée pour ses excellentes *margaritas*, voilà une adresse des plus sympathiques et animées pour déguster des spécialités mexicaines bien relevées et à prix raisonnable. *Guacamole* divin, accueil chaleureux et ambiance festive! Ouvert aussi pour le petit déjeuner.

Kinich Tulum $-$$$
route 307, 984-871-2633
Voilà l'endroit idéal pour qui souhaite entreprendre une incursion dans la gastronomie yucatèque. Installé au sud de la ville, ce grand restaurant sous *palapa* est agréable et aéré. On peut s'attabler dans le jardin accueillant ou à l'intérieur aux allures d'hacienda. L'endroit est paisible, et l'on y vient davantage pour la qualité des plats que pour l'atmosphère. Le menu affiche une foule de spécialités, préparées avec savoir-faire. Les *tortillas* sont préparées sur place de façon traditionnelle. Un des meilleurs rapports qualité/prix à Tulum.

La Nave $$-$$$
Av. Tulum n° 570, 984-871-2592

Dans un décor marin donnant sur la rue, entre filets de pêche et lampes à pétrole, ce restaurant est réputé pour ses alléchantes pizzas.

Cetli $$$-$$$$
angle Calle Polar et Calle Orión Norte, 984-108-0681

Dans ce petit restaurant de haute cuisine mexicaine, on élabore des plats aux saveurs recherchées et agréables. Tout comme le nom du restaurant, les mets portent des appellations en nahuatl (langue des Aztèques). Essayez le *cuneme*, une roulade de poulet farcie aux *chayas* (plante yucatèque) dans une marmelade pimentée : c'est tout simplement savoureux. Et les desserts font durer l'enchantement. Attention, les vins font vite monter l'addition. Aucune carte de crédit acceptée.

Reserva de la Biosfera Sian Ka'an

Sian Ka'an Boca Paila Restaurant (CESiaK) $$
Carretera Tulum-Punta Allen, 2 km après l'entrée de la réserve, 984-877-8573, www.cesiak.org

La vue depuis la terrasse du restaurant est à couper le souffle. Elle s'ouvre d'un côté sur la mer des Caraïbes et, de l'autre, sur la lagune bordée de jungle tropicale. La plage, en contrebas, est accessible à tous.

Cobá

Vous trouverez, sur la route 109 entre Tulum et Cobá, plusieurs petits commerces proposant des produits à base de noix de coco. Essayez l'eau de noix de coco (*agua de coco*), douce et rafraîchissante, ou encore les morceaux de pulpe tendres. Les bouteilles contenant l'eau de noix de coco sont propres à la consommation et scellées.

Sorties

> **Bars et boîtes de nuit**

Puerto Morelos

Bara Bara
18h à 3h, fermé lun; Av. Javier Rojo Gómez

Le Bara Bara est un petit bar animé et populaire auprès des voyageurs autant que des résidents de Puerto Morelos. DJ présent en fin de soirée.

Pangea
en face de la plage, du côté est du Parque Central, 998-845-6368

Le resto-bar Pangea propose, dans un cadre magnifique au bord de la mer, des spectacles de musique du monde, de blues et de jazz, des prestations de flamenco et de baladi, ainsi que des projections de films les mardis. Ambiance décontractée.

Cantina Habanero
tlj 11h à 3h; Av. Javier Rojo Gómez, à l'est du Parque Central, www.cantinahabanero.com

Sur le fronton du bar, un écriteau affiche l'état d'esprit : «Bienvenue à Puerto Morelos, un village d'alcooliques avec un problème de pêche», confirmé de temps à autre par quelques habitués qui picolent au comptoir. L'endroit est néanmoins très sympathique pour écouter des concerts en soirée. La bière est à bon marché et l'on picore avec joie dans les accompagnements.

Al Chimichurri
Av. Javier Rojo Gómez, au sud du Parque Central, 998-192-1129, www.alchimichurri.com

Installée directement dans la rue, la terrasse de ce restaurant uruguayen, spécialisé dans les grillades et les *empanadas*, est un bon endroit pour siroter un verre de vin à petit prix.

Playa del Carmen

Outre l'incontournable *Quinta Avenida*, la Calle 12 et les clubs de plage sont particulièrement animées en soirée.

La Azotea
angle Av. 5 et Calle 8, www.hotelelpunto.com

Sur le toit de l'hôtel Punto, chic mais abordable, avec la mer et les lumières de Cozumel à l'horizon, l'Azotea est une bonne option pour vibrer au son des rythmes mexicains. Une petite piscine donne encore un peu plus de cachet à l'endroit. On y sert des repas légers.

Coco Bongo
droit d'entrée 65$ à 70$, comprenant un accès illimité au bar et le spectacle; tlj 22h30 à 3h30; angle Calle 12 Norte et Av. 10 Norte, www.cocobongo.com.mx

Un mélange détonnant et totalement réussi d'une boîte de nuit et d'un spectacle de *music hall* où chanteurs, danseurs et acrobates se partagent la scène.

Beer Bucket
Calle 10 entre Av. 5 et Av. 10

Le Beer Bucket est un tout petit bar de deux étages à aire ouverte qui vaut le détour si vous avez envie de converser avec des gens de la place ou d'autres touristes. Ambiance des plus sympathiques.

Mandala
21h à 5h; Calle 12, angle Av. 1, www.mandalanightclub.com

Cette boîte de nuit au décor grandiose d'inspiration asiatique offre à une belle clientèle différentes ambiances langoureuses, feutrées ou festives. L'endroit idéal pour voir et être vu…

Zenzi Beach Club
ouvert du petit déjeuner jusqu'à minuit; sur la plage à la hauteur de la Calle 10, 984-876-2191 ou 984-803-5738, www.zenzi-playa.com

À la fois restaurant, *lounge* et club de plage, le Zenzi présente tous les jours des DJ et tous les soirs des groupes de musiciens venus égayer l'atmosphère.

Tulum Playa

La plupart des bars des hôtels pratiquent des prix réduits entre 18h et 21h pour attirer la clientèle. Parfois ces *happy hours* sont le rendez-vous des résidents et s'avèrent fort animés. Renseignez-vous sur place pour connaître quels sont les «bars de l'heure».

Mezzanine
Carretera Tulum-Boca Paila, Km 2,5

Dès 22h, le bar et le restaurant du Mezzanine sont le théâtre de soirées arrosées sur fond de musique branchée, de la brise du vent et du flux des vagues.

La Zebra Beach Cantina y Cabañas
Carretera Tulum-Boca Paila, Km 5,5, 984-115-4728

Les événements présentés au très sympathique hôtel **La Zebra** (voir p. 160) sont incontournables à Tulum Playa. Entre les cours de salsa gratuits (sur réservation), le DJ sur la plage, les spectacles de jazz, de funk ou de musique latine, les soirées années 1960-1980… et le pressoir mécanique à canne à sucre pour concocter des *mojitos* hors de l'ordinaire, les voyageurs ne regretteront certainement pas d'avoir passé la soirée ici!

Puro Corazón
Carretera Tulum-Boca Paila, Km 5,5, 984-115-1197

Tous les soirs, le Puro Corazón présente des spectacles de musique de qualité dans une ambiance rustique, chaleureuse et décontractée. La cuisine y est également savoureuse et le menu affiche une belle section végétarienne.

Tulum Pueblo

Batey Mojito & Guarapo Bar
Calle Centauro Sur, entre Av. Tulum et Calle Sol, 984-143-3616

Laissez-vous guider par la Coccinelle vert lime stationnée devant chez Batey et dotée d'une presse à canne à sucre mécanique! Il semble que ce petit bar concocte les meilleurs *mojitos* en ville! On y sert aussi, toujours avec le sourire, de bons petits plats.

Teetotum
Carretera Tulum-Boca Paila, près de l'intersection avec l'Avenida Tulum, 984-143-8956, www.teetotumhotel.com

Agréable et coloré, le *lounge* du **Teetotum** (voir p. 162) est invitant. On y propose jusqu'à 22h de délicieux cocktails et un menu complet. L'accueil, sur la terrasse ou dans le restaurant, est amical et la musique est toujours de bon ton.

Achats

Puerto Morelos

Le Parque Central est l'endroit parfait pour trouver de belles pièces d'artisanat local. Le marché se tient les vendredis et samedis de 18h à 21h.

Au sud de l'Avenida Rojo Gómez se trouvent quelques boutiques d'artisanat maya où vous pourrez entre autres vous procurer de splendides tissus typiquement colorés.

Dans la zone urbaine, vous trouverez le **Sunday Jungle Market** (voir p. 127), un marché maya dominical des plus divertissants. Les taxis vous y emmèneront sans problème depuis le Parque Central (comptez environ 50 pesos).

Alma Libre Books
au sud du Parque Central, www.almalibrebooks.com

Alma Libre Books se targue d'abriter la plus grande collection de livres neufs et d'occasion en anglais de la péninsule du Yucatán. La boutique est tenue par un couple de l'Alberta qui vous donnera aussi une foule de renseignements utiles sur la région. Leur excellent site Internet (voir ci-dessus) regorge d'informations pertinentes et compte même une section destinée à la location de logements (maisons, condos ou appartements), souvent très écono-miques (à ce sujet, voir aussi leur autre site Internet *www.casadelosviajeros.com*). Impliqués dans leur communauté d'adop-tion, ils produisent également le magazine *Beach Reads*, disponible en ligne. La librairie vend aussi des produits d'épicerie fine, du café et des cadeaux-souvenirs.

Playa del Carmen

Tout le long de l'Avenida 5, l'allée piéton-nière, vous croiserez des dizaines et des dizaines de boutiques qui vendent des *huipiles*, des couvertures de laine tissées à la main, des vases et des masques en terre cuite et différents objets d'art. Playa del Carmen compte en outre quelques bonnes adresses pour les vêtements de plage ou de plongée.

L'Avenida Juárez et l'Avenida 30 offrent éga-lement de bonnes occasions de magasinage. Il s'agit des deux artères commerciales les plus populaires auprès de la population locale.

Une incursion au **marché aux puces** du dimanche *(Calle 54 entre Av. 10 et Av. 30)* permet de fouiner pour la perle rare et d'observer le côté non touristique de Playa del Carmen.

Le jeudi soir, les artistes installent leurs œuvres sur la *Quinta Avenida* entre l'Ave-nida Constituyentes et la Calle 40 dans le cadre de l'événement **CaminArte**. L'artère s'anime alors agréablement et il s'agit d'une bonne occasion pour acheter une toile, directement auprès du peintre!

Finalement, Playa del Carmen compte aussi plusieurs centres commerciaux dont la **Plaza Las Américas**, située au nord de la ville, et le **Walmart** *(Av. 30 entre Calle 8 et Calle 12)*.

La **Riviera Art Gallery** *(Calle 20, angle Av. 5, 984-803-1037, www.rivieraartgallery.com)* présente les œuvres des talents émergents de la région. On y trouve des pièces ori-ginales (toiles, lithographies, photos, sculp-tures et artisanat) de grande qualité.

Tulum

Au cœur de Tulum Pueblo, l'Avenida Tulum recèle de nombreuses boutiques d'artisanat régional qui proposent des objets originaux et de qualité. À Tulum Playa, les boutiques en tout genre ont poussé comme des cham-pignons! On y trouve principalement des vêtements, des souvenirs et de l'artisanat. Parmi ces boutiques, le sympathique **Plastic Flamingo** *(Carretera Tulum-Boca Paila, Km 8)*, installé dans une roulotte vintage, mérite certainement une visite. Vous pourrez vous y procurer des bijoux, des vêtements et des toiles.

Cobá

Les amateurs d'artisanat marqueront sans doute un arrêt à l'une des boutiques d'arti-sanat bordant la route 109 qui relie Tulum et Cobá.

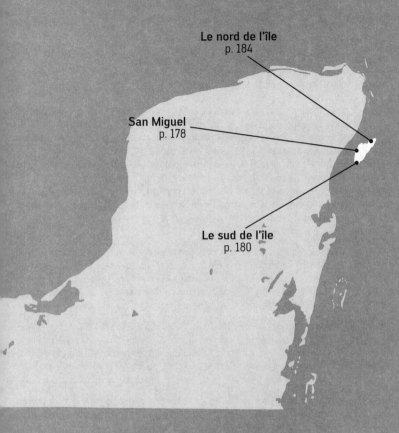

Le nord de l'île
p. 184

San Miguel
p. 178

Le sud de l'île
p. 180

Isla Cozumel

Plus grande île du Mexique, entourée d'une mer turquoise et d'un spectaculaire chapelet de récifs coralliens, l'**Isla Cozumel** ★ ★ ★ demeure un paradis pour les plongeurs. Située à 19 km de la côte, cette île plate en forme de pince de homard mesure environ 48 km de long sur 16 km en son point le plus large.

Depuis le documentaire réalisé par l'explorateur et océanographe Jacques Cousteau en 1961, Cozumel est devenue un lieu de prédilection visité par des dizaines de milliers de plongeurs chaque année. Des centaines de paquebots de croisière qui déversent chaque jour une moyenne de 12 000 passagers y font escale, le plus souvent pour la journée ou quelques heures. La mer qui baigne l'île foisonne d'innombrables espèces marines, de récifs colorés et d'épaves de galions espagnols. Les visiteurs qui préfèrent la terre ferme apprécieront les nombreux autres attraits de l'île, notamment une étonnante variété d'oiseaux migrateurs qui y séjournent pendant une partie de l'année, le Parque Ecoturístico Punta Sur et le Chankanaab Beach Adventure Park, sans oublier le magasinage, ou tout simplement les magnifiques plages qui entourent l'île.

L'île est aussi réputée pour son carnaval, dont la première mention écrite remonte à 1874. Il s'agit d'une grande fête familiale et colorée qui s'étend sur quelques jours au début du mois de mars. Au cœur de la fête, le centre-ville est alors voué aux défilés, aux costumes éblouissants, à la danse, aux concerts, aux kiosques en tout genre et aux passants qui se massent sur les trottoirs et les estrades dans la bonne humeur.

Le centre de Cozumel est envahi par la végétation. Tout autour, l'île est ceinturée de plages de sable blanc et de calcaire. Comme la côte est de l'île est battue par les vents, c'est sur la côte ouest que l'on retrouve les installations touristiques et les hôtels. C'est aussi du côté ouest que se trouve San Miguel, la seule ville de toute l'île, qui compte près de 100 000 habitants. La moitié nord de l'île est quant à elle protégée et interdite à la circulation automobile.

Les nombreux sites archéologiques de l'île témoignent de l'importance qu'eut Cozumel en tant que centre cérémoniel et plaque tournante du commerce dans la région. La plupart des vestiges sont de petits bâtiments carrés de faible hauteur. Des huit sites majeurs, seulement quelques-uns sont accessibles.

Un peu d'histoire

Dès l'an 300 avant notre ère, l'île était habitée par les Mayas. Elle devint entre 1200 et 1600 un important port de commerce et un grand centre de pèlerinage. Les femmes de la côte venaient en pirogue à Cozumel pour y adorer Ixchel, la déesse de la Lune et de la Fécondité. Plus de 35 sites archéologiques sont disséminés dans l'île, mais seulement une partie a été fouillée. Cortés y débarqua en 1519, avant de se lancer à la conquête du territoire mexicain. En 1518, il avait été précédé par Juan de Grijalva, qui cherchait des esclaves.

Dans les premières décennies de la colonie, l'île fut l'*encomienda* du conquistador Juan de Contreras, qui la légua à son fils. (Les conquistadors désignaient du nom d'*encomienda* le droit des propriétaires espagnols d'imposer le travail forcé à la population maya; ce droit ne perdurait que si les propriétaires poursuivaient de sérieux efforts de conversion des Mayas au christianisme.) On sait qu'une épidémie de variole réduisit sérieusement la population de l'île en 1570, la laissant presque déserte, mais comme il n'y avait aucun contrôle espagnol (religieux ou politique) dans l'île, on ignore s'il y avait des occupants permanents à partir de 1600.

Les anses de l'île ont servi de refuges aux pirates qui écumaient les mers aux XVIIe et XVIIIe siècles, entre autres les redoutables Jean Lafitte et Henry Morgan. En 1848, le gouverneur du Yucatán, Miguel Barbachano, alarmé par la situation créée par la guerre des

Castes (voir le chapitre «Portrait», p. 30), offrit de vendre l'île de Cozumel aux autorités de Cuba… mais en vain.

Quelques années plus tard, en février 1862, le ministre des Affaires extérieures du Mexique autorisa son envoyé spécial à négocier la vente de l'île de Cozumel aux États-Unis afin d'y établir une colonie de *negros* (Noirs). Un projet de loi fut présenté au Congrès américain, mais le cabinet du président Lincoln, à la suite de longues délibérations, décida que l'île était trop éloignée de la Floride et ne correspondait pas au lieu recherché pour l'établissement d'une colonie d'esclaves devenus hommes libres. Cozumel demeurera donc partie du Mexique.

On se souviendra qu'au milieu du XIXᵉ siècle l'île fut de nouveau colonisée par les Blancs et les Métis qui fuyaient la colère des Mayas durant la guerre des Castes. Ces nouveaux occupants sont les ancêtres d'un bon nombre des familles actuelles.

Vers la fin du XIXᵉ siècle, les activités économiques étaient la pêche, la récolte des bois nobles et l'agriculture, mais surtout le transbordement du *benequén* (agave) et de la noix de coco, deux matières premières que l'on exportait pour la transformation. Avec les fibres du *benequén*, on fabriquait entre autres le cordage pour les navires, tandis que la noix de coco était transformée en huile.

La popularité du *chewing gum* aux États-Unis est à l'origine de la renaissance économique de Cozumel, au début du XXᵉ siècle. Cozumel était en effet un port d'exportation vers l'Amérique du Nord sur la route du *chicle*, le produit de base de la gomme à mâcher, extrait du sapotier. Cette activité a décliné lorsqu'un produit synthétique a été inventé pour remplacer cette matière première, vers les années 1930. Les États-Unis ont construit plus tard sur l'île une base aérienne que les Alliés utilisèrent pour faire la chasse aux sous-marins allemands durant la Seconde Guerre mondiale. C'est aussi à Cozumel que l'Armée américaine entraînait les hommes-grenouilles (plongeurs militaires).

L'après-guerre fut difficile pour les habitants de Cozumel, car l'île se trouvait dans une impasse économique majeure. Le déclin des exportations de la noix de coco et du *chicle* ainsi que le manque de matières premières, attribuable principalement à la surexploitation des bois nobles, créèrent une crise économique qui mettait la survie de l'île en jeu. L'histoire économique moderne de Cozumel commence par cette crise… et les solutions que les habitants ont trouvées pour l'endiguer.

Même si le premier hôtel fut inauguré en 1928, c'est seulement vers les années 1950 que débute le tourisme d'aventure. Attirés par la beauté naturelle de l'île, son histoire et la proximité de sites de plongée, quelques investisseurs pionniers rassemblent les fonds nécessaires pour construire l'infrastructure touristique de l'île.

Depuis les années 1970, la construction d'hôtels, d'immeubles en copropriété et de parcs récréatifs se poursuit. La base économique actuelle est non seulement le tourisme de plongée, qui a façonné la réputation mondiale de Cozumel, mais aussi, et de plus en plus, le tourisme de croisière, avec ces immenses «hôtels flottants» qui emmènent chaque semaine des milliers de visiteurs.

Accès et déplacements

› Orientation

Le centre-ville de San Miguel est construit tel un quadrilatère, délimité à l'ouest par l'Avenida Rafael E. Melgar qui longe la mer, au nord par le Boulevard Aeropuerto, à l'est par l'Avenida 65 et au sud par la Calle 11.

Plusieurs quartiers se développent au sud et à l'est. L'animation est surtout concentrée le long de la mer et autour de l'Avenida Benito Juárez, soit l'avenue centrale de San Miguel qui passe par la Plaza Principal et qui mène au Muelle San Miguel (quai d'embarquement et de débarquement des navettes pour Playa del Carmen).

› En avion

L'**Aeropuerto Internacional de Cozumel** *(angle Av. 65 et Boulevard Aeropuerto, environ 3 km au nord-est de San Miguel, 987-872-2081, www.asur.com.mx)* comprend des casse-croûte et des cafés, des boutiques de souvenirs et des comptoirs de location de voitures et d'agences d'excursions ainsi qu'un distributeur automatique de billets et un bureau de change.

À l'aéroport, on peut prendre l'une des fréquentes navettes pour San Miguel à un prix raisonnable. Les taxis affiliés à l'aéroport sont plus chers que les taxis qui circulent en ville.

Si la plupart des compagnies aériennes desservent Cancún, quelques-unes proposent des vols directs sur Cozumel au départ de l'Amérique du Nord, entre autres **Air Transat** *(www.airtransat.ca)*, **Air Canada** *(www.aircanada.com)*, **American Airlines** *(www.aa.com)*, **United Airlines** *(www.united.com)* et **Delta** *(www.delta.com)*.

Les vols intérieurs, notamment en liaison avec Cancún, Playa del Carmen, l'Isla Holbox et México, sont assurés par **Aerosaab** *(vols nolisés; www.aerosaab.com)* et **MAYAir** *(www.mayair.com.mx)*. La compagnie aérienne **InterJet** *(www.interjet.com.mx)* propose des liaisons México–Cancún et México–Cozumel.

› En voiture

Dans l'île

L'île n'a pratiquement qu'une seule route revêtue qui longe la côte ouest à partir de Playa San Juan; elle décrit une boucle autour de la pointe sud et aboutit à la Carretera Transversal, une route linéaire à quatre voies qui traverse l'île en son milieu, de la côte est à la côte ouest. Une route plus récente, parallèle à l'ancienne, longe la côte depuis San Miguel jusqu'à Punta Sur.

À San Miguel

La règle d'or pour tous les automobilistes et motocyclistes est de savoir que les voies nord-sud ou *avenidas* ont la priorité, alors qu'il faut impérativement s'arrêter à tous les croisements quand on est sur une voie est-ouest, dans la majorité des cas appelées *calles*.

Location de voitures

Lorsqu'on arrive à Cozumel par bateau, on est accueilli au port par une foule de gens qui ont des voitures (comptez environ 450 pesos) ou des motocyclettes (comptez environ 250 pesos) à louer. Il peut être avantageux de faire une réservation à partir de votre pays ou même de Playa del Carmen. Selon l'agence de location, cela coûte moins cher et vous fait gagner du temps sur place. Autrement, la majorité des agences sont situées autour de l'église, juste derrière la Plaza Principal et sur l'Avenida Benito Juárez. Les voitures louées sont parfois

Conduire et s'orienter

Cela vaut pour toute la Riviera Maya, mais c'est encore plus vrai sur Cozumel : tous les insulaires connaissent toutes les adresses commerciales de l'île, mais personne n'utilise les numéros des maisons pour les désigner. Si vous demandez où se trouve tel ou tel commerce, on vous dira : « Ah oui, c'est juste devant l'hôtel X entre telle rue et telle autre. »

Tout comme à Playa del Carmen, les rues *(calles)* sont tracées selon un axe est-ouest ou sont perpendiculaires à la mer; si vous conduisez dans les rues, vous devez stopper à chacune des intersections. Les avenues *(avenidas)* sont tracées selon un axe nord-sud à partir du front de mer, d'où leurs numéros croissent selon des multiples de 5; si vous conduisez sur les avenues, en principe vous n'avez pas à stopper aux intersections.

La Plaza Juárez et la Calle Juárez sont considérées comme le centre de la ville. Au nord de celles-ci, les avenues et les rues portent la particule Norte et des numéros pairs (2, 4, 6, etc.). Au sud, elles portent la particule Sur et des numéros impairs (1, 3, 5, etc.).

d'assez vieilles Coccinelles (décapotables ou non). On peut aussi louer des voitures à l'aéroport de Cozumel, ainsi que dans de nombreux complexes hôteliers.

> **En bateau**

Des traversées quotidiennes ont lieu entre Playa del Carmen et Cozumel à bord de navettes modernes des compagnies **Ultramar** *(environ 25$ aller-retour; 998-881-5890, www.granpuerto.com.mx)* et **México Waterjets** *(environ 25$ aller-retour; 984-879-3112, www.mexicowaterjets.com)*. Le premier départ de *Playa* a lieu à 7h et le dernier à 22h, à des intervalles d'environ 2h. Le quai d'embarquement de Playa del Carmen se trouve à l'extrémité sud de la ville, au bout de l'Avenida Juárez. De Cozumel, le premier départ est à 6h et le dernier à 21h. Le quai de Cozumel est situé devant la Plaza Principal de San Miguel, au bout de l'Avenida Benito Juárez. Dans les deux cas, on se procure les billets à l'entrée du port. La traversée dure environ 45 min.

Il n'est pas avantageux de faire transporter sa voiture à Cozumel, car il vous en coûtera plus de 120$ aller-retour. De plus, pour des raisons d'assurance, les voitures de location ne sont pas toujours admises à bord des traversiers. Sachez toutefois que le quai d'embarquement pour les voitures est situé au port de Calica, au sud de Playa del Carmen, passé Playacar. À Cozumel, le ferry (traversier) accoste au Muelle Internacional, situé un peu au sud de San Miguel sur l'Avenida Rafael E. Melgar. Le ferry est mis en service par **Trans del Caribe** *(987-872-7688, www.transcaribe.net)*. Il y a entre deux et quatre départs par jour, et la traversée dure plus de 2h.

> **En motocyclette**

Bien que la motocyclette comme moyen de transport soit très populaire dans l'île et permette de se déplacer aisément, les accidents sont fréquents car la circulation en ville est intense. À moins d'être un conducteur expérimenté, envisagez plutôt de louer une voiture ou de prendre des taxis. N'oubliez pas que le port du casque est obligatoire et que vous devez respecter les règles de base du Code de la sécurité routière (voir «En voiture», plus haut).

Les agences de location de voitures près du port louent aussi des motocyclettes. Les prix sont équivalents d'une agence à l'autre, soit entre 15$ et 40$ pour 24 heures. Assurez-vous de choisir une motocyclette en bon état (n'hésitez pas à l'essayer avant de la louer). La plupart des hôtels peuvent également vous faciliter la location d'un véhicule.

> **En taxi**

Les taxis sont assez bon marché dans l'île, et il s'agit du moyen de transport le plus développé. Il n'y a pas de compteur, donc négociez le prix de la course avant de monter. La réception de votre hôtel pourra vous renseigner sur les tarifs en cours.

Syndicat des chauffeurs de taxi : Calle 2 nº 186, entre Av. 5 et Av. 10, 987-872-1130 ou 987-872-1167, www.taxicozumel.com

Renseignements utiles

> **Argent et services financiers**

Les banques sont ouvertes de 9h à 16h ou 17h, du lundi au vendredi. Il est préférable, pour changer de l'argent, de s'y présenter avant 11h.

Banamex : Av. 5a Sur nº 8, angle Calle 1a, San Miguel, 987-872-3411

Santander : Av. 10 nº 198, angle Calle 3 Sur, San Miguel, 987-872-0807

HSBC : Av. Pedro Joaquín Coldwell nº 789, angle Calle 11, San Miguel, 987-872-3080

Il y a aussi plusieurs distributeurs de billets à San Miguel, dont un dans le supermarché **Chedraui** *(1001 Av. Rafael E. Melgar, San Miguel, 987-872-5404)*.

> **Internet et télécommunications**

De nombreux établissements hôteliers, restaurants et cafés disposent d'un accès Internet sans fil gratuit. Sur les artères principales, plusieurs commerces proposent des services de télécommunication (poste Internet, télécopie, appels internationaux).

> **Marina**

Avant de s'engager en mer, il est préférable, pour ceux qui possèdent leur propre embarcation ou qui en ont fait la location, de communiquer avec la **Capitanía de Puerto Cozumel** *(Av. Rafael E. Melgar nº 601, entre Calle 10 et Calle 12, San Miguel, 987-872-2409)*, soit la capitainerie du port de Cozumel, pour s'informer des conditions climatiques et des possibilités de naviguer sans problème.

> **Poste**

Bureau de poste : angle Calle 7 Sur et Av. Rafael E. Melgar, San Miguel, 987-872-0106

> **Renseignements touristiques**

Les comptoirs d'information touristique changent régulièrement d'emplacement. Vous en trouverez surtout près de la Plaza Principal et du Muelle San Miguel. Attention, certains ont pour seul but de vendre des appartements à temps partagé (*time sharing*)!

Cozumel Promotion Board : Calle 2 Norte nº 299-B, entre Av. 10 et Av. 15, San Miguel, 987-872-7585, www.cozumel.travel

> **Santé**

Cliniques et hôpitaux

Cruz Roja Mexicana (Croix-Rouge mexicaine) : angle Av. 20 et Calle Dr. Adolfo Rosado Salas, 987-872-1057

Centro Médico de Cozumel-Costamed (CMC) : Calle 1A Sur nº 101, angle Av. 50, San Miguel, 987-872-9400

Ce centre médical, comme la plupart des cliniques de Cozumel, comporte une unité de médecine hyperbare destinée à traiter les plongeurs qui souffrent de problèmes de pression. Il y a tant de plongeurs à Cozumel que ces accidents arrivent fréquemment.

Medica San Miguel : Calle 6 Norte nº 132, entre Av. 5 et Av. 10, San Miguel, 987-872-0103

La clinique Medica San Miguel dispose d'une chambre hyperbare.

Buceo Medico Mexicano (BMM) : Calle 5 Sur nº 21B, San Miguel, 987-872-1430, www.sssnetwork.com

Cette clinique est spécialisée dans les problèmes de pression que peuvent avoir les plongeurs.

Pharmacies

Farmacia Doris San Miguel : Av. 65 Sur entre Calle 25 Sur et Calle 27 Sur, 987-872-5518

Farmacia De Similares : Calle Alfonso Rosado Salas nº 1, entre Av. 30 Sur et Av. 25 Sur, 987-869-6244

Urgences
066

> **Sécurité**

Police : Av. 11, angle Av. 30, 987-872-0409 ou 066

Attraits touristiques et plages

À ne pas manquer
- Museo de la Isla de Cozumel p. 180
- Discover México p. 182
- Kondesa Culinary Workshop p. 180
- Stingray Beach p. 180
- Chankanaab Beach Adventure Park p. 182
- Nachi Cocom Beach Club p. 182
- Playa y Parque Ecoturistico Punta Sur p. 183
- San Gervasio p. 184
- Récifs Palancar, Colombia et Santa Rosa p. 185

Les bonnes adresses

Restaurants
- La Choza p. 194
- La Tienda Guido's Delicatessen p. 194
- Kondesa p. 195
- Pescaderia San Carlos p. 195
- Kinta Mexican Bistro p. 195

Achats
- Los Cinco Soles p. 197

San Miguel

La ville de San Miguel est le cœur de l'île. Ses rues qui s'entrecroisent à angle droit permettent de s'y retrouver très facilement. L'activité se concentre sur la **Plaza Principal** ★ ★, le grand parc de la ville. Le dimanche soir, vous aurez le bonheur d'y entendre des groupes de musique (rock ou latine), entre 18h et 21h environ. À ce moment-là, tous les habitants sont au rendez-vous pour faire la fête, et vous y trouverez plusieurs kiosques de spécialités culinaires savoureuses. On retrouve à San Miguel le choix habituel de commerces,

mais cette ville a gardé son âme mexicaine. La plupart des restaurants de l'île sont situés dans les environs. De nombreuses boutiques longent le *malecón* (promenade du bord de mer), qui est en fait l'Avenida Rafael E. Melgar.

Le **Museo de la Isla de Cozumel** ★ ★ ★ *(4$; lun-sam 9h à 16h; Av. Rafael E. Melgar entre Calle 4 Norte et Calle 6 Norte, 987-872-1475, www.cozumelparks.com)*, situé au nord de la Plaza Principal, a été aménagé dans un hôtel chic construit en 1936. Ce musée comprend quatre grandes salles sur deux niveaux qui relatent l'histoire et la géographie de l'île et accueillent des expositions d'arts visuels.

À l'entrée de la première salle, vous trouverez une maquette de l'île qui met en évidence tous les sites naturels et où sont représentés les sites archéologiques et les constructions intéressantes comme les phares. En plus de connaître la topographie, vous apprendrez dans cette salle l'origine des espèces (plantes et vertébrés).

Les récifs, leur naissance, leur formation et leur diversité sont les thèmes de la deuxième salle d'exposition, tandis que la civilisation maya et l'histoire des Mayas dans l'île sont le sujet de la troisième salle. Vous y verrez les pièces maîtresses retrouvées dans les sites archéologiques de Cozumel.

Les naufragés espagnols qui ont précédé le premier visiteur espagnol, Juan de Grijalva, et les conquistadors sont présentés dans la quatrième salle, consacrée à l'histoire de Cozumel. De grands panneaux apprennent aux visiteurs l'importance et le déroulement de la guerre des Castes, au milieu du XIXe siècle.

La visite du musée, qui dure une ou deux heures, vous donnera un bon aperçu de l'histoire de Cozumel. Elle enrichira votre séjour dans l'île même s'il n'est que d'une journée. On y trouve une bibliothèque, un accès Internet et un service de guides anglophones. Le restaurant du musée (voir p. 194), situé à l'étage supérieur, offre une vue panoramique sur le détroit qui sépare l'île du continent.

Le sympathique chef Kris Wallenta du restaurant **Kondesa** (voir p. 195) organise des ateliers culinaires (Kondesa Culinary Workshop) d'une durée de 3h, avec déjeuner, boissons et dessert inclus. Une expérience à ne pas manquer!

Au cours de la dernière semaine de septembre se tient la **Fiesta de San Miguel Arcángel**, le saint patron de Cozumel. Les rues s'animent alors de plusieurs processions religieuses auxquelles prennent part les habitants parés de leurs plus beaux costumes mayas. Au début du mois de mars se déroule le **carnaval de Cozumel**, l'événement familial et festif le plus important de l'île.

Représentant un soldat espagnol et une princesse maya avec leurs enfants, *El Mestizaje* est un monument dédié à Gonzalo Guerrero, en hommage aux premiers Métis du pays *(angle Boulevard Aeropuerto et Avenida Rafael E. Melgar)*. Gonzalo Guerrero était l'un des deux survivants espagnols de l'expédition maritime qui, en 1511, fit naufrage au large de la côte Caraïbe. Après avoir été un esclave, il réussit au fil du temps à gagner la confiance des Mayas qui l'avaient épargné. Il épousa une princesse maya (Zazil Há) selon les coutumes locales et devint père des premiers Métis du continent. Pour contrer les exactions des Espagnols, il choisit de rester dans la région de Chetumal et prit la direction des opérations militaires contre ses anciens compagnons d'armes. Grâce à son courage et à ses stratégies de guerre, il repoussera les conquistadors pendant près de 20 ans et mourut en héros, auprès de ses compagnons mayas, en 1536.

Le sud de l'île

La côte ouest

La côte ouest regroupe les plus belles plages, les complexes hôteliers et les sites de plongée.

L'étonnante **Stingray Beach** ★ ★ *(59$; tlj 7h à 17h, dernier départ pour activités à 15h; Carretera Costera Sur, Km 2,8, 987-872-4932, www.stingraybeach.com)* propose deux activités interactives avec des raies convenant à toute la famille. On peut donc nourrir et toucher ces impressionnantes

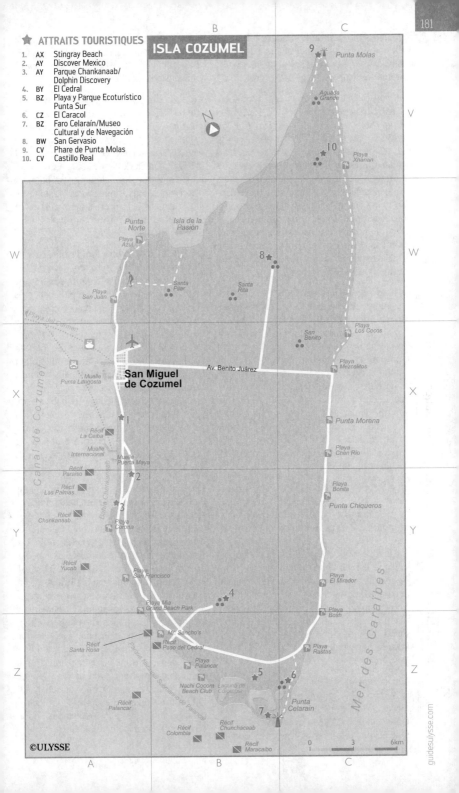

ISLA COZUMEL

★ **ATTRAITS TOURISTIQUES**

1. AX Stingray Beach
2. AY Discover Mexico
3. AY Parque Chankanaab/
       Dolphin Discovery
4. BY El Cedral
5. BZ Playa y Parque Ecoturístico
       Punta Sur
6. CZ El Caracol
7. BZ Faro Celaraín/Museo
       Cultural y de Navegación
8. BW San Gervasio
9. CV Phare de Punta Molas
10. CV Castillo Real

©ULYSSE

guidesulysse.com

créatures ou faire de la plongée-tuba avec elles dans un enclos spécialement aménagé dans la mer. Les visiteurs peuvent ensuite profiter du club de plage à leur guise.

Au sud du *muelle* Puerta Maya (embarcadère), **Discover México** ★ ★ *(20$; lun-sam 8h à 18h; Carretera Costera Sur, Km 5,5, 987-857-2820, www.discovermexico.org)* est une attraction récente qui retrace l'architecture des différentes régions du pays au travers des reproductions miniatures de bâtiments fameux. La visite se déroule dans un grand jardin ombragé, agréable pour la promenade et abritant un casse-croûte. À l'intérieur, on présente une vidéo promotionnelle du Mexique, et s'y trouvent une salle d'exposition d'art populaire mexicain et une boutique de souvenirs.

À 10 km au sud de San Miguel se trouve l'un des plus beaux sites de l'île, le **Chankanaab Beach Adventure Park** ★ ★ ★ *(21$; lun-sam 8h à 16h; Carretera Costera Sur, Km 9, www.cozumelparks.com)*, qui comprend entre autres un petit jardin botanique. La lagune de Chankanaab, «petite mer» en langue maya, est un aquarium naturel alimenté en eau de mer par des tunnels souterrains. Un sentier bordé de répliques de sculptures mayas, toltèques et aztèques serpente dans le jardin botanique, où 350 espèces de plantes et d'arbres tropicaux proviennent de 22 pays.

Une fois parvenu à la plage, on peut nager dans la baie tranquille. Les cavernes et tunnels creusés dans le calcaire sont passionnants à explorer en plongée-tuba. L'équipement de plongée peut se louer ou s'acheter sur place. Facile à atteindre depuis la plage, le **récif Chankanaab** ★ ★ attire des foules de plongeurs avec ses mille et une espèces colorées. Sous l'eau, il faut plonger entre 2 m et 18 m de profondeur pour examiner le corail, une statue en bronze du Christ, une statue de Chac Mool et une statue de la Vierge.

Parmi les nombreux services, attraits et activités proposés au Chankanaab Beach Adventure Park, notons la location de kayaks à fond transparent, le *Snuba Seatrek* (randonnée sous l'eau avec un casque de type scaphandre), les bassins de crocodiles et de dauphins, *temascal* (sauna et rituel de purification mayas), le musée de la tequila et plusieurs cantines, restaurants et bars. Des chaises longues et des *palapas* sont mises à la disposition des visiteurs.

Au sein du parc, **Dolphin Discovery** ★ *(9h à 17h, réservations au 998-193-3360 ou 866-793-1905 du Canada, www. dolphindiscovery.com)* offre la possibilité de nager et d'interagir avec des dauphins *(89$ à 179$)*, des otaries et des lamantins *(59$)*. Pour ceux qui souhaiteraient simplement observer des dauphins, sans nager avec eux, un petit bassin est aménagé dans le Chankanaab Beach Adventure Park (inclus dans le prix d'entrée).

Longue de 5 km, **Playa San Francisco** ★ ★ *(frais minimaux de consommation de 10$ pour accéder aux installations, Km 14)* est considérée comme l'une des plus belles de l'île. Elle est pourvue de nombreux services et installations (bar, restaurant, vestiaire, boutiques, chaises longues et *palapas*, location d'équipement de plongée, filet de volley-ball). Ses eaux calmes contiennent des merveilles sous-marines situées tout près de la côte. Le dimanche, cette plage est particulièrement fréquentée par les habitants de l'île qui viennent se reposer. Ce jour-là, on peut y entendre plusieurs musiciens locaux. La plage est aussi très courue, tout au long de la haute saison, par les passagers des paquebots de croisière.

Juste au sud de Playa San Francisco, vous croiserez le **Playa Mia Grand Beach Park** ★ *(à compter de 30$; www.playamiacozumel. com)*, très animé, familial et populaire auprès des visiteurs d'un jour, le **Mr. Sancho's** ★ ★ *(à compter de 12$; www.mrsanchos.com)*, où l'on peut faire des randonnées à cheval, et le **Nachi Cocom Beach Club** ★ *(55$, www.cozumelnachicocom.com)*, la meilleure option des voyageurs cherchant la tranquillité. Ces clubs de plage abritent plusieurs services et installations tels que restos-bars, vestiaires et casiers, boutiques de souvenirs, comptoirs de location d'équipement de plongée-tuba et de plongée sous-marine, de motomarines et de kayaks. On y offre souvent un service «tout inclus» comprenant l'accès aux installations, le bar ouvert et la nourriture à volonté.

Au Km 17,5 de la Costera Sur, au sud de Playa Sol, une route revêtue de 3,5 km mène au petit village d'**El Cedral** *(entrée libre; tlj 8h à 17h)*. Il fut fondé au milieu du XIXe siècle par des Métis venus de Valladolid qui fuyaient les Mayas en révolte. Le village abrite entre autres une petite église construite à côté du seul temple maya de l'époque préhispanique qui subsiste tant bien que mal. Les autres structures anciennes ont été à la fois détruites par les conquistadors et démantelées pour la construction des maisons du village. On y célèbre la **Feria del Cedral**, de la fin avril au début mai, pour commémorer la première messe célébrée au Mexique.

Il n'y a pas si longtemps, le site comprenait trois groupes de bâtiments érigés autour de grandes *plazas*. Le démantèlement n'a laissé qu'une structure dont les deux salles ont été utilisées comme prison depuis 1935. D'ailleurs, les habitants du village désignent ce bâtiment du nom de *carcel* (prison). Les vestiges datent du début de la période dite postclassique, c'est-à-dire au temps où la grande ville de Chichén Itzá était la capitale du nord du Yucatán.

Plus au sud et devant le fabuleux **récif Palancar** (que l'on rejoint rapidement en bateau; voir p. 177), **Playa Palancar** ★ se présente comme une agréable plage publique, idéale pour se prélasser en toute tranquillité. On trouve sur place un centre de plongée, un café-bar, et bon nombre de hamacs où relaxer à l'écart des foules.

À l'extrémité sud de l'île, la Costera Sur débouche au Km 27 sur la **Playa y Parque Ecoturístico Punta Sur** ★ ★ *(12$; lun-sam 9h à 16h; www.cozumelparks.com)*, une réserve écologique de quelque 100 ha qui a fait l'objet d'un important développement et d'une mise en valeur. Vous devrez traverser la réserve en voiture pour atteindre la lagune et la plage. Prévoyez au moins 30 min de parcours sur une route cahoteuse.

En chemin, vous croiserez **El Caracol**, un petit monument maya qui, selon les sources, serait un temple ou un tombeau érigé en l'honneur de la déesse Ixchel. Certains guides attestent que la structure, aujourd'hui à moitié détruite, servait de point de repère aux navigateurs d'antan. Le site aurait été

utilisé comme phare et comme moyen de signalement de vents violents. Les coquillages incrustés dans le dôme sifflaient en tons différents selon le vent. Vous pourrez apercevoir, du côté ouest du temple, au-dessus de la porte, des traces de peinture rouge originale.

Plus au sud, on ne peut manquer le **Faro Celaraín** ★, un phare construit en 1901 qui offre de son sommet une jolie vue sur toute la pointe, et son petit **Museo Cultural y de Navegación**, consacré à l'histoire de la navigation et situé à l'intérieur de la maison du gardien. Celle-ci fut habitée par Félix García Aguilar pendant plus de 50 ans. Un casse-croûte et une boutique de souvenirs se trouvent près du phare.

Plus loin dans la réserve s'étend la **Laguna Colombia**, un lieu privilégié d'une biodiversité étonnante où vous pourrez notamment observer plusieurs espèces d'oiseaux et des crocodiles. Vous pouvez la découvrir tout simplement en parcourant les sentiers pédestres qui l'entourent. Des tours d'observation ont été construites à la grande joie des plus sédentaires qui, sans trop d'effort, peuvent apprécier l'environnement. On y organise également des sorties en catamaran.

En longeant la côte sur la route de terre, vous atteindrez **Playa Más Hermosa**, d'où il est facile de faire de la plongée en apnée et même d'atteindre le **récif Chunchacaab**, en face. On y trouve un comptoir de location d'équipement de plongée-tuba et de kayaks, ainsi qu'un service de guide, en plus d'un casse-croûte, d'une boutique de souvenirs, des hamacs et des lits de plage).

Du début du mois de juin à la mi-novembre, des excursions pour observer les bébés tortues de mer et les aider à retrouver la mer sont organisées à la nuit tombée. Pensez à réserver au moins une semaine à l'avance *(environ 60$;, www.cozumelinsider.com/ TURTLESEE)*.

La côte est

À la différence des gros clubs de plage de la côte ouest, ceux de la côte est se présentent plutôt comme de petits restaurants sans artifice où il fait bon s'arrêter pour casser la croûte.

Première plage que l'on rencontre après le Parque Ecoturístico Punta Sur, **Playa Rastas** ★, quelque peu rocailleuse, abrite l'agréable **Freedom in Paradise Restaurant and Beach Bar** *(www.bobmarleybar.com)*, aussi connu sous le nom de Rasta's (pour le restaurant) et de Bob Marley (pour le bar). C'est un bon endroit pour siroter un verre, picorer quelques bouchées, puis profiter des hamacs et de la plage.

Quelques kilomètres plus au nord, **Punta Chiqueros** abrite l'une des plus belles plages du côté est de l'île, **Playa Bonita** ★, lovée dans une anse en forme de croissant de lune, au sud de la route. Entourée de rochers, cette plage convient à la baignade et au surf. On y trouve aussi le restaurant **Playa Bonita**, tout simple mais excellent, et quelques *palapas*. L'entreprise **Cozumel Surfing** *(www.cozumelsurfing.com)* y est aussi établie et propose des cours de surf.

Playa Chen Río est située à environ 5 km au nord de Punta Chiqueros. S'y trouvent un stationnement, un restaurant et un bar. Grâce à la présence de rochers sur lesquels se brisent les vagues, Playa Chen Río est un bon endroit pour nager de ce côté de l'île. Prévoyez vous y rendre tôt si vous désirez éviter la foule des croisiéristes qui y débarquent généralement vers 11h30.

Un peu plus au nord, avant d'arriver à la route transversale, vous trouverez la plage de **Punta Morena** *(www.puntamorena. com.mx)*, l'une des plages de prédilection des surfeurs expérimentés (apportez votre planche)… et des familles. Son club de plage abrite une piscine, un bon restaurant de cuisine mexicaine et de fruits de mer frais et une boutique d'artisanat. Cette plage convient également aux familles puisqu'elle donne sur une petite baie, bien à l'abri des vagues et peu profonde, avec aire de jeux et pataugeoire pour les enfants.

Le nord de l'île

La partie de l'île située au nord de l'Avenida Benito Juárez est une zone protégée interdite à la circulation automobile, à l'exception de la route qui mène aux ruines de San Gervasio et de celle qui se rend à Playa San Juan. Des kilomètres de sentiers de sable ont été sommairement aménagés le long de la côte est. Il est possible de demander une autorisation de camping dans cette zone auprès des autorités locales de San Miguel. Pour plus d'information, renseignez-vous auprès du **Cozumel Promotion Board** (voir p. 178).

Playa San Juan longe toute la zone hôtelière au nord de San Miguel, pour aboutir à Punta Norte. Cette plage tranquille, sans être la plus belle, dispose de plusieurs centres de plongée où l'on peut louer tout l'équipement de plongée nécessaire ainsi que les services de moniteurs certifiés. On y trouve de multiples clubs de plage, bars et casse-croûte, entre autres le **Playa Azul Beach Club** ★ *(lun-sam 10h à 17h, dim 10h à 18h; www.playa-azul.com)*. Le **Buccanos Beach Club** ★ ★ *(100 pesos de crédit sur consommation; tlj 9h à 17h, ven-sam jusqu'à 23h; Carretera Costera Norte, Km 4,5, www. buccanos.com)* offre une agréable piscine (avec accès Internet sans fil), une plage avec *palapas* depuis laquelle il est facile de faire de la plongée-tuba (location de matériel sur place), un service de location de kayaks et de motomarines et l'accès à des parois dans le parc d'escalade voisin. Ne manquez pas la chance de déguster un repas au Buccanos Bar & Grill, car l'expérience vaut le détour.

Depuis la quasi-destruction d'**El Cedral** (voir p. 183), **San Gervasio** ★ *(9,50$; tlj 8h à 15h45; Carretera Transversal, Km 7,5, 987-872-2940, www.cozumelparks.com)* est devenu le groupe de bâtiments le plus important de l'île. San Gervasio aurait été habité par les Mayas de l'an 300 à l'an 1500 à peu près. C'était sûrement à cette époque la capitale de l'île. On y retrouve un groupe de petits sanctuaires et de temples érigés en l'honneur d'Ixchel, déesse maya de la Lune et de la Fécondité. Chacun des bâtiments du site est accompagné de panneaux d'interprétation en maya, en anglais et en espagnol.

L'ensemble, assidûment fréquenté par les iguanes, est constitué de structures de pierre, de colonnes et de linteaux disséminés autour d'une grande place, ainsi que de quelques éléments de moindre importance qui se perdent dans la forêt. À l'entrée du site, où vous achetez votre billet, se trouvent des boutiques d'artisanat, une librairie et un casse-croûte. Pour atteindre San Gervasio, il faut emprunter la route transversale de l'île en direction est depuis San Miguel. Un panneau vous indiquera la voie d'embranchement à prendre, et vous devrez ensuite faire une dizaine de kilomètres vers le nord *(on demande parfois une dizaine de pesos pour l'accès à la route)*.

Vous verrez à la jonction de la Carretera Transversal et de la route côtière un monument soulignant le passage dans l'île de nombreux pirates, corsaires, flibustiers ou boucaniers. En effet, pendant 250 ans, l'île de Cozumel fut un des nombreux refuges des aventuriers pourchassés dont les plus connus sont le Français Jean Lafitte, l'Anglais Francis Drake et l'Espagnol Fermín Antonio Mundaca, qui n'était, à l'origine, qu'un simple marchand d'esclaves, avant de devenir un personnage populaire dans la région.

La piraterie est vieille comme le monde et perdure encore aujourd'hui. Or, on la désigne de plusieurs façons. Par exemple, les corsaires, munis de lettres de marque d'un État, abordaient des navires marchands, tandis que les pirates attaquaient pour leur propre compte, et ce, en temps de paix. Quant aux flibustiers, des pirates anglais qui font la guerre aux Espagnols, ils se distinguaient des boucaniers en cela que ces derniers, à l'origine, traitaient la viande par un procédé de fumage appelé «boucanage» et ne sont devenus aventuriers des mers que beaucoup plus tard. Tous ont sévi du XVIᵉ au XIXᵉ siècle. Les pirates de la mer des Caraïbes ont maintes fois été idéalisés tant en littérature (*L'île au trésor*, Robert Louis Stevenson) qu'au cinéma (*The Bounty*, *Peter Pan* ou *Pirates des Caraïbes*), mais pour les Espagnols, tous demeurent grosso modo des voleurs, c'est-à-dire des pirates.

Le **phare de Punta Molas** ⋆, qui se dresse à l'extrémité nord de l'île, vaut le détour même s'il est difficilement accessible par une route de terre. Cozumel Cruise Excursions *(www. cozumelcruiseexcursions.net)* y organise des visites guidées plutôt sportives (nage, plongée-tuba et randonnée). Sinon, il faut s'y rendre à pied en longeant la côte est (environ 20 km) ou en bateau à partir de la ville de San Miguel. C'est un endroit retiré où la plage est très belle.

En route vers Punta Molas, sur la côte nord-est de l'île, on croise quatre temples d'importance mineure, dont le **Castillo Real**. Ce temple carré est fissuré dans le milieu et construit sur une plateforme flanquée d'une tour d'observation. On distingue encore, à l'intérieur, des traces de fresques originales.

Récifs coralliens

Comme nous le disions plus haut, la multitude de récifs (plus d'une quarantaine), leur grande beauté et la grande diversité de la faune et de la flore marines qui les peuplent, ont fait la réputation de Cozumel. Du débutant au plongeur chevronné, l'île reçoit annuellement des centaines de milliers de plongeurs. Le **récif Palancar** ⋆ ⋆ ⋆, sans aucun doute le plus spectaculaire en raison de son étendue, de ses grottes et tunnels et de ses bancs de poissons fabuleux, attire à lui seul des milliers de nageurs chaque année.

Le **récif Yucab** ⋆ ⋆ se prête parfaitement à la photographie sous-marine d'espèces qui restent immobiles pour éviter le courant. C'est un endroit idéal pour les débutants.

Le populaire **récif Santa Rosa** ⋆ ⋆ ⋆, surnommé «le mur», de même que le **récif Colombia** ⋆ ⋆, présentent aux plongeurs intermédiaires et chevronnés de magnifiques falaises descendants jusque dans les abîmes. On y croise des raies aigles et léopards entre mars et octobre, ainsi que des tortues occasionnellement.

L'avion qui gît au fond du **récif La Ceiba** ⋆ (un appareil Convair Liner CV-240, bimoteur commercial datant des années 1940) attire aussi son lot d'hommes-grenouilles.

Enfin, le **récif El Paso del Cedral** ⋆ ⋆ permet aux plongeurs intermédiaires et experts de visiter une caverne et d'affronter de gros poissons toujours affamés (des mérous bien souvent) qui n'aiment pas les visiteurs aux mains vides...

Le Chankanaab Beach Adventure Park est l'endroit idéal pour apprendre à plonger. On peut même descendre un escalier menant à une statue de bronze du Christ engloutie. Le **récif Chankanaab** ⋆ ⋆ (voir p. 182) se trouve à quelques centaines de mètres au large du parc.

Parmi les autres récifs appréciés des plongeurs, deux se trouvent près du Muelle Internacional. Au **récif Paraíso** ★ (accessible depuis la plage), vous pourrez peut-être observer le rare poisson-crapaud des récifs, une espèce endémique de Cozumel. Pour sa part, le **récif Las Palmas** ★ abonde entre autres en tortues de mer.

Activités de plein air

> Baignade avec les dauphins

Dolphin Discovery Cozumel (voir p. 182) offre entre autres la possibilité de nager avec les dauphins au sein du Chankanaab Beach Adventure Park. Vous pourrez aussi y faire une rencontre privilégiée avec un lamantin ou une otarie.

> Croisières

Atlantis Submarines
105$ adultes (13 ans et plus), 65$ enfants (4 à 12 ans et moins, doivent obligatoirement mesurer plus de 92 cm); Carretera a Chankanaab, Km 4, 987-872-5671, www.atlantissubmarines.travel

Si vous ne faites pas de plongée, vous pouvez maintenant admirer de près les récifs et leurs habitants. L'*Atlantis* est un sous-marin spécialement aménagé qui peut accueillir 48 passagers. Il descend jusqu'à 30 m au fond de la mer; il vous fera découvrir le monde dont rêvent tous les plongeurs. La descente s'avère une expérience unique : les bancs de poissons de couleurs variées, les multiples formes des bancs de coraux et la sensation de légèreté que donne l'espace du sous-marin valent le coût et nourriront vos souvenirs les plus exotiques. La sortie dure 1h30, dont 40 min d'immersion. Notez que la visibilité varie d'un jour à l'autre!

Cozumel Sailing
à partir de 25$; Carretera a Chankanaab, Km 4, Costera Sur, près de l'hôtel Casa del Mar, 987-869-2312, www.cozumelsailing.com

Très apprécié des voyageurs, Cozumel Sailing propose diverses excursions à bord du *Tucan*, un trimaran pouvant accueillir une vingtaine de personnes. Que ce soit des croisières au coucher de soleil ou des excursions de jour comprenant une activité de plongée-tuba et un arrêt sur une plage, les sorties s'adressent davantage aux adultes.

> Équitation

Rancho Buenavista
angle Av. Rafael E. Melgar et Av. 11, 987-872-1537
Le Rancho Buenavista propose des excursions qui mènent à la découverte des répliques de sites archéologiques. Une balade de 1h30 inclut le service d'un guide, le transport à l'hôtel, un rafraîchissement et l'accès aux installations d'un hôtel (plage, piscine, restaurant et bar) après la randonnée. Les consommations au restaurant et au bar ne sont pas incluses et peuvent s'avérer assez chères. Apportez de l'eau pour la randonnée et portez un pantalon et des chaussures fermées.

Mr. Sancho's
Carretera Costera Sur, Km 15, 987-871-9174, www.mrsanchos.com
Ce club de plage organise des balades à cheval dans la jungle et sur la plage.

> Golf et observation des oiseaux

Cozumel Country Club
134$; golf tlj 6h30 à 19h; Costera Norte, Km 6,5, 987-872-9570, www.cozumelcountryclub.com.mx
Dans un refuge d'oiseaux Audubon, le Cozumel Country Club offre aux amateurs de golf un beau parcours à 18 trous (normale 72). On trouve sur place une boutique spécialisée, un centre de location d'équipement ainsi qu'un restaurant de cuisine internationale servant le petit déjeuner et le déjeuner. Des excursions guidées pour l'observation d'oiseaux *(50$ incluant les jumelles et un repas au restaurant du club; tlj 6h à 8h et 16h à 18h)* sont proposées sur ce site splendide abritant une foule d'animaux. On y observe certaines espèces endémiques de l'île, comme le viréo et l'émeraude de Cozumel, en plus de plusieurs autres habitants tels que les crocodiles, les tatous et les pécaris.

> Pêche en haute mer

Albatros Charters
à partir de 445$ pour 1 à 6 passagers; 987-872-7904, http://albatroscharters.com
Cette entreprise organise d'excellentes excursions de pêche pour six personnes et moins, d'une demi-journée ou d'une journée, en plus de croisières de jour ou de soir et de sorties de plongée-tuba.

> Plongée sous-marine

Les entreprises offrant des services de plongée avec guide, équipement et transport vers les lieux à visiter, pullulent à Cozumel, sans compter les grands hôtels qui disposent de toutes les installations nécessaires. Le coût d'une excursion sous-marine peut dépendre de plusieurs facteurs : cours de plongée pour les débutants, distance des sites à visiter, excursion avec repas à bord du bateau, etc. À titre d'exemple, il peut en coûter environ 85$ pour une demi-journée de plongée avec un guide diplômé et deux bouteilles d'oxygène. Sur place, il est possible de trouver un très grand nombre de dépliants publicitaires et différents magazines de plongée qui font un inventaire très exhaustif des centres de plongée.

Parmi les entreprises les plus appréciées à Cozumel, notons **Blue Project** *(services en français; 987-872-3161, www. blueprojectcozumel.com)*, **ScubaTony** *(987-869-8268, www.scubatony.com)*, **Opal's Dream** *(987-869-1549, www. opalsdreamdiveshop.com)*, **Blue Note Scuba Diving** *(services en français; 987-872-0312, www.bluenotescuba.com)* et **Dive Paradise** *(987-872-1007, www.diveparadise.com)*.

> Plongée-tuba

Les meilleurs sites pour la plongée-tuba se trouvent sur la côte ouest, notamment au **Chankanaab Beach Adventure Park** (voir p. 182).

L'entreprise **Cozumel h2o** *(987-876-2021, www.cozumelh2o.com)* est formée de quatre instructeurs spécialisés en plongée sous-marine, plongée-tuba, planche à rame *(paddleboard)* et surf. Les sorties de plongée-tuba sont particulièrement appréciées. On organise aussi des croisières privées et des excursions de pêche en haute mer.

> Surf cerf-volant (kitesurf ou kiteboard)

Le surf cerf-volant *(kitesurf* ou *kiteboard)* est une planche de surf munie de cale-pieds dont on a substitué la voile pour un cerf-volant. Un peu comme la planche à neige qui a détrôné le ski, le surf cerf-volant a supplanté la planche à voile, si populaire il n'y a pas si longtemps. Le champion olympique de planche à voile, Raúl de Lille, qui a introduit le surf cerf-volant à Cozumel, est le premier entraîneur de ce sport dans l'île. Il propose des cours d'initiation et des excursions aux amateurs. Son centre d'activités est la **Casa Viento** (voir p. 193). Ses excursions (tout compris) d'une journée vers une des cinq plages les plus venteuses de l'île sont uniques en leur genre. Pour plus d'information : **De Lille Sports** *(987-103-6711, www. delillesports.com)*.

Conseils écologiques pour la plongée

C'est bien sûr formidable de descendre au fond des mers pour aller voir les quelque 30 km de **récifs coralliens** (voir p. 185), mais le corail est une merveille qui se reproduit très lentement. Voici quelques conseils pour plonger de façon responsable.

- Évitez de toucher au corail car cela l'abîme énormément, mais aussi parce que vous pouvez vous blesser.

- Choisissez un centre de plongée qui affiche son respect de l'environnement (voir notre sélection) et qui propose par exemple de traiter ses déchets et les eaux usées.

- Avec vos palmes, veillez à faire des petits mouvements afin de ne pas heurter les fonds sous-marins.

- Ne nourrissez pas les poissons.

- Ne forcez pas certains poissons à sortir de leur cachette pour les prendre en photo.

Isla Cozumel – **Activités de plein air** – Plongée sous-marine

L'entreprise **Cozumel Kiteboarding** *(www. cozumelkiteboarding.com)* propose aussi des cours et la location d'équipement.

> *Vélo*

Populaire destination vélo, entre autres grâce au triathlon (nage, vélo, marathon) **Ironman** **Cozumel** *(www.ironmancozumel.com)* qui s'y tient en novembre, Cozumel est desservie par une excellente (et panoramique) piste cyclable qui fait le tour de la portion sud de l'île.

Hébergement

Au plan de l'hébergement, l'île est divisée en trois : d'une part, la ville de San Miguel, où vous trouverez la plupart des petits hôtels bon marché ; d'autre part, la zone hôtelière située au nord de San Miguel, le long de la mer (Costera Norte), où se succèdent les complexes hôteliers tout-compris les plus luxueux de l'île ; puis la zone hôtelière située au sud de San Miguel (Costera Sur), qui se développe de plus en plus et offre une plus grande variété de types d'hébergement. Il n'y a qu'un hôtel sur la côte est de l'île, l'excellent **Ventanas al Mar** (voir p. 192).

Les hôtels membres de l'association touristique de Cozumel sont décrits sur le site Internet *www.cozumel.travel*.

San Miguel

Mi Casa en Cozumel $-$$ ✆
Av. 5 Sur n° 543, entre Calle 7 et Calle 9,
http://micasaencozumel.com
Les esthètes disposant d'un petit budget seront ravis de loger dans cet hôtel au design rustico-chic qui rappelle vaguement les *cabañas* des plages de Tulum. Il compte neuf chambres et suites invitantes flanquées d'agréables balcons, dont l'une dispose d'une petite piscine privée.

Tamarindo B&B $-$$ ✆
Calle 4 n° 421, entre Av. 20 et Av. 25, 987-872-3614
ou 987-872-6190, www.tamarindocozumel.com
Pour la formule de «gîte touristique» *(bed and breakfast)*, le Tamarindo est un bon choix au centre de San Miguel, s'il reste de la place… Cet hôtel est situé à 5 min à pied de la Plaza Principal et de la mer. Il compte quatre chambres, simples, assez grandes, propres et confortables, décorées dans le plus pur style mexicain. S'y trouvent également deux chambres climatisées, nichées

dans le jardin, ainsi que deux nouveaux appartements spacieux et confortables qui peuvent accueillir jusqu'à quatre personnes. Les occupants partagent une terrasse qui donne sur le jardin et où le petit déjeuner est servi. L'hôtel dispose d'une jolie cour ombragée où l'on peut se détendre dans un hamac. Les clients peuvent utiliser la cuisine commune, où l'eau purifiée est offerte à volonté.

Amaranto Bungalows & Suites $-$$
Calle 5 Sur entre Av. 15 et Av. 20, 987-872-3219,
http://amarantobedandbreakfast.com
Cet établissement unique en son genre s'inspire avec raffinement de l'architecture maya. Vous trouverez à l'Amaranto trois bungalows climatisés, une suite et un *penthouse*. Chaque unité comprend entre autres un très grand lit, un téléviseur et un coin repas avec réfrigérateur et four à micro-ondes. Il y a une petite piscine pour se rafraîchir et un bac spécial pour rincer son équipement de plongée. Il est fortement conseillé de réserver, car de tels prix pour une si charmante option d'hébergement sont bien rares ! Possibilité de séjourner en plan *bed and breakfast* pour un léger supplément.

Villa Escondida B&B $$ ✆
Av. 10 Sur, près de Calle 3, 987-120-1225,
www.villaescondidacozumel.com
S'adressant à une clientèle adulte, ce gîte représente un excellent rapport qualité/prix. Les chambres, bordées d'une terrasse avec hamacs, tables et chaises, sont aménagées avec goût, en toute simplicité. Les petits déjeuners gourmets, les espaces communs (réfrigérateur, jeux, livres et téléviseur mis à la disposition des clients) et la très jolie piscine sont également des points forts de l'établissement.

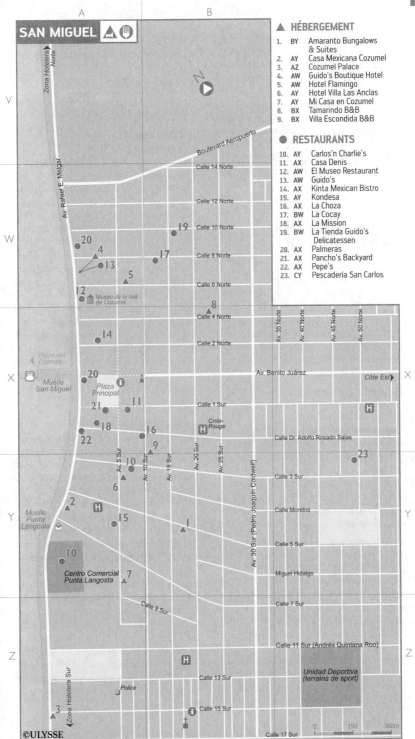

SAN MIGUEL

▲ HÉBERGEMENT

1.	BY	Amaranto Bungalows & Suites
2.	AY	Casa Mexicana Cozumel
3.	AZ	Cozumel Palace
4.	AW	Guido's Boutique Hotel
5.	AW	Hotel Flamingo
6.	AY	Hotel Villa Las Anclas
7.	AY	Mi Casa en Cozumel
8.	BX	Tamarindo B&B
9.	BX	Villa Escondida B&B

● RESTAURANTS

10.	AY	Carlos'n Charlie's
11.	AX	Casa Denis
12.	AW	El Museo Restaurant
13.	AW	Guido's
14.	AX	Kinta Mexican Bistro
15.	AY	Kondesa
16.	AX	La Choza
17.	BW	La Cocay
18.	AX	La Mission
19.	BW	La Tienda Guido's Delicatessen
20.	AX	Palmeras
21.	AX	Pancho's Backyard
22.	AX	Pepe's
23.	CY	Pescadería San Carlos

©ULYSSE

guidesulysse.com

Hotel Flamingo $$
Calle 6 Norte n° 81, entre Av. 5 et Av. 10,
987-872-1264, www.hotelflamingo.com
Ce petit hôtel d'une vingtaine de chambres,
situé dans une rue très tranquille à quelques
mètres de la Plaza Principal et du front de
mer, est le lieu rêvé pour un séjour agréable
à prix raisonnable, dans une ambiance jeune
et animée. Les chambres sont sobres mais
décorées avec goût. Le resto-bar de l'hôtel,
Aqua (voir p. 196), est un véritable lieu de
rencontre pour échanger ses impressions sur
l'île et s'enquérir des bons plans de l'heure
pour la plongée ou d'autres activités. La
terrasse sur le toit est très agréable pour
prendre un verre en regardant la mer. Séjour
en plan européen disponible.

Guido's Boutique Hotel $$$
Av. Rafael E. Melgar n° 23, entre Calle 6 Norte et
Calle 8 Norte, 987-872-0946,
www.guidosboutiquehotel.com
Au-dessus de l'excellent restaurant **Guido's**
(voir p. 195) ont été aménagées quatre
suites élégantes et confortables pouvant
loger quatre personnes. Luxueuses, elles
sont entre autres équipées d'une cuisine
complète et disposent d'un balcon offrant
une vue sur la mer.

Hotel Villa Las Anclas $$$
Av. 5A Sur n° 325, 987-872-5476,
www.hotelvillalasanclas.com
Situé près d'une boutique de plongée, voilà
une bonne et belle adresse proposant huit
villas équipées de cuisinettes et une jolie
piscine dans une cour intérieure des plus
invitantes. Le service est attentif, et les
enfants sont bienvenus. Notez toutefois que
les villas comportent des escaliers en colimaçon ouverts.

Casa Mexicana Cozumel $$$$ ℮
Av. Rafael E. Melgar n° 457, entre Calle 5 et Calle 7,
987-872-9090, www.casamexicanacozumel.com
Située sur le front de mer, la Casa Mexicana
Cozumel, un hôtel bien aménagé qui présente une architecture mexicaine moderne,
dispose de chambres vastes, très confortables, avec vue sur la ville ou sur la mer.
Un système de purification de l'eau intégré
permet de consommer sans danger l'eau du
robinet. L'accès Internet sans fil est inclus et
offert gratuitement partout dans l'établissement. Un joli patio avec bar et piscine offre

une agréable vue sur la mer et sur les paquebots de croisière qui mouillent au quai de
Punta Langosta juste en face. L'accueil est
empressé et l'ambiance sympathique.

Le sud de l'île

> ### Hôtels en plan européen

La côte ouest
Casa del Mar $$
Carretera a Chankanaab, Km 4, 987-872-1900,
www.casadelmarcozumel.com
La centaine de chambres de la Casa del Mar,
un établissement idéal pour les plongeurs,
sont joliment décorées avec de l'artisanat
local. Chacune des chambres a vue sur la
mer ou la piscine. L'hôtel dispose aussi de
huit unités de style *cabañas* qui coûtent
un peu plus cher, mais qui peuvent loger
jusqu'à quatre personnes chacune. La Casa
del Mar compte un terrain de tennis, une
boutique de plongée, un restaurant et un
bar. La plage qui s'étend devant l'établissement n'est pas très belle, mais le **Nachi
Cocom Beach Club**, affilié à l'hôtel, n'est
qu'à 10 km au sud; une navette (en supplément) fait l'aller-retour plusieurs fois par
jour.

Blue Angel Resort $$$ ℮
Carretera Costera Sur, Km 2,2, voisin de Stingray
Beach, 987-872-0819, www.blueangelresort.com
Le Blue Angel s'adresse d'abord et avant
tout aux plongeurs et leur offre d'excellents
forfaits à bon prix. Bien que toutes simples,
les 22 chambres que compte l'établissement
sont coquettes et pratiques. Elles sont dotées
d'air conditionné, d'un petit réfrigérateur, de
l'accès Internet sans fil et bénéficient d'un
balcon avec séchoir pour les combinaisons
de plongée et vue sur la mer. En plus d'un
quai s'y trouve une piscine avec aire de
détente et hamacs. Il n'y a pas de plage à
proprement parler, mais un accès à la mer
permet de faire de la plongée-tuba (équipement inclus). On prête aussi des kayaks. Le
restaurant (voir p. 196), perché au-dessus
de l'eau et coiffé d'une *palapa*, offre une vue
magnifique et un menu de tapas des plus
appréciés! Spectacles de musique quotidiens
entre 19h et 21h.

ISLA COZUMEL

©ULYSSE

0   3   6km

guidesulysse.com

▲ HÉBERGEMENT

1.	AX	Blue Angel Resort (R)
2.	AX	Casa del Mar
3.	AW	Casa Viento
4.	AX	Coral Princess Hotel & Resort
5.	AX	El Cid La Ceiba
6.	AW	Hotel B Cozumel (R)
7.	AX	Hotel Cozumel & Resort
8.	AW	Meliá Cozumel
9.	AY	Occidental Grand Cozumel
10.	AW	Playa Azul
11.	BX	Presidente InterContinental Cozumel Resort & Spa
12.	AX	Scuba Club Cozumel
13.	CX	Ventanas al Mar

(R) établissement avec restaurant décrit

● RESTAURANTS

| 14. | BY | Alfredo di Roma |
| 15. | CX | Coconuts Bar & Grill |

Hôtel Cozumel & Resort $$$$ tc
Carretera Costera Sur, Km 1,7, 987-872-9020,
www.hotelcozumel.com.mx

Cet hôtel présente un bon rapport qualité/ prix pour les visiteurs qui souhaitent s'installer près de la ville dans un établissement tout-inclus abritant un centre de plongée compétent. Le club de plage, le centre de plongée et le quai privé sont accessibles par une courte passerelle souterraine. L'aire de la piscine est agréable, l'accès Internet sans fil est gratuit et les chambres, sans être luxueuses, sont pratiques et bien entretenues. Comme dans les autres établissements du genre, vous trouverez un buffet, un restaurant à la carte, une salle pour les spectacles et un club pour les enfants.

Presidente InterContinental Cozumel Resort & Spa $$$$$ 🐾
Carretera a Chankanaab, Km 6,5, 987-872-9500,
www.intercontinentalcozumel.com

L'InterContinental de Cozumel a profité des dégâts causés par *Wilma* pour se refaire une beauté. Situé près d'une plage excellente pour la plongée, il propose dans un environnement luxueux de vastes chambres à la décoration soignée et au confort certain, toutes munies d'un balcon privé. Elles sont réparties dans de petits bâtiments de un à cinq étages. La plupart des chambres ont vue sur la mer. L'hôtel compte de nombreux services et installations, notamment deux grandes piscines, trois restaurants dont l'excellent **Alfredo di Roma** (voir p. 196), un bar, un club pour enfants et deux courts de tennis éclairés le soir.

La côte est

Ventanas al Mar $$$-$$$$ 🐾
Carretera Costera Oriente, Km 43,5, entre Chen Río et Punta Morena, 987-105-2686 ou 987-111-0996, www.ventanasalmar.com.mx

Ceux qui recherchent le grand calme devant une plage magnifique et déserte apprécieront les 14 chambres sobres du Ventanas al Mar. Bien situées en face de la mer et du levant, elles sont équipées de ventilateurs au cas où la brise marine ferait défaut… L'hôtel se trouve juste à côté de l'animé restaurant **Coconuts Bar & Grill** (voir p. 196). De juin à fin octobre, on peut observer les tortues vertes qui viennent pondre sur la plage.

> ### Hôtels tout-compris

La côte ouest

Scuba Club Cozumel $$$$ tc
Av. Rafael E. Melgar, Km 1,5, au sud de San Miguel, 987-872-0853, www.scubaclubcozumel.com

Cet établissement tout simple, à la jolie facture coloniale, représente à un des meilleurs choix pour les plongeurs. On y propose d'excellents séjours de plongée en formule «tout compris» (hébergement propre et basique, trois bons repas et accès libre aux sites de plongée depuis la plage). Un supplément est demandé pour rejoindre les sites de plongée en bateau. Une piscine et une aire de détente avec hamacs plairont aussi aux visiteurs.

Cozumel Palace $$$$$ tc
Av. Rafael E. Melgar, Km 1,5, 877-325-1537, ww.Cancúnpalaceresorts.com/cozumelpalace

Ce tout-inclus se veut raffiné et plaira autant aux familles qu'aux couples friands de plongée, qu'elle soit sous-marine ou avec tuba. Bien situé, il se trouve à 15 min de marche du centre-ville de San Miguel. On peut observer le va-et-vient des bateaux de croisière qui viennent s'amarrer au quai à proximité. Parmi les services et installations, mentionnons les quatre restaurants, le spa ainsi que les cours et les sorties de plongée.

El Cid La Ceiba $$$$$ tc
Carretera a Chankanaab, Km 4,5, 987-872-0844, www.elcid.com

L'hôtel El Cid est une tour simple de 12 étages, mais les 60 chambres sont accueillantes et leur mobilier moderne de bon goût. Elles ont toutes vue sur la mer, ce qui n'est pas peu. Les jardins alentour sont jolis, tout comme l'aire de détente avec piscine et chaises longues surplombant la mer et ses immenses bateaux de croisière illuminés, amarrés au quai de Puerta Maya, situé tout près. Court de tennis et équipement de plongée-tuba sont également disponibles. Il n'y a pas de plage à proprement parler, mais seulement un espace aménagé au bord des rochers, à partir duquel un parcours de plongée libre a été aménagé sous l'eau. La Ceiba est aussi un excellent point de départ pour les plongeurs curieux d'aller observer l'épave de l'avion qui a coulé tout près.

Occidental Grand Cozumel *$$$$ tc*
Carretera Costera Sur, Km 16,6, 987-872-9730,
www.occidentalhotels.com

L'accent est mis sur la nature à l'intérieur de ce bel hôtel aux couleurs gaies d'inspiration locale. Pour rejoindre la piscine en bord de mer, il faut emprunter une passerelle en bois surplombant la mangrove. C'est un lieu de relaxation qui convient autant aux enfants (activités prévues pour eux) qu'aux couples en voyage de noces. L'hôtel accueille d'ailleurs de nombreuses cérémonies de mariage à même la plage.

Le nord de l'île

› Hôtels en plan européen

Coral Princess Hotel & Resort *$$$-$$$$*
Carretera Costera Norte, Km 2,5, 987-872-3200,
www.coralprincess.com

Situé au nord de la ville, le Coral Princess propose plusieurs types d'hébergement, entre autres des suites constituées de chambres-salons ou de une à trois chambres avec cuisine et salon, ainsi que des chambres standards avec l'accès Internet sans fil. Cet hôtel, bien que paraissant vieillot de l'extérieur, présente des unités à la décoration minimaliste et soignée. Elles sont lumineuses et bénéficient de vues sur l'océan ou sur la jungle. Entre autres services et installations, on y trouve un club pour enfants, un restaurant, un bar de karaoké, une jolie piscine, une aire de détente sur sable et un centre de plongée.

Casa Viento *$$$-$$$$*
Country Club Estates, Costera Norte, 987-869-8220,
www.casaviento.net

Maison de rêve pour vacanciers à la recherche d'un endroit confortable et décontracté, la Casa Viento propose cinq grandes chambres et suites intimes dont certaines avec cuisinette et balcon. Cet établissement bien entretenu, à deux minutes de la plage, s'entoure d'un cadre magnifique avec piscine et jardin. Les propriétaires, accueillants et chaleureux, combleront vos attentes pour un séjour agréable. Au programme : surf cerf-volant (*kiteboard*) avec instructeur sur place, plongée, golf, plage et observation de la nature.

Hotel B Cozumel *$$$$*
Carretera Playa San Juan, Km 2,5, 987-872-0300,
www.hotelbcozumel.com

Cet hôtel-boutique au design irréprochable a décidément du caractère. L'endroit attire autant les amateurs de yoga que de plongée à la recherche d'un établissement chic et paisible. Les chambres, toutes décorées avec leurs propres touches, sont modernes, aérées et flanquées d'un balcon. Parmi les services appréciés, mentionnons le prêt de vélos et l'accès Internet sans fil. Il n'y a pas de plage à proprement parler, mais la superbe piscine, le bain à remous donnant sur la mer et les espaces de détente pourvus de hamacs compensent amplement. On peut également faire trempette dans un petit lagon devant la piscine et accéder à la mer par un quai. On trouve sur place un centre de plongée et un coin boutique où l'on vend de l'artisanat de qualité provenant de tout le pays. L'animation consiste en des spectacles de musique, divers ateliers, des barbecues... Le restaurant (voir p. 196) est des plus agréables et sert de bons plats mexicains et internationaux. Familles bienvenues, service attentionné et chaleureux.

Playa Azul *$$$$*
$$$$$ tc ou plan européen
Carretera a San Juan, Km 4, 987-869-5173,
www.playa-azul.com

Le très sympathique et intime Playa Azul (50 chambres) est le seul hôtel offrant à ses clients l'accès gratuit au terrain de golf à proximité. Toutes les chambres sont dotées de l'accès Internet sans fil et de balcons offrant une vue sur la mer et sur les magnifiques couchers de soleil. On propose aux familles de vastes suites et une maison comptant une cuisine complète et quatre chambres. D'ailleurs, les enfants apprécieront la piscine, l'aire de jeux et celle des tortues, nourries chaque matin. L'établissement renferme deux restaurants et deux bars. Son petit club de plage est animé et bien équipé. Sur place, un centre de plongée loue de l'équipement à bon prix.

› Hôtels tout-compris

Meliá Cozumel $$$$$ tc
Carretera Costera Norte, Km 5,8, 987-872-9870, www.solmelia.com

Le Meliá Cozumel, un complexe comptant des chambres en formule «tout compris» et d'autres en formule copropriété (avec services et installations de qualité supérieure sur le site), est situé en bordure du golf de l'île et devant une plage idéale pour les activités nautiques et la plongée. Il comprend quelque 140 chambres réparties dans un bâtiment de 12 étages et une autre section d'une douzaine de suites avec baignoire à remous. On y trouve deux piscines, quatre restaurants et autant de bars. En général, la décoration mériterait un petit coup de neuf (des travaux de rénovation sont d'ailleurs prévus pour 2014-2015). Une foule d'activités y sont proposées, entre autres des cours d'introduction à la plongée sous-marine, pour un séjour à la fois sportif et relaxant. Les enfants pourront s'amuser dans une salle qui leur est dédiée, décorée avec les personnages du dessin animé *Les Pierrafeu*. Accès Internet sans fil dans le hall seulement.

Restaurants

En général, il est bien plus économique de prendre ses repas dans l'un des nombreux restaurants de San Miguel plutôt que dans les hôtels. Ce qui n'empêche pas que certains hôtels de Cozumel disposent de restaurants très recommandables. La cuisine, à Cozumel, ressemble à ce qu'on peut s'offrir partout sur la Riviera Maya, c'est-à-dire un mélange de plats typiquement mexicains, ainsi que des mets internationaux principalement tirés de la cuisine française, italienne et américaine.

San Miguel

Voir carte p. 189.

La Tienda Guido's Delicatessen $
lun-sam 9h à 15h; Av. 15 Norte, angle Calle 10, www.guidoscozumel.com

Petite sœur du restaurant **Guido's** (voir p. 195), La Tienda propose de divins plats cuisinés et des produits gourmands issus du terroir local, pour emporter à l'hôtel ou se faire un pique-nique. Pour vivre l'expérience à son plein potentiel, les visiteurs s'installent dans la jolie cour afin de savourer un petit déjeuner mémorable ou consulter le menu du jour, offert en trois services à prix (et qualité) imbattable.

Carlos'n Charlie's $-$$
Centro Comercial Punta Langosta, Av. Rafael E. Melgar n° 551, entre Calle 7 et Calle 11, 987-869-1647, www.carlosandcharlies.com

La chaîne mexicaine de restaurants Carlos'n Charlie's propose une cuisine rapide dans une ambiance rigolarde.

Casa Denis $-$$
angle Calle 1 et Av. 10, 987-872-0067, www.casadenis.com

Pour un repas à une terrasse qui donne sur une rue piétonnière, rendez-vous à la Casa Denis. Situé en face du marché aux puces, ce restaurant inauguré en 1945 se targue d'avoir été le premier établissement à ouvrir ses portes en ville. À en croire les photos qui ornent les murs, la cuisine yucatèque traditionnelle de la Casa Denis a attiré les grands de ce monde.

El Museo Restaurant $-$$
lun-sam 7h à 23h, dim 7h à 15h; Museo de la Isla de Cozumel, Av. Rafael E. Melgar entre Calle 4 et Calle 6, 987-872-0838

Avant de visiter le Museo de la Isla de Cozumel (ou après la visite), attablez-vous au El Museo Restaurant. On y sert une excellente variété de mets traditionnels mexicains, bien préparés et sans prétention. Les petits déjeuners mexicains et internationaux sont copieux, et la vue sur la mer est jolie.

La Choza $-$$$
Av. 10 n° 216, entre Calle Rosado Salas et Calle 3, 987-872-0958

La Choza a quitté son *palapa* et s'ouvre maintenant sur une jolie cour. Elle n'en demeure pas moins l'un des meilleurs restaurants mexicains de l'île. On y savoure les spécialités du pays à des prix raisonnables (*pollo relleno, pibil, sopa de lima, guacamole, tortillas,* etc.). C'est le favori des habitants de Cozumel. L'ambiance est enveloppante et relaxante. Vous pouvez maintenant acheter leur sauce spéciale pour emporter!

Las Palmeras $-$$$
angle Av. Rafael E. Melgar et Av. Benito Juárez,
987-872-0532

À la sortie du traversier, Las Palmeras est le premier restaurant qui accueille les visiteurs. Sa salle à manger n'est pas climatisée, mais on est bien mieux comme ça: avec la brise marine et un peu d'ombre, on pourrait rester là des heures... Le menu est très étendu, allant des poissons frais aux steaks en passant par les hamburgers. La cuisine est très correcte.

Pescadería San Carlos $-$$$
mar-dim 7h à 17h; Av. 50 bis nº 261, entre Calle 3 Sur et Calle Dr. Adolfo Rosado Salas

Ce petit restaurant sans prétention et à l'écart du circuit touristique est un incontournable pour la grande qualité de ses plats de poisson et de fruits de mer offerts à prix raisonnables.

La Cocay $$-$$$
lun-sam dès 17h30; Calle 8 Norte entre Av. 10 et Av. 15, 987-872-5533

Dans un cadre des plus charmants, La Cocay affiche un menu méditerranéen recherché qui s'appuie sans conteste sur des ingrédients de première qualité. L'établissement est également apprécié pour son service personnalité et la présence chaleureuse de la chef. La cour arrière est intime et agréable.

La Mission $$-$$$
Calle Dr. Adolfo Rosado Salas entre Av. Rafael E. Melgar et Av. 5, 987-872-6340, www.lamissioncozumel.com

La recette est simple mais fonctionne à merveille: un grand toit en *palapa* sous lequel s'alignent des dizaines de tables en bois colorées, quelques joueurs de marimba et de bons plats de poisson, crevettes, *fajitas* ou viandes grillées.

Pancho's Backyard $$-$$$
Av. Rafael E. Melgar nº 27, entre Calle 8 et Calle 10, 987-872-2141, www.panchosbackyard.com

Pancho's Backyard porte admirablement bien son nom d'arrière-cour. Le restaurant se trouve en effet derrière la boutique de souvenirs Cinco Soles, et absolument rien ne l'annonce. Aussitôt que vous aurez poussé la porte arrière en verre, vous vous retrouverez dans une très jolie cour intérieure qui se prête bien à la détente et à la dégustation. Les murs de stuc et le toit de tuiles rouges

soulignent l'aspect colonial du restaurant. Des concerts de marimba animent les repas des convives qui se délectent des classiques de la cuisine mexicaine et du choix impressionnant de tequilas. Seule ombre au tableau, des groupes de croisiéristes en escale viennent parfois brouiller la quiétude des lieux.

Guido's $$$-$$$$
fermé dim; Av. Rafael E. Melgar nº 23, entre Calle 6 Norte et Calle 8 Norte, 987-872-0946, www.guidoscozumel.com

En entrant au Guido's, vous constaterez que la petite salle ne paie pas de mine, mais le four à bois bien actif est de bon augure. Puis vous découvrirez la très belle cour intérieure sous les étoiles, dans le style d'une hacienda mexicaine: un véritable havre de paix feutré et romantique. En plus des très bonnes pizzas cuites au four à bois et d'un pain à l'ail divin, ce restaurant familial propose un menu franco-italien de qualité. Sélection de vins au verre. Les propriétaires gèrent également **La Tienda Guido's Delicatessen** (voir p. 194) et le luxueux **Guido's Boutique Hotel** (voir p. 190).

Kondesa $$$-$$$$
Av. 5 nº 456, entre Calle 5 et Calle 7, 987-869-1086, http://kondesacozumel.com

Envie d'une cuisine fusion avant-gardiste d'une qualité irréprochable? N'hésitez pas à vous attabler au restaurant Kondesa. L'atmosphère y est feutrée, enveloppante, surtout sous l'arbre majestueux couvrant la terrasse de son ombre. Le menu affiche des classiques de la cuisine mexicaine librement revisités qui offrent un amalgame de saveurs étonnamment bien équilibrées. Une très belle table de Cozumel.

Kinta Mexican Bistro $$$$
mar-dim dès 18h; Av. 5 entre Calle 2 et Calle 4, 987-869-0544, www.kintacozumel.com

La carte de ce petit bistro regorge de trouvailles délicieuses faisant la part belle aux poissons frais et aux mélanges sucrés-salés. La décoration est joyeuse et le petit jardin au fond, particulièrement romantique. Les plats sont toujours servis avec un effort de présentation et le sourire. La carte des cocktails est également très créative. À ne pas manquer!

Pepe's $$$$

angle Av. Rafael E. Melgar et Calle Dr. Adolfo Rosado Salas, 987-872-0213, www.pepescozumel.com

Offrant une ambiance romantique et feutrée, Pepe's, situé à l'étage, accueille les dîneurs. Dans ce restaurant italien de bonne qualité, on sert entre autres des grillades de bœuf et de fruits de mer, des pâtes et les classiques tartares de thon et carpaccio. Une agréable terrasse regarde vers la mer.

Le sud de l'île

Voir carte p. 191.

Blue Angel Resort $-$$$

Carretera Costera Sur, Km 2,2, voisin de Stingray Beach, 987-872-0819, www.blueangelresort.com

Très apprécié pour la qualité de sa cuisine et la chaleur de son service, le restaurant du **Blue Angel Resort** (voir p. 190) affiche un menu mexicain abordable et des cocktails mémorables. Le cadre est tout simplement magnifique et le restaurant semble directement posé sur la mer. Les couchers de soleil y sont fameux et les soirées sont toujours animées, mais de bon goût.

La côte ouest

Alfredo di Roma $$$$

Presidente InterContinental Cozumel Resort Spa, Carretera a Chankanaab, Km 6,5, 987-872-9500, www.intercontinentalcozumel.com

L'élégant restaurant Alfredo di Roma se trouve à l'intérieur de l'hôtel InterContinental et sert de bonnes spécialités italiennes, quoique le petit plus de la maison soit sans conteste sa bonne sélection de vins. On y dîne devant de larges baies vitrées donnant sur la mer.

La côte est

Coconuts Bar & Grill $$

entre Chen Río et Punta Morena

Certes touristique, le Coconuts fait tout de même partie de ces lieux dont on se souvient longtemps une fois rentré au pays. Juché sur une butte du côté est de l'île, ce restaurant installé sous une grande *palapa* recouverte de centaines de t-shirts autographiés. La vue est superbe, le cadre insolite et l'ambiance est à la rigolade. D'ailleurs, l'endroit s'adresse principalement à une clientèle adulte avertie, festive et, surtout, grivoise. Les plats de poisson et les *ceviches* qu'on y sert sont délicieux. N'oubliez pas : tout ce qui se trouve de ce côté de l'île ferme vers 18h, et le Coconuts ne fait pas exception.

Le nord de l'île

Voir carte p. 191.

Hotel B Cozumel $-$$$

Carretera Playa San Juan, Km 2,5, 987-872-0300, www.hotelbcozumel.com

Que vous résidiez à l'**Hotel B Cozumel** (voir p. 193) ou non, sachez qu'une visite au restaurant de l'établissement s'impose ! Par beau temps, installez-vous sur la jolie terrasse pour savourer un excellent *ceviche* (une dizaine de variété), une pizza fine, des sandwichs inventifs, des hamburgers ou des poissons grillés. Bon choix de jus, *smoothies* et lassis bien vitaminés !

Sorties

> **Bars et boîtes de nuit**

San Miguel

À San Miguel, c'est sur l'Avenida Rafael E. Melgar, le *malecón*, que l'ambiance festive de l'île bat son plein en soirée. Vous y trouverez à coup sûr de l'animation, des cafés et bars invitants et des gens qui flânent en profitant de la fraîcheur du soir.

Aqua

Hotel Flamingo, Calle 6 entre Av. 5 et Av. 10, 987-872-1264

Le resto-bar de l'hôtel Flamingo est un lieu agréable où prendre un verre et discuter avec les autres clients qui s'y trouvent. Tous les samedis, et parfois en semaine, s'y produisent des groupes de musique allant du jazz aux rythmes cubains.

Viva México

Av. Rafael E. Melgar, angle Calle Dr. Adolfo Rosado Salas, 987-872-0799

Une très grande piste de danse accueille vacanciers et résidents qui veulent se déhancher sur des rythmes en tout genre. C'est surtout la fin de semaine que l'établissement se remplit.

Tiki Tok
Av. Rafael E. Melgar entre Calle 2 N. et Calle 4 N.,
987-869-8119, www.tikitokcozumel.com

Ce resto-bar surplombe la baie face à la mer. On y joue de la musique reggae ou salsa, selon les soirs. Demandez les cocktails servis à même la noix de coco! Spectacles de musique les samedis et dimanches.

Achats

À Cozumel, de nombreux commerces et bureaux ferment leurs portes entre 13h et 16h, et souvent même 17h. Les magasins situés sur l'Avenida Rafael E. Melgar restent cependant ouverts en haute saison pour accueillir le flot quotidien de croisiéristes.

Comme à Cancún, les bons achats à Cozumel sont l'artisanat, les hamacs, les bijoux en argent et les cigares. N'achetez aucun objet fabriqué avec du corail noir, même si l'on n'arrête pas de dire que c'est «la» spécialité de l'île, car cette espèce est menacée d'extinction. En général, il est préférable de pénétrer dans le centre de San Miguel pour découvrir ses boutiques plutôt que de rôder près du port, où les prix sont plus élevés que partout ailleurs dans l'île et les commerces moins intéressants. Près de la Plaza Principal, vous verrez des dizaines de boutiques d'artisanat.

MEGA
Av. Rafael E. Melgar, angle Calle 11 Sur

Cozumel renferme de grands marchés où l'on vend de tout: du pain qui sort du four, des vêtements, de l'artisanat, des cosmétiques... et des spiritueux qui coûtent bien moins cher qu'à la boutique hors taxes de la zone portuaire! Vous y trouverez aussi des distributeurs de billets. Parmi les meilleures adresses figurent le dernier venu, MEGA.

Mercado Municipal
fermé dim; Calle Dr. Adolfo Rosado Salas entre Av. 20 et Av. 25

Le marché municipal est un endroit très animé où l'on peut voir s'activer les *Cozumeleños* et se procurer des produits frais.

Los Cinco Soles
Av. Rafael E. Melgar n° 27 entre Calle 8 et Calle 10, 987-872-9004

Ceux qui sont à la recherche d'artisanat mexicain doivent absolument pousser la porte de la splendide boutique Los Cinco Soles. S'y trouve aussi le restaurant **Pancho's Backyard** (voir p. 195).

Chocolatería Isla Bella
Calle 3 entre Av. 5 et Av. Rafael E. Melgar, 987-103-9409

Cette chocolaterie artisanale ne laissera personne indifférent! La chocolatière y concocte des bouchées aux saveurs étonnantes, mais toujours harmonieuses, comme mangue et chili, mescal ou *chipotle*. Les clients aux goûts plus conventionnels auront également l'embarras du choix.

Voyagez gratuitement tous les mois!

Abonnez-vous à l'**infolettre Ulysse**.

Nouveautés – Tendances – Offres spéciales

www.guidesulysse.com

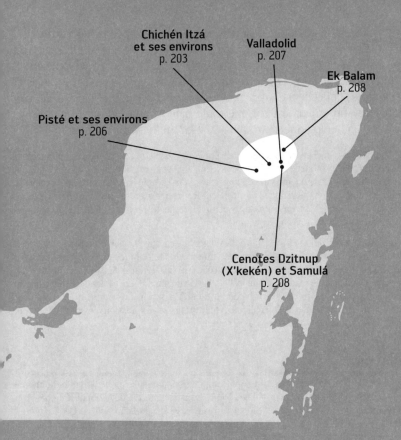

Chichén Itzá
et ses environs
p. 203

Valladolid
p. 207

Ek Balam
p. 208

Pisté et ses environs
p. 206

Cenotes Dzitnup
(X'kekén) et Samulá
p. 208

La région
de Chichén Itzá
et Valladolid

Site archéologique le plus visité de toute la péninsule yucatèque, Chichén Itzá se trouve au cœur de la grande plaine du Yucatán, où les seuls points d'eau sont les *cenotes*, dispersés de façon aléatoire. D'importants travaux de restauration ont permis de conserver les palais et les temples qui étaient couverts de végétation. On y accède depuis Cancún en voiture ou en autocar sur une route bien revêtue ou même par avion. La zone archéologique se trouve à 179 km de Cancún.

En chemin vers Chichén Itzá, au départ de Cancún, vous verrez deux endroits qui méritent le détour. La ville coloniale de Valladolid, située à une cinquantaine de kilomètres à l'est de Chichén Itzá, est la deuxième ville en importance du Yucatán. C'est l'antithèse de Cancún. En effet, si la ville et ses habitants fournissent les matières premières et la main-d'œuvre à la toute moderne Cancún, l'âme de Valladolid demeure profondément yucatèque, une synthèse des cultures maya et espagnole.

À une vingtaine de kilomètres au nord de Valladolid se trouve la ville précolombienne d'Ek Balam. Sa récente mise en valeur a révélé une vaste cité dont les plus impressionnantes structures datent de quelques siècles avant celles de Chichén Itzá. Si l'architecture de cette dernière se qualifie de maya-toltèque, celle d'Ek Balam s'apparente plutôt à l'architecture du Petén, au Guatemala. La visite de Chichén Itzá et d'Ek Balam vous permettra de comparer l'évolution architecturale de la civilisation maya dans ses expressions les plus variées, et celle d'Ek Balam, en particulier, vous éblouira.

Histoire

Chichén Itzá est incontestablement la plus impressionnante ville archéologique du monde maya. Originellement un petit village connu sous le nom d'Uucyl Abnal, Chichén Itzá demeura un lieu de pèlerinage jusqu'à l'arrivée des Espagnols au XVIᵉ siècle. La cité fut pendant trois siècles, de 900 à 1200 de notre ère, le centre du pouvoir d'une grande ville-État qui régnait sur toute la région.

Son nom maya signifierait «la bouche du puits des Itzás». Le premier terme, Chichén, fait référence au «*cenote* sacré» (Cenote Sagrado), un grand puits naturel comme on en trouve partout dans la péninsule. Le terme Itzá fait référence aux puissants hommes mi-historiques, mi-mythiques qui y régnaient lors de son apogée.

Malgré les nombreux travaux de conservation et de reconstruction, Chichén Itzá occulte toujours ses secrets, notamment celui de ses occupants. En effet, les Itzás ont suscité plusieurs théories quant à leurs origines, leurs influences et leurs conquêtes. Les grandes peintures murales et les bas-reliefs des colonnes ont maintes fois confirmé une interprétation du passé qui s'avéra infirmée par la suite. Les écrits que les Mayas nous ont laissés contredisent l'interprétation actuelle des hiéroglyphes sculptés sur les linteaux des bâtiments.

L'interprétation traditionnelle soutient que la cité de Chichén Itzá fut conquise par les Toltèques venus de Tula, leur capitale située au centre du Mexique. Mais des voies dissidentes clament que le mouvement d'influence s'est fait de Chichén Itzá vers Tula et non l'inverse. Le directeur des dernières recherches sur le terrain conclut qu'il est fort possible que plusieurs groupes d'origines différentes aient participé au contrôle politique, militaire et économique de Chichén Itzá.

Pour les visiteurs du site archéologique, ces multiples interprétations portent à confusion. De surcroît, la nomenclature utilisée pour les différents bâtiments nous vient souvent des premiers Espagnols, et les attributs comme maya, toltèque ou «vieux Chichén», sont toujours employés pour situer dans le temps les différents groupes de structures.

La cité de Chichén Itzá, érigée à mi-chemin entre la côte orientale et occidentale de la péninsule, couvre près de 15 km². Sa position géographique lui donnait accès aux grandes salines de la côte nord; de son port de mer, situé dans l'île de Cerritos, les bateaux naviguaient entre le golfe du Mexique et la mer des Caraïbes. Sa suprématie militaire et politique lui permettait d'étendre son contrôle sur les terres fertiles de la plaine, et à son apogée Chichén Itzá contrôlait d'importantes routes terrestres.

Urbanisme

La majorité des bâtiments publics est distribuée dans un réseau de grandes *plazas* (places). La grande Plaza del Caracol (place de l'Observatoire), qui occupe la partie sud du site, comprend l'Edificio de las Monjas (édifice des Nonnes), ses annexes, le Templo de los Tableros (temple des Panneaux) et l'Akab Dzib (temple de l'Écriture inconnue). Une place intermédiaire que l'on nomme Plaza del Osario, dominée par la tombe du Grand Prêtre (la pyramide El Osario), comprend quelques structures situées à l'est du *cenote* Xtoloc, entre El Castillo et El Caracol. Une troisième est l'immense Plaza del Castillo, qui comprend le groupe des Mille Colonnes, le Marché, le Templo de los Guerreros (temple des Guerriers), le grand terrain de pelote, le *cenote* sacré (Cenote Sagrado) et les petites structures au nord du Castillo.

En plus de ces trois grandes places, il existe d'autres bâtiments publics de dimensions plus modestes à une distance de 200 m à 700 m au sud du noyau administratif et religieux. Ces structures sont entourées de monticules qui soutenaient des maisons construites en matériaux périssables comme celles qui existent toujours aujourd'hui au Yucatán. Une vingtaine de *sacbeob* (chemins blancs) mesurant entre 2 m et 8 m de large reliaient ces structures et le centre de la ville. Un *sacbé* reliait aussi Yaxuná, au sud de Chichén Itzá, et Cobá. Aujourd'hui recouvert par la jungle, il fait plus de 100 km et est parsemé de *cenotes* et de petits temples.

> Styles architecturaux de Chichén Itzá

Depuis plusieurs années, on distingue au moins deux styles d'architecture publique à Chichén Itzá. Le premier style est une variante locale du style Puuc qui a évolué aux VIIIᵉ et IXᵉ siècles dans les petites montagnes du Yucatán. Ce style se caractérise par la maçonnerie en parement et surtout par les mosaïques en relief sur la partie supérieure des façades des temples et des palais. Plusieurs temples sont construits sur de hautes plateformes aux coins arrondis et aux escaliers sans rampe.

Les décorations en mosaïque ont comme motif principal des masques superposés représentant Chac, le dieu de la Pluie, et des dessins géométriques dérivant de représentations de serpents stylisés.

Le deuxième style, nommé «maya-toltèque», est lui aussi issu du style Puuc, mais énormément enrichi d'éléments et de techniques qui proviennent du Mexique et plus particulièrement de Tula. Les structures de ce style comprennent les pyramides à palier avec murs inclinés et panneaux à dessins géométriques ou en reliefs figuratifs à chacun des niveaux. Les édifices de ce style ont de grandes salles à colonnes ou à piliers (supports intérieurs) et des portiques semi-ouverts.

La décoration en relief est omniprésente: les bas-reliefs représentent des serpents emplumés, des jaguars en mouvement ou assis, des aigles, des scènes animées et d'interminables files de guerriers et de dignitaires.

À cet ensemble architectural s'intègre une série de sculptures comme les *chacmool* à l'entrée des temples, de petits et de grands porteurs appelés «atlantes» qui supportent des autels, des linteaux ou des poutres, des trônes en forme de jaguar, des têtes humaines sortant de la bouche de serpents et de grands serpents à sonnette qui se transforment en frises, en linteaux, en colonnes ou en rampes d'escalier.

Accès et déplacements

➤ En avion

Aerosaab *(785$/pers. depuis Cancún pour forfait aller-retour avec visite du site; 998-865-4225, www.aerosaab.com)* propose des vols privés aller-retour dans la même journée au départ de Cancún, de Cozumel, de Playa del Carmen et de l'Isla Holbox vers Chichén Itzá. Les prix varient selon le point de départ et le nombre de passagers et incluent le transport aérien et terrestre, l'entrée au site archéologique et la visite guidée ainsi que l'entrée au *cenote* Ik Kil.

➤ En voiture

Au départ de Cancún, pour vous rendre à Chichén Itzá, Pisté ou Valladolid, vous avez le choix entre deux routes parallèles qui portent le numéro 180. La route 180-D (ou 180 Cuota) est une autoroute payante (comptez une vingtaine de dollars par trajet pour l'emprunter); la 180 Libre est une route nationale qui passe par les villages. La première sortie de la 180-D mène à Valladolid (prendre la Carretera Federal 295 vers le sud pendant quelques kilomètres), alors que la seconde dessert Pisté et Chichén Itzá (prendre la route 13 vers le sud et suivre les indications).

Au départ de Puerto Morelos, vous pourrez rejoindre la route 180 en empruntant la Rutas de los Cenotes (Puerto Morelos–Leona Vicaro) depuis la route 307.

Au départ de Tulum, prenez la route Tulum-Cobá (109). Au carrefour giratoire de Cobá, empruntez la route vers Chichén Itzá et Valladolid. Vous rejoindrez alors la route 180 Libre, à l'ouest du village de Chemax. Poursuivez vers l'ouest jusqu'à Valladolid.

Le site de Chichén Itzá compte deux entrées: l'entrée Ouest en est la principale tandis que l'entrée Est se trouve dans le prolongement de la route hôtelière, peu après l'hôtel Mayaland.

Pour aller à Ek Balam, il faut se rendre à Valladolid par la 180 Libre ou la 180-D et prendre la route Valladolid-Tizimín (route nationale 295) vers le nord. Vous devrez alors poursuivre sur une quinzaine de kilomètres jusqu'à l'embranchement qui mène à Ek Balam (situé sur la droite et bien indiqué).

➤ En autocar

De Cancún, on compte de nombreux départs quotidiens d'autocars en direction de Valladolid (trajet de 2h) et au moins un pour Chichén Itzá (départ à 8h45, trajet de 3h). De Tulum, il y a deux départs par jour (à 9h et 14h45) vers Chichén Itzá. Le trajet dure entre 2h30 et 3h. Enfin, il y a un départ par jour, à 8h, depuis Playa del Carmen (trajet de 4h). Puisque les horaires sont sujets à changement, nous vous suggérons de les consulter sur le site *www.ado.com.mx* avant d'entreprendre votre excursion.

Chichén Itzá

Assurez-vous que votre bus marque l'arrêt aux ruines archéologiques. Certains autocars s'arrêtent un peu avant, au village de Pisté.

Pisté

La gare routière est située à côté du Pirámide Inn Resort, à environ 1,5 km de l'entrée des ruines.

Valladolid

La principale gare routière de Valladolid est située à l'angle de la Calle 39 et de la Calle 46 (deux rues à l'ouest du Parque Central). Les habitants l'appellent communément le «Terminal 46».

Renseignements utiles

Les adresses ci-dessous sont toutes situées dans la ville de **Valladolid**.

➤ Banque
Banque HSBC : angle Calle 41 et Calle 44, www.hsbc.com.mx

➤ Renseignements touristiques
Departamento de Fomento Turístico : Calle 40 n° 200, 984-856-2551, poste 114, www.valladolid.travel

➤ Santé
General Hospital de Valladolid : Av. Poligono Chanyodzonot, 985-856-2883

Attraits touristiques

Chichén Itzá et ses environs ★★★

À ne pas manquer

- Le site complet de Chichén Itzá p. 203
- Cenote Ik Kil p. 206
- Parador Ecoturístico Yokdzonot p. 207

Les bonnes adresses

Restaurants
- Hotel Mayaland p. 211

Pensez-y

- En combinant le transport, l'achalandage des lieux et le soleil qui irradie généreusement le terrain dénudé entourant les temples, la visite du site archéologique de Chichén Itzá vous laissera sans doute aussi fatigué qu'impressionné! Le meilleur plan pour en profiter sans s'éreinter est de séjourner à Valladolid ou encore plus près des ruines.

On ne peut oublier de visiter la grande ville archéologique de Chichén Itzá lors d'un séjour dans la péninsule du Yucatán. Sur près de 15 km² s'étalent de nombreux temples et palais témoins de l'époque où Chichén Itzá régnait sur tout le nord de la péninsule.

La cité de Chichén Itzá est inscrite sur la Liste du patrimoine mondial de l'UNESCO. C'est l'un des sites les mieux restaurés de la péninsule et aussi l'un des plus importants. Certains des bâtiments sont toutefois toujours enfouis sous une épaisse couche de végétation.

Le site de Chichén Itzá est très visité. Le jour, entre les touristes et les vendeurs ambulants, il y a carrément foule. Le meilleur moment pour découvrir les charmes de la cité de Chichén Itzá est tôt le matin, avant les grandes chaleurs du jour, et surtout avant l'arrivée des cars remplis de touristes (vers 11h). Vous jouirez ainsi d'une plus grande latitude pour admirer le somptueux Castillo, le gigantesque terrain de pelote ou le groupe des Mille Colonnes. Si vous êtes de passage lors de l'équinoxe de printemps ou d'automne, vous pourrez assister à la «descente du serpent».

Le site de Chichén Itzá est ouvert tous les jours de 8h à 17h; l'entrée coûte environ 15$. À l'entrée du site, on trouve un distributeur automatique de billets, un restaurant, un cinéma gratuit, une librairie et de nombreuses boutiques (et vendeurs) de souvenirs. Il y a aussi une consigne gratuite, des toilettes et un vaste stationnement *(environ 20 pesos par jour)*. Il existe une seconde entrée à l'est du site où il est beaucoup plus facile de se stationner. Si vous décidez de louer les services des guides sur place, vous devrez suivre leur cadence accélérée. Pour l'utilisation d'une caméra vidéo, il faut compter des frais supplémentaires.

Le spectacle son et lumière *(en espagnol; inclus dans le prix d'entrée; à 19h en hiver et à 20h en été)* qui était présenté chaque soir avait été suspendu lors de notre dernier passage, mais devrait être de retour avec une nouvelle mouture au cours de l'année 2014.

Comme le site est majoritairement à découvert, il est impératif de se munir d'un chapeau ou d'une casquette, de crème solaire, d'une bouteille d'eau et de lunettes de soleil. De bonnes chaussures de marche ne seront pas superflues.

Afin d'attribuer un temps équitable à la visite des plus importantes structures, nous avons divisé le site en deux parties : le groupe nord comprend les édifices de style maya-toltèque, et le groupe sud, où se trouvent la Plaza del Osario et la Plaza del Caracol, comporte des bâtiments de styles maya-toltèque et Puuc.

La «descente du serpent»

Au moment de l'équinoxe de printemps et d'automne, l'ombre créée par le Soleil qui illumine graduellement les marches de l'escalier nord du Castillo donne l'illusion qu'un serpent descend lentement du haut de la pyramide en direction de la terre. Ce phénomène dure environ 15 min. Au pied des quatre angles du temple se trouvent d'ailleurs d'énormes têtes de serpent en pierre, gueules ouvertes, rehaussant le côté dramatique de ces événements saisonniers.

Juego de pelota

Le *juego de pelota* ou *pok-ta-pok* fut pratiqué d'abord par les Olmèques et plus tard repris par les Mayas. On pourrait le définir comme un jeu de balle hybride, issu d'une sorte de croisement étrange entre le *fútbol* et le rugby, mais avec une signification aussi bien cosmique que rituelle et sacrificielle.

Personne n'est en mesure d'affirmer combien de joueurs y participaient exactement et encore moins d'en définir les règles, mais on sait que le jeu se déroulait à l'intérieur d'un terrain de forme géométrique particulière, aux dimensions variées et aux murs de pierres. Sur chacun des deux murs longitudinaux bordant le terrain, était scellé en leur centre un monumental anneau de pierre. Les adversaires se protégeaient les coudes, les genoux et les hanches, et ils devaient s'échanger une balle dure, d'un diamètre d'environ 15 cm, sans la faire tomber au sol et sans se servir de leurs mains ou de leurs pieds, puis la lancer à travers l'anneau de pierre pour s'inscrire au pointage.

Il va sans dire que les parties devaient être longues, pénibles et ardues. L'enjeu? Certains affirment qu'à l'époque maya les vainqueurs avaient le privilège d'offrir des sacrifices aux dieux. D'autres prétendent que, lorsque la culture guerrière des Toltèques s'est fondue à celle des Mayas, la victoire a pris une tout autre signification. Parfois, les perdants se voyaient trancher la tête, mais d'autres fois l'équipe gagnante, dans un suprême honneur, était sacrifiée aux dieux.

Le groupe nord

Situé à peu près au milieu du groupe nord, **El Castillo** (pyramide de Kukulcán), coiffé d'un temple, domine tous les autres par sa hauteur (24 m). El Castillo, temple pyramidal, conjugue les cultures maya et toltèque, et présente plusieurs symboles cosmologiques. Les Mayas liaient intimement l'étude des étoiles et des mathématiques avec la religion. Ainsi, El Castillo compte 365 marches sur ses quatre faces (ce qui correspond au nombre de jours de l'année solaire), 52 dalles (le nombre d'années d'un siècle maya) et 18 terrasses (les mois de l'année religieuse). Malheureusement, pour des raisons de sécurité et de conservation, il est maintenant interdit d'escalader ce temple.

El Castillo abrite une autre pyramide avec un temple plus petit. On y accède par un étroit escalier qui se trouve à la base du temple, du côté nord sous l'escalier.

Surmonté d'un *chacmool* et de deux colonnes en forme de serpent, le **Templo de los Guerreros** (temple des Guerriers) serait une imitation du «temple de l'Étoile du matin» de Tula, en plus grand. Ce bâtiment imposant surmonte une plateforme étagée et entourée de colonnes de pierre (voir ci-dessous). On a découvert à l'intérieur un autre temple plus ancien, à la taille plus modeste. Le temple des Guerriers n'est pas ouvert aux visiteurs.

Bien aligné le long du temple des Guerriers, se trouve ce groupe imposant de colonnes de pierre, le **Grupo de las Mil Columnas** (groupe des Mille Colonnes), qui faisait partie de plusieurs bâtiments servant à l'administration et aux grandes réunions.

Au nord du Castillo, sur le chemin qui mène au *cenote* sacré, se dresse une petite plateforme carrée, décorée de nombreux bas-reliefs sculptés: la **Plataforma de Venus** (plateforme de Vénus). On accède au sommet de cette structure par un des quatre escaliers qui l'entourent de chaque côté. Là, une plateforme assez large servait peut-être aux danses sacrées.

De la plateforme de Vénus, un *sacbé* (chemin blanc) de 300 m de long, bordé de grands arbres, mène au **Cenote Sagrado** (*cenote* sacré). Presque parfaitement rond, ce *cenote* de 55 m de diamètre et profond de 20 m contient une eau verdâtre et opaque. Sur la droite, un petit temple surplombe le *cenote*. Les recherches ont permis de remonter à

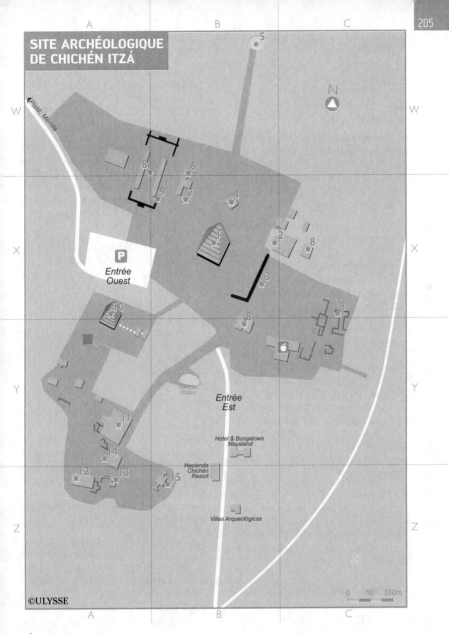

SITE ARCHÉOLOGIQUE DE CHICHÉN ITZÁ

W

N

W

P

Entrée
Ouest

X

X

Cenote
Xtoloc

Entrée
Est

Y

Y

Hotel & Bungalows
Mayaland

Hacienda
Chichén
Resort

Villas Arqueológicas

Z

Z

0   50   100m

©ULYSSE

⭐ ATTRAITS TOURISTIQUES

1. **BX** El Castillo
2. **BX** Templo de los Guerreros
3. **BX** Grupo de las Mil Columnas
4. **BX** Plataforma de Venus
5. **BW** Cenote Sagrado
6. **BW** Tzompantli/Plataforma de los Craneos
7. **BX** Plataforma de las Águilas y de los Jaguares
8. **AW** *Juego de pelota*
    CX *Juego de pelota*
    CX *Juego de pelota*
    BX *Juego de pelota*
9. **BX** Templo de los Jaguares
10. **AX** El Osario/Tumba del Gran Sacerdote
11. **AY** El Caracol
12. **AZ** Edificio de las Monjas
13. **AZ** Iglesia
14. **AY** Templo de los Tableros
15. **BZ** Akab Dzib

la surface une cinquantaine de squelettes (surtout d'hommes et d'enfants), des objets en or, en cuivre, en jade et en obsidienne, ainsi que des poupées de caoutchouc. Près du *cenote* se trouve un petit casse-croûte où vous pourrez consommer des rafraîchissements.

Le **Tzompantli** ou **Plataforma de los Craneos** (plateforme des Crânes) est une grande plateforme carrée dont les murs sont ornés de bas-reliefs de crânes sculptés dans la pierre, de face ou de profil, chacun ayant sa propre personnalité.

Près du Tzompantli se trouve la **Plataforma de las Águilas y de los Jaguares** (plateforme des Aigles et des Jaguars), avec ses murs ornés d'aigles sculptés serrant dans leurs griffes des cœurs humains. Les escaliers sont flanqués de chaque côté de serpents de pierre.

À l'extrême nord-ouest du groupe nord s'étend le plus vaste *juego de pelota* (terrain de pelote) jamais découvert dans le monde maya. Mesurant 145 m sur 37 m, le terrain est entouré de chaque côté de deux murs de pierres de 8 m de hauteur. Sur chacun de ces murs se trouve un cerceau de pierre, où les joueurs devaient faire passer une balle de caoutchouc. La balle, symbole du Soleil, ne devait jamais toucher le sol. La réverbération du son, à l'intérieur du terrain de jeu, est impressionnante.

À l'entrée droite du terrain, le **Templo de los Jaguares** (temple des Jaguars) est orné de nombreux bas-reliefs et d'une grande murale. Une sculpture de jaguar fait aussi face à l'**Edificio de las Águilas** (édifice des Aigles).

Le groupe sud

À l'entrée du groupe sud, au centre de la Plaza del Osario, se dresse la pyramide de 10 m de hauteur d'**El Osario** ou **Tumba del Gran Sacerdote** (tombe du Grand Prêtre). Des squelettes et des objets précieux ont été découverts à l'intérieur.

Plus au sud se trouve un bâtiment rond de deux étages qui servait sans doute d'observatoire : **El Caracol** (l'Observatoire). Des fenêtres étroites, qui laissent pénétrer

le soleil, permettaient probablement aux prêtres mayas de calculer le temps.

En continuant vers le sud, on atteint un bâtiment dont la façade est richement ornée du masque qui représente le dieu de la Pluie, Chac. Il s'agit de l'**Edificio de las Monjas** (édifice des Nonnes).

Juste à côté, l'**Iglesia** (église), un petit bâtiment à l'architecture de style Puuc, présente, sur sa façade, des motifs géométriques et des animaux, notamment les «quatre porteurs du ciel» tels qu'ils sont représentés dans la mythologie maya : le crabe, l'escargot, le tatou et la tortue.

Dans ce même secteur, soulignons la présence du **Templo de los Tableros** (temple des Panneaux) et de l'**Akab Dzib** (temple de l'Écriture inconnue).

Autour de Chichén Itzá

À 5,5 km à l'est de Chichén Itzá, sur la route 180 Libre, se trouve l'accès aux **Grutas de Balankanché** ★ *(environ 10$; tlj 9h à 17h)*. Comme les *cenotes*, les grottes ont représenté des lieux de culte importants pour les Mayas puisqu'ils formaient des brèches s'ouvrant sur le *Xibalbá*, le monde souterrain ou «inframonde». On a malheureusement aménagé à l'excès le site en voulant faire vivre une expérience mystique aux visiteurs, avec moult sons et lumières. Mais la rencontre d'une stalactite et d'une stalagmite qui forment ensemble une impressionnante colonne ainsi que et les nombreux artéfacts mayas méritent le coup d'œil.

Entre les grottes et les ruines de Chichén Itzá, en face de l'hôtel **Dolores Alba** (voir p. 209), vous pourrez admirer le spectaculaire **Cenote Ik Kil** ★ ★ *(environ 6$; tlj 9h à 17h)*. La baignade est possible, mais soyez prudent car les nombreuses marches de l'escalier qui y descend sont glissantes.

Pisté et ses environs

Situé à quelques kilomètres du site archéologique, le village de **Pisté** est une sorte de prolongement commercial de Chichén Itzá. On y retrouve une gare routière, des boutiques d'artisanat, des restaurants, des hôtels, un terrain de camping, un poste d'essence et une banque.

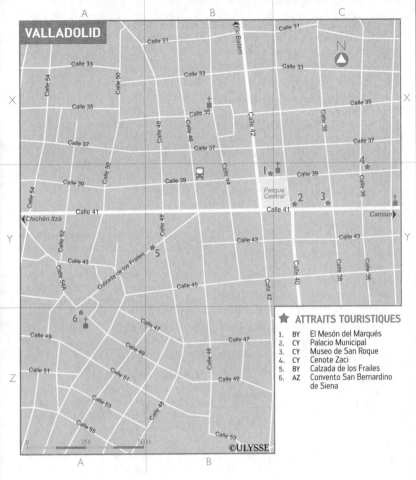

VALLADOLID

Calle 31
Calle 31
Calle 33
Calle 33
Ek Balam
N
Calle 54
Calle 50
Calle 33
Calle 35
Calle 35
Calle 35
Calle 42
Calle 48
Calle 38
Calle 46
Calle 37
Calle 37
Calle 37
Calle 39
Calle 50
Calle 44
Calle 39
Calle 39
Calle 36
Calle 54
Calle 39
1
4
Chichén Itzá
Parque Central
2 **3**
Calle 41
Calle 41
Cancún
Calle 52
Calle 48
Calle 43
Calle 43
Calle 43
5
Calle 43
Calzada de los Frailes
Calle 40
Calle 38
Calle 36
Calle 54A
Calle 45
Calle 42
6
Calle 47
Calle 47
Calle 49
Calle 49
Calle 46
Calle 47
Calle 51
Calle 49
Calle 51
Calle 49
Calle 53
Calle 48
Calle 55
Calle 53
Calle 53

0 250 500m

©ULYSSE

★ **ATTRAITS TOURISTIQUES**

1. BY El Mesón del Marqués
2. CY Palacio Municipal
3. CY Museo de San Roque
4. CY Cenote Zaci
5. BY Calzada de los Frailes
6. AZ Convento San Bernardino
        de Siena

À 18 km à l'ouest de Pisté sur la route 180 Libre se trouve le **Parador Ecoturístico Yokdzonot** ★★★ *(60 pesos; tlj 9h à 17h, 985-858-4666, http://yokdzonotparador. wix.com)*, qui abrite un superbe *cenote* bien aménagé pour la baignade, un restaurant et une aire de pique-nique sous *palapa*. Cet endroit charmant est bien géré par une coopérative formée de villageois mayas. On y loue des vestes de flottaison et de l'équipement de plongée-tuba. On y organise aussi des excursions guidées en vélo de montagne pour voir d'autres *cenotes* et des cascades. Il est possible d'y planter sa tente *($)* et de faire des descentes en rappel.

Valladolid ★★

À ne pas manquer

- Convento San Bernardino de Siena p. 208
- Calzada de los Frailes p. 208
- Cenote Zaci p. 208
- Cenotes Dzitnup et Samulá p. 208

Les bonnes adresses

Restaurants
- El Meson de Marqués p. 211
- Taberna de los Frailes p. 211

La visite de la ville de Valladolid permet de connaître la vie des Mexicains qui vivent à l'extérieur de la zone touristique de Chichén Itzá. Fondée au XVIᵉ siècle sur l'emplacement de l'ancienne capitale de la province des Cupules, Valladolid fut le théâtre de multiples rébellions entre Espagnols et

Mayas. Surnommée la «Ville héroïque», elle demeure fière et rebelle, et garde les traces des événements épiques qui ont jalonné son histoire. Son dynamisme laisse présager une modernité toute mexicaine.

La visite débute au **Parque Central**, autour duquel s'élèvent les plus anciens bâtiments de la ville. Vous y trouverez la **cathédrale**, **El Mesón del Marqués**, ce grand hôtel installé dans une hacienda d'antan, des restaurants et le **Palacio Municipal**. À quelques pas de ce dernier, l'ancien monastère San Roque renferme le **Museo de San Roque**. Tous ces endroits valent le détour.

Le populaire **Cenote Zaci** ★★ et son sympathique restaurant mexicain *(accès par la Calle 36, angle Calle 37)* sont situés littéralement au centre de la ville. Ce *cenote* propice à la baignade est profond, semi-ouvert et entouré de hautes parois flanquées d'escaliers. Le prix d'entrée inclut avec les repas.

Pour apprécier la nature grandiose des bâtiments religieux et l'élégance des demeures bourgeoises de Valladolid, la visite du monastère San Bernardino de Siena, situé au sud-ouest du Parque Central, s'impose. On s'y rend en empruntant la **Calzada de los Frailes** (Calle 41A), tout en couleurs, bordée de belles demeures anciennes mexicaines. Il faut savoir qu'à Valladolid les descendants des Espagnols rivalisent de fierté avec ceux de Mérida, la capitale du Yucatán.

L'un des plus importants et des plus beaux monastères du Yucatán, le **Convento San Bernardino de Siena** ★★ *(dons appréciés; Calle 49, angle Calle 50, 985-856-2160)*, que les habitants appellent «Convento de Sisal», demeure l'attrait le plus fréquenté par les touristes mexicains à Valladolid. Vous trouverez, à l'intérieur de cette forteresse, des cryptes, des catacombes et des chapelles. L'église est pratiquement restée dans son état d'origine et conserve des peintures du XVIe siècle derrière les retables installés sur les murs latéraux. Toujours en service, la noria, qui jadis irriguait les jardins des Franciscains, est construite au-dessus du *cenote* Ziis-Ha; dans le musée, vous verrez les armes espagnoles qui ont été récupérées dans le puits.

Cenotes Dzitnup (X'kekén) et Samulá ★★

À 7 km au sud de Valladolid se trouvent les *cenotes* souterrains **Dzitnup** (aussi appelé **X'kekén**) et **Samulá**, où l'on peut se baigner pour environ 50 pesos. On y a installé un éclairage aux couleurs changeantes. Leurs sommets percés laissent filtrer la lumière du jour et, dans le cas de Samulá, pendre des dizaines de racines entremêlées qui rejoignent les eaux cristallines.

Ek Balam ★★★

Située à moins de 20 km au nord de Valladolid, Ek Balam s'avère une des plus impressionnantes cités précolombiennes de la péninsule du Yucatán. Depuis des siècles, la ville, dont le nom signifie «jaguar noir», l'un de ses souverains, était enfouie sous une épaisse végétation tropicale. Ek Balam, entourée de ses murailles, couvre 12,5 km². Cinq *sacbeob* (chemins blancs) y conduisent. Elle abrite en tout plus de 40 structures, mais les bâtiments principaux sont concentrés dans une enceinte de 1,25 km².

L'**Acrópolis**, qui mesure 158 m de long, 58 m de large et 32 m de haut, est l'une des plus grandes acropoles du Yucatán. Sa configuration hétéroclite d'escaliers, de chambres et de temples présente les trouvailles les plus impressionnantes du site. Révélatrices du génie maya dans toute sa majesté, des façades époustouflantes ont été mises au jour. Une en particulier, entièrement décorée d'un haut-relief représentant la gueule du «Monstre sacré de la Terre», dévoile la représentation maya de l'au-delà. Cet être donnait, croyait-on, accès au *Xibalbá*, «l'inframonde» des Mayas. La gueule de taille gigantesque, avec ses crocs énormes, sert de porte d'entrée à une salle qu'occupait jadis le grand roi Ukit Kan Le'k Tok', fondateur de la dynastie d'Ek Balam. Cette façade blanche est ornée de masques, de formes végétales, de poissons et de fleurs entrelacées. Encore plus remarquables sont les personnages en haut-relief qui y figurent en diverses positions, magnifiquement habillés et portant des panaches exubérants. C'est un endroit unique à voir absolument.

À droite de l'entrée, le **Palacio Ovalo**, un des bâtiments principaux, est couronné d'un petit temple. Le «palais ovale» compte plusieurs niveaux superposés. Aux étages inférieurs, plusieurs chambres permettent de penser que c'était un lieu destiné aux membres de la noblesse.

Un autre bâtiment important de la place sud est dénommé **Los Gemelos**. «Les Jumeaux» sont deux constructions identiques, côte à côte, qui se dressent sur une seule et même structure de base. De grandes stèles protégées par des *palapas* se trouvent en face.

Le ***juego de pelota*** (jeu de pelote) se trouve au milieu des deux grandes places du site. À l'intérieur, on a découvert une importante offrande constituée de 90 vases en terre cuite. Cinq autres structures et un *chultun* (une grande citerne creusée dans le roc) ont également été mis au jour.

Hébergement

Chichén Itzá et ses environs

Dolores Alba $

Carretera Mérida-Cancún, Km 122, à 3 km de Chichén Itzá, 985-858-1555, www.doloresalba.com
Le Dolores Alba est un hôtel «petit budget», avec ses chambres modestes mais tout de même propres et confortables, dotées de salles de bain privées. L'hôtel offre le transport gratuit jusqu'aux ruines, et le **Cenote Ik Kil** (voir p. 206) se trouve juste en face. L'établissement offre un restaurant, un bar, deux piscines et propose l'accès Internet sans fil.

Villas Arqueológicas $-$$$

Carretera Mérida-Cancún, Km 120, à 100 m à l'est de l'hôtel Mayaland, 985-856-6000, www.villasarqueologicas.com.mx
L'hôtel Villas Arqueológicas est un bâtiment aux murs en stuc blanc et au toit de tuiles rouges. Ses petites chambres et suites sont coquettes, et l'hôtel dispose d'une bibliothèque bien documentée sur la culture maya, d'un restaurant, d'une table de billard et d'une piscine entourée de jardins. Accès Internet sans fil gratuit.

Hotel & Bungalows Mayaland $$-$$$$

Carretera Mérida-Cancún, Km 120, 800-235-4079, www.mayaland.com
Tout près de la zone archéologique de Chichén Itzá se dresse l'hôtel Mayaland, un complexe moderne construit autour du pavillon principal où prime une architecture coloniale. Il compte entre autres un bâtiment au décor d'hacienda abritant une cinquantaine de chambres et des bungalows au toit de chaume installés au milieu d'une végétation luxuriante. Le Mayaland offre toutes les installations d'un hôtel de luxe, notamment quatre restaurants ainsi que plusieurs bars et piscines.

Hacienda Chichén Resort & Yaxkin Spa $$$$

Carretera Mérida-Cancún, Km 120, 999-920-8407, www.haciendachichen.com
Construite au XVIIe siècle, l'Hacienda Chichén se trouve dans une ancienne plantation d'agaves. C'est ici que logèrent les explorateurs John Lloyd Stephens et Frederick Catherwood lors des premières fouilles archéologiques au Yucatán, vers 1840. Par la suite, elle a appartenu au consul américain Edward Thompson pendant ses recherches à Chichén Itzá. C'est maintenant une pittoresque auberge avec un ravissant jardin et une vaste piscine. Les chambres, décorées à la manière coloniale, ont chacune une véranda et une salle de bain privée. Le hall et les aires communes sont remplis d'objets anciens et d'artisanat maya. On y loue aussi des bungalows qui comprennent deux chambres meublées simplement, avec poutres apparentes au plafond. Stationnement gratuit. Le spa propose d'excellents soins de tradition maya et garantit une expérience holistique.

Pisté et ses environs

Pirámide Inn Resort $-$$

Calle 15A n° 28, angle Calle 20, 985-851-0115, www.piramideinn.com
Les deux bâtiments du Pirámide Inn Resort, qui montrent aujourd'hui des signes de fatigue, renferment des chambres sobres, plutôt modernes et dotées d'air conditionné. L'hôtel s'entoure d'un jardin et d'une piscine. On peut aussi installer sa tente ou pendre son hamac dans un espace bétonné, aménagé à cet effet à côté de l'hôtel, pour 50 pesos. Les campeurs peuvent utiliser la pis-

cine, et l'on a mis des douches (eau froide) à leur disposition. L'hôtel est situé à l'extrémité est de Pisté, à côté de la station d'autocars ADO. Stationnement gratuit.

Hotel Chichén Itzá $-$$$
Calle 15A nº 45, 985-851-0022,
www.mayaland.com/hotelchichenitza

L'Hotel Chichén Itzá propose des chambres confortables, décorées dans un style traditionnel et pourvues d'air conditionné et de l'accès Internet sans fil. Un jardin où il fait bon relaxer entoure la piscine. L'endroit a subi une petite cure de rajeunissement et offre un bon rapport qualité/prix. Le matin, optez pour le petit déjeuner mexicain, vous ne serez pas déçu!

À 18 km à l'ouest de Pisté par la route 180 Libre, il est possible de planter sa tente au **Parador Ecoturístico Yokdzonot** (voir p. 207). On y trouve deux piscines et un stationnement gratuit.

Valladolid

Vous trouverez une bonne sélection de lieux d'hébergement à Valladolid, à un prix beaucoup plus abordable qu'à Cancún. Plusieurs sont situés près du Parque Central.

La Aurora Hotel Colonial $
Calle 42 nº 192, entre Calle 35 et Calle 37,
985-856-1219,
http://hotelcoloniallaaurora.blogspot.ca

Le La Aurora Hotel Colonial, situé dans une rue tranquille mais près des sites d'intérêt dont le Cenote Zaci, offre un excellent rapport qualité/prix. Sa vingtaine de chambres (air conditionné, accès Internet sans fil), installées autour d'une sympathique cour intérieure agrémentée d'une grande piscine, sont simples et bien entretenues.

Hotel María de la Luz $-$$ 🐾
Calle 42 nº 193, aux abords du Parque Central,
985-856-1181, www.marialuzhotel.com.mx

Situé sur le côté ouest du Parque Central, l'immense et animé Hotel María de la Luz reçoit les familles qui profitent de sa piscine

---

▲ **HÉBERGEMENT**

1. CY Ecotel Quinta Regia
2. BY Hotel María de la Luz
3. BZ Hotel San Clemente
4. BY La Aurora Hotel Colonial

● **RESTAURANTS**

5. CZ El Mesón del Marqués
6. AZ Taberna de los Frailes

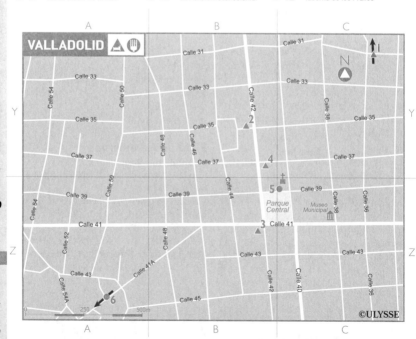

et de sa situation centrale. Son restaurant populaire propose une cuisine traditionnelle ainsi qu'un buffet le matin. Les chambres, vieillottes, sont tout de même propres. Accès Internet sans fil gratuit.

Hotel San Clemente *$-$$*
Calle 42 nº 206, entre Calle 41 et Calle 43, 985-856-2208, www.hotelsanclemente.com.mx

Le très économique Hotel San Clemente compte une soixantaine de chambres avec air conditionné disposées autour d'une belle cour intérieure avec piscine. Ces grandes chambres, au décor simple, sont propres. Certaines chambres du rez-de-chaussée sentent toutefois le renfermé. Demandez-en une à l'étage, car la brise fait circuler l'air là-haut.

Ecotel Quinta Regia *$$$*
Calle 40 nº 160-A, 985-856-3472, www.ecotelquintaregia.com.mx

Cet établissement à l'architecture coloniale haute en couleur propose une centaine de chambres coquettes et bien entretenues, une belle piscine, un vaste jardin luxuriant, une foule de services et un restaurant mexicain qui vaut le détour.

Restaurants

Chichén Itzá et ses environs

Vous trouverez une petite cafétéria *($)* ainsi qu'un restaurant climatisé *($$)* à l'entrée ouest du site archéologique. On y sert des mets corrects et sans surprises. Une autre option est d'aller aux restaurants de l'un ou l'autre des hôtels décrits plus haut.

Hacienda Chichén *$$*
Carretera Mérida-Cancún, Km 120, 985-851-0045

Le restaurant de l'**Hacienda Chichén** (voir p. 209) sert de délicieuses spécialités yucatèques à prix très raisonnables.

Mayaland *$$-$$$*
Carretera Mérida-Cancún, Km 120, 800-235-4079

À l'**Hotel & Bungalows Mayaland** (voir p. 209), il y a trois restaurants dont un avec buffet, tous de différentes spécialités. Les repas sont plutôt chers, mais on profite des beaux jardins des lieux.

Villas Arqueológicas *$$$*
100 m à l'est du Mayaland, 985-851-0034

L'hôtel **Villas Arqueológicas** (voir p. 209) abrite un restaurant de spécialités régionales dans un décor très élégant.

Pisté

En longeant la route 180, vous croiserez de nombreux petits restaurants où l'on sert des mets du pays selon les formules buffet ou «table d'hôte».

Las Mestizas *$*
en face de l'Hotel Chichén Itzá

Le restaurant Las Mestizas offre tout simplement le meilleur rapport qualité/prix en ville. La cuisine régionale variée, le service prompt, voire exceptionnel, le décor mexicain de style colonial, les portions généreuses et les prix honnêtes vous assurent un repas mémorable.

Valladolid

Voir carte p. 198.

El Mesón del Marqués *$$-$$$*
Calle 39 nº 203, entre Calle 40 et Calle 42, 985-856-2073

Le restaurant de l'hôtel El Mesón del Marqués, considéré comme la meilleure table en ville, ne déçoit personne. Le menu est yucatèque et international; le service, discret et attentif. Et que dire du décor: l'arcade entourant le patio de l'ancienne hacienda, avec sa fontaine et sa végétation tropicale, accueille les convives dans la grande tradition mexicaine. Une douceur que l'on peut s'offrir à n'importe quel repas de la journée.

Taberna de los Frailes *$$-$$$$*
à côté du Convento San Bernardino de Siena, 985-856-0689, www.tabernadelosfrailes.com

Avec son toit de *palapa*, sa vue sur le monastère, sa cuisine gastronomique d'inspiration maya et mexicaine et son cadre historique et romantique, la Taberna de los Frailes est un restaurant incontournable à Valladolid.

Références

Index

Les numéros en **gras** renvoient aux cartes.

Hébergement *(suite)*

Commandez au www.guidesulysse.com

La livraison est gratuite si vous utilisez le code de promotion suivant : **GDEMAYA14** (limite d'une utilisation du code de promotion par client).

Les **guides Ulysse** sont aussi disponibles dans toutes les bonnes librairies.

GUIDES DE VOYAGE ULYSSE

Boston
24,95 $ 19,99 €

Cape Cod, Nantucket, Martha's Vineyard
24,95 $ 22,99 €

Carthagène
19,95 $ 19,99 €

Chicago
24,95 $ 22,99 €

Costa Rica
34,95 $ 28,99 €

Disney World et Orlando
19,95 $ 19,99 €

Grand Canyon et Arizona
29,95 $ 24,99 €

Floride
29,95 $ 24,99 €

Gaspésie, Bas-Saint-Laurent
24,95 $ 19,99 €

Îles de la Madeleine
19,95 $ 17,99 €

Las Vegas
19,95 $ 19,99 €

Miami, Fort Lauderdale
24,95 $ 19,99 €

GUIDES DE VOYAGE ULYSSE

Montréal
24,95 $ 19,99 €

New York
24,95 $ 19,99 €

Nouvelle-Angleterre
34,95 $ 27,99 €

Ouest canadien
34,95 $ 28,99 €

Panamá
32,95 $ 27,99 €

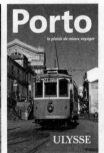

Porto
24,95 $ 22,99 €

Provinces maritimes
29,95 $ 24,99 €

Le Québec
34,95 $ 28,99 €

San Francisco
24,95 $ 19,99 €

Sud-Ouest américain
37,95 $ 29,99 €

Toronto
24,95 $ 22,99 €

Vancouver, Victoria et Whistler
19,95 $ 19,99 €

GUIDES ESCALE

Escale à Boston
14,95 $ 12,99 €

Escale à Buenos Aires
14,95 $ 12,99 €

Escale à Calgary et Banff
14,95 $ 12,99 €

Escale à Chicago
14,95 $ 12,99 €

Escale à Las Vegas
14,95 $ 12,99 €

Escale à Lisbonne
14,95 $ 12,99 €

Escale à La Havane
14,95 $ 12,99 €

Escale à Los Angeles
14,95 $ 12,99 €

Escale à Miami
14,95 $ 12,99 €

Escale à Montréal
14,95 $ 12,99 €

Escale à New York
14,95 $ 12,99 €

Escale à Porto
14,95 $ 12,99 €

GUIDES ESCALE

Escale à Québec
14,95 $ 12,99 €

Escale à San Diego
14,95 $ 12,99 €

Escale à San Francisco
14,95 $ 12,99 €

Escale à Toronto
14,95 $ 12,99 €

ESPACES VERTS

Escale à Vancouver
14,95 $ 12,99 €

Escale à Washington
14,95 $ 12,99 €

Randonnée pédestre Nord-Est des États-Unis
24,95 $ 22,99 €

Randonnée pédestre au Québec
24,95 $ 22,99 €

GUIDES DE CONVERSATION ULYSSE

L'anglais pour mieux voyager en Amérique
9,95 $ 6,99 €

L'espagnol pour mieux voyager en Amérique latine
9,95 $ 6,99 €

L'italien pour mieux voyager
9,95 $ 6,99 €

Le portugais pour mieux voyager
9,95 $ 6,99 €

GUIDES FABULEUX

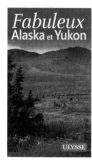

Fabuleux Alaska et Yukon
29,95 $ 27,99 €

Fabuleuse Argentine
34,95 $ 27,99 €

Fabuleux Canada
29,95 $ 24,99 €

Fabuleuse Côte Est américaine
34,95 $ 28,99 €

Fabuleuse Hawaii
34,95 $ 27,99 €

Fabuleux Ouest américain
34,95 $ 24,99 €

Fabuleux Ouest canadien
29,95 $ 24,99 €

Fabuleux Québec
29,95 $ 22,99 €

GUIDES COMPRENDRE

Comprendre Cuba
17,95 $ 14,99 €

Comprendre l'Espagne
17,95 $ 14,99 €

Comprendre l'Inde
17,95 $ 14,99 €

Comprendre le Québec
17,95 $ 14,99 €

ART DE VIVRE

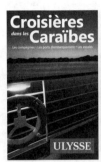

**Croisières
dans les Caraïbes**
29,95 $ 24,99 €

**Croisières
en Méditerranée**
29,95 $ 24,99 €

**Le Saint-Laurent –
guide de découverte**
34,95 $ 28,99 €

**Le tour du monde
à Montréal**
24,95 $ 22,99 €

ITINÉRAIRES AUTOUR DU MONDE

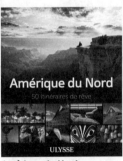
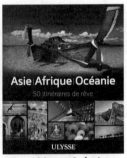

**Les 50 plus beaux itinéraires
autour du monde**
34,95 $ 27,99 €

**Amérique du Nord –
50 itinéraires de rêve**
34,95 $ 28,99 €

**Asie - Afrique - Océanie
50 itinéraires de rêve**
34,95 $ 28,99 €

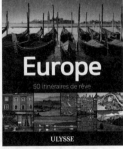

**Europe
50 itinéraires de rêve**
34,95 $ 28,99 €

**Voir le monde – 50 itinéraires
de rêve selon vos envies**
34,95 $ 28,99 €

Légende des cartes

★	Attraits		Forêt ou parc	— ··	Frontière internationale	
▲	Hébergement	☐	Place	·······	Frontière d'État mexicain	
●	Restaurants	✪	Capitale nationale	- - - -	Chemin de fer	
☽	Sorties	✪	Capitale d'État mexicain	▬▬▬	Tunnel	
	Mer, lac, rivière					

✈	Aéroport international	🅷	Hôpital	🚩	Réserve faunique
✈	Aéroport régional	ℹ	Information touristique	∴	Ruines
💲	Banque	🛒	Marché	🚶	Sentier pédestre
✈	Base militaire	▲	Montagne	➕	Soins médicaux
▣	Bâtiment/Point d'intérêt	🏛	Musée	-○-	Station de métro
✉	Bureau de poste	🌳	Parc national	🅿	Stationnement
♠	Casino	🔦	Phare	🅱	Station-service
✝	Cimetière	⊼	Pique-nique	▲	Terrain de camping
◄►	Écluse	🚲	Piste cyclable	🏌	Terrain de golf
✝	Église	🏳	Plage	🛥	Traversier (ferry)
🧳	Gare ferroviaire	🌊	Point de vue	🛥	Traversier (navette)
🚌	Gare routière	⚓	Port	▲	Volcan

▬(307)▬ Autoroute	▬▬ Route	········· Route non revêtue

Symboles utilisés dans ce guide

 Label Ulysse pour les qualités particulières d'un établissement

 Petit déjeuner inclus dans le prix de la chambre

½p Demi-pension (dîner, nuitée et petit déjeuner)

pc Pension complète

tc Tout compris

tlj Tous les jours

🍷 Apportez votre vin

Les sections pratiques aux bordures bleues répertorient toutes les adresses utiles.

Repérez ces pictogrammes pour mieux vous orienter :

 Hébergement

 Restaurants

 Sorties

🎁 Achats

Tous les symboles ne sont pas nécessairement utilisés dans ce guide.

Classification des attraits touristiques

★★★	À ne pas manquer
★★	Vaut le détour
★	Intéressant

Classification de l'hébergement

L'échelle utilisée donne des indications de prix pour une chambre standard pour deux personnes, avant taxe, en vigueur durant la haute saison.

$	moins de 60$US
$$	de 60$ à 90$US
$$$	de 91$ à 140$US
$$$$	de 141$ à 200$US
$$$$$	plus de 200$US

Classification des restaurants

L'échelle utilisée dans ce guide donne des indications de prix pour un repas complet pour une personne, avant les boissons, les taxes et le pourboire.

$	moins de 10$US
$$	de 10$ à 20$US
$$$	de 21$ à 30$US
$$$$	plus de 30$US

Notez que les prix mentionnés dans ce guide sont en dollars américains s'ils ne sont pas indiqués en pesos.